LIANE
MORIARTY

Лиана Мориарти

Тайна
моего мужа

Издательство «Иностранка»
МОСКВА

УДК 821(94)
ББК 84(8Авс)-44
М79

Liane Moriarty
THE HUSBAND'S SECRET
Copyright © Liane Moriarty, 2013
This edition is published by arrangement with Curtis Brown UK
and The Van Lear Agency LLC
All rights reserved

Перевод с английского Инги Смирновой

Оформление обложки Виктории Манацковой

Издание подготовлено при участии издательства «Азбука».

ISBN 978–5–389–07271–8

Адаму, Джорджу и Анне.
И Амелии

Грешить как люди и как Бог прощать.

Александр Поуп. Опыт о критике.
Перевод А. Субботина

Бедняжка Пандора! Зевс отсылает ее в супруги не слишком умному Эпиметею, которого она даже ни разу не видела, вручив таинственный закрытый сосуд. Никто ничего ей не объясняет. Открывать сосуд не запрещали, — естественно, она его открывает. Почему бы и нет? Откуда ей было знать, что все эти страшные напасти со свистом вылетят наружу, дабы вечно терзать человечество, а на дне останется лишь надежда? Почему на нем не было этикетки с предупреждением?

А затем началось: «Ох, Пандора, где же была твоя сила воли? Говорили же тебе не открывать ларец, пронырливая ты девица, типичная баба с неуемным любопытством. Так погляди же, что ты натворила». А между прочим, прежде всего, это был кувшин, а не ларец, и потом, сколько можно повторять: никто и словом не обмолвился, что его нельзя открывать!

Понедельник

Глава 1

Виной всему была Берлинская стена.

Если бы не Берлинская стена, Сесилия никогда бы не нашла письмо и теперь не сидела бы тут, за кухонным столом, раздумывая, следует ли его вскрыть.

Конверт посерел от тонкого слоя пыли. Имя адресата было выведено синей шариковой ручкой, царапавшей бумагу, а почерк этот она знала не хуже своего. Запечатали конверт пожелтевшим клочком клейкой ленты. Сколько ему лет? Письмо казалось старым, будто было написано давным-давно, но точно не скажешь.

Сесилия не собиралась его вскрывать. Было совершенно очевидно, что не следует этого делать. Среди всех знакомых она славилась решительностью, и раз уж ей кажется, что вскрывать не надо, то и раздумывать не о чем.

Хотя, с другой стороны, даже если она его распечатает, что в этом такого? Любая женщина так и поступила бы без особых раздумий. Сесилия перебрала в уме подруг и прикинула, что бы те ответили, позвони она им сейчас и спроси их мнения.

Мириам Опенгеймер: «Ага. Вскрой его».

Эрика Эджклифф: «Ты что, шутишь?! Вскрывай сейчас же».

Лора Маркс: «Да, ты должна его вскрыть, а потом прочти мне».

Сара Сакс... Сару спрашивать бессмысленно, потому что она совершенно не способна принимать решения. Не ответит даже на вопрос, предпочитает она чай или кофе: будет сидеть добрую минуту с наморщенным лбом, как будто мучительно взвешивая преимущества и недостатки каждого напитка, а потом наконец скажет: «Кофе! Нет, погоди, чай!» Подобная же дилемма довела бы ее до припадка.

Махалия Рамачандран: «Ни в коем случае. Это крайне неуважительно по отношению к твоему супругу. Тебе нельзя вскрывать это письмо».

Порой Махалия бывала чересчур уверена в себе, да еще и смотрела при этом огромными карими укоряющими глазами.

Сесилия оставила письмо на кухонном столе и пошла ставить чайник.

Будь проклята Берлинская стена, и холодная война, и тот тип, кем бы он ни был, который в тысяча девятьсот сорок каком-то году сидел и раздумывал, как бы поступить с неблагодарными немцами. А потом вдруг щелкнул пальцами и заявил: «Ей-богу, придумал! Мы построим чертову огромную стену, чтобы держать ублюдков за ней!»

Хотя маловероятно, чтобы он при этом выражался, словно старшина британской армии.

Эстер наверняка знает, кому именно пришло в голову построить Берлинскую стену. Даже дату рождения назовет. И скорее всего, это окажется мужчина: только мужчина мог бы выдумать нечто настолько жестокое, по сути своей глупое и все же безжалостно действенное.

Интересно, это с ее стороны сексизм — думать так?

Сесилия наполнила чайник, включила его и бумажным полотенцем стерла капли воды, брызнувшие в раковину, чтобы та засверкала.

На прошлой неделе, псред собранием праздничного комитета, одна из мам, чьи трое сыновей-школьников приходились плюс-минус ровесниками трем дочерям Сесилии, назвала какое-то ее замечание «самую чуточку сексистским». Сесилия не могла припомнить собственные слова, но она точно всего лишь шутила. И, в любом случае, разве женщины не имеют права на сексизм в ближайшую пару тысяч лет, пока не сравняют счет?

Может, она и сексистка.

Чайник вскипел. Сесилия поболтала в чашке пакетиком «Эрл грея», наблюдая, как темные завитки расползаются по воде, словно чернила. Бывают вещи и похуже сексизма. Скажем, можно оказаться одной из тех особ, кто складывает пальцы щепотью, произнося «самую чуточку».

Сесилия посмотрела на заваренный чай и вздохнула. Бокал вина пришелся бы сейчас более кстати, но на время Великого поста она отказалась от алкоголя. Осталось всего шесть дней. Она припасла бутылочку дорогого «Шираза», чтобы открыть ее в пасхальное воскресенье, когда на обед придут тридцать пять взрослых и двадцать три ребенка, так что он ей пригодится. Хотя, конечно же, она давно навострилась развлекать гостей. Родственники собирались у них на Пасху, День матери, День отца и Рождество. У Джона Пола было пятеро младших братьев, все женатые и с детьми, так что толпа выходила немаленькая. Ключом к успеху было планирование. Скрупулезное планирование.

Она взяла чай и отошла с ним к столу. И зачем она отказалась на время поста именно от вина? Полли вот поступила разумнее: решила воздерживаться от клубничного варенья. Прежде Сесилия не замечала, чтобы Полли проявляла к клубничному варенью хотя бы мимолетный интерес, зато теперь, разумеется, то и дело заставала дочь перед открытым холодильником тоскливо созерцающей банку. Запретный плод!

— Эстер! — окликнула Сесилия.

Дочери в соседней комнате смотрели шоу «Потерявший больше всех» и грызли чипсы с солью и уксусом из огромного пакета, оставшегося с давешнего пикника в честь Дня Австралии. И почему три ее стройные дочери так любят смотреть, как тучные люди потеют, плачут и голодают? И непохоже, чтобы это прививало им склонность к более здоровому питанию. Стоило бы зайти к ним и отобрать чипсы, но они без единой жалобы поужинали лососем со сваренной на пару брокколи, и ей не хватило бы духу на споры.

— И за ничего вы не получаете ничего! — донесся громкий возглас из телевизора.

Пожалуй, ее дочерям даже полезно это услышать. Кто может знать это лучше Сесилии! И все же ей не нравилось выражение легкого отвращения, мелькающее на их гладких юных лицах. Она всегда бдительно следила за тем, чтобы не позволять себе при детях отрицательных суждений о чьей-то внешности, хотя того же нельзя сказать о ее подругах. Только на днях Мириам Опенгеймер заявила достаточно громко, чтобы расслышали все их впечатлительные дочери: «Боже, только посмотри на мой живот!» — и прихватила складку кожи кончиками пальцев, словно какую-то гадость. Отлично, Мириам, как будто наших дочерей и без того ежедневно по миллиону раз не призывают возненавидеть собственное тело.

Сказать по правде, живот Мириам и впрямь выглядел несколько рыхловатым.

— Эстер! — позвала Сесилия снова.

— В чем дело? — отозвалась та терпеливым, нарочито покладистым тоном, в котором Сесилия заподозрила неосознанное подражание ее собственному.

— Кому пришло в голову построить Берлинскую стену?

— Ну, считается, что это был Никита Хрущев! — немедленно ответила Эстер, выговорив экзотическое имя с явным удовольствием и собственной неподражаемой имитацией русского произношения. — Он был вроде как премьер-министром России, только первым секретарем. Но это мог быть и...

— Эстер, заткнись! — незамедлительно откликнулись ее сестры со своей обычной безупречной любезностью.

— Эстер! Я не слышу телевизора!

— Спасибо, милая! — поблагодарила ее мать.

Сесилия отпила чая и вообразила, как отправляется в прошлое и ставит этого Хрущева на место.

«Нет, мистер Хрущев, не будет вам никакой стены. Она не докажет, что коммунизм работает. И вообще ничего хорошего из этой затеи не выйдет. Послушайте, я согласна, что капитализм не самая лучшая идея. Хотите, покажу вам последний оплаченный мной счет? Но вам действительно нужно еще раз хорошенько поразмыслить».

И если бы он послушал, пятьдесят лет спустя Сесилия не нашла бы это письмо, из-за которого сейчас чувствует себя такой... как же это называется?

Неспособной сосредоточиться. Так будет точнее всего.

Ей нравилось ощущать себя сосредоточенной. Она гордилась своим умением сосредоточиваться. Ее повседневная жизнь состояла из тысячи крохотных проблем: «нужен кориандр», «стрижка Изабели», «кто будет во вторник присматривать за Полли на балете, пока я поведу Эстер к логопеду?» — словно это была одна из огромных мозаик, над которыми часами трудилась Изабель. И все же Сесилия, никогда не имевшая терпения на головоломки, точно знала, где должен располагаться каждый кусочек ее жизни и к чему его пристроить.

И ладно, может, ее жизнь и не была такой уж неординарной или впечатляющей. Она занималась школьными делами и подрабатывала консультантом в «Таппервере»[1] — не актриса, не актуарий[2] или, скажем... поэтесса, проживающая в Вермонте. Недавно Сесилия узнала, что Лиз Броган, с которой она вместе училась в средней школе, переехала в Вермонт и стала поэтессой, да еще и получала какие-то премии. Та самая Лиз, которая ела бутерброды с сыром и «Веджимайтом»[3] и постоянно теряла автобусный проездной. Сесилии потребовалась вся ее немалая сила воли, чтобы удержаться от досады по этому поводу. Не то чтобы ей хотелось писать стихи. Но все же, если подумать, кому и светила заурядная жизнь, так это Лиз Броган.

Разумеется, Сесилия всегда и стремилась именно к заурядности. «Вот такая я, типичная мама из пригорода», — порой ловила она себя на мысли, как если бы ее обвиняли в стремлении стать кем-то иным, более значительным.

---

1   *«Таппервер»* — американская компания, торгующая посудой методом прямых продаж через независимых консультантов. — *Здесь и далее прим. перев.*

2   *Актуарий* — специалист по страховым расчетам.

3   *«Веджимайт»* — национальное австралийское блюдо, густая паста на основе дрожжевого экстракта.

Другие матери твердили, что сбиваются с ног, что им трудно сосредоточиваться на чем-то, и постоянно спрашивали: «Сесилия, как же ты со всем этим справляешься?» А она не знала, что ответить. Она толком и не понимала, что они находят таким затруднительным.

Но сейчас почему-то казалось, что ее жизненный уклад под угрозой, хотя она не могла бы объяснить, в чем дело.

Может, это и не имело отношения к письму. Возможно, все дело в гормонах. По словам доктора Макартура, у нее «возможно, начинается пременопауза». «О, ничего подобного!» — машинально отозвалась Сесилия, как будто в ответ на мягкое, беззлобное оскорбление.

Возможно, это как раз и есть та смутная тревога, которую, как она слышала, испытывают некоторые женщины. Другие женщины. Склонность людей волноваться всегда казалась ей трогательной. Если Сесилии попадались милые беспокойные особы вроде Сары Сакс, ей всегда хотелось погладить их по полной тревог головке.

Может быть, если она вскроет письмо и убедится, что в нем нет ничего важного, ей удастся сосредоточиться снова. У нее еще много дел: сложить две корзины выстиранного белья, сделать три срочных телефонных звонка, испечь к завтрашнему собранию безглютеновый корж для страдающих целиакией членов команды, занимающейся школьным веб-сайтом (то есть для Джанин Дэвидсон).

Да и помимо письма, у нее было о чем беспокоиться.

Например, вопрос секса. Он постоянно маячил в ее мыслях где-то на заднем плане.

Она нахмурилась и скользнула ладонями по бокам в области талии. По «косым мышцам», как называл их ее тренер по пилатесу. Ох, на самом деле вопрос секса не имеет значения. Она вовсе о нем не думает. Отказывается о нем думать. Это совершенно неважно.

Быть может, и впрямь с того самого утра в прошлом году ее не оставляло затаенное ощущение уязвимости. Ясное осознание того, что мир кориандра и стираного белья может исчезнуть в одно мгновение, и тогда вся твоя заурядность испарится, а ты внезапно рухнешь на колени, запрокинув лицо к небу. Кто-то будет бежать тебе на помощь, а другие поспешно отвернутся, не произнося, но отчетливо думая: «Только бы это не коснулось меня».

Сесилия увидела это снова, в тысячный раз: как летит маленький Человек-паук. Она была из тех женщин, кто побежал. Ну разумеется, она кинулась из машины, распахнув дверцу, хотя и понимала: тут уже ничем не поможешь, как ни старайся. Это была не ее школа, не ее район, не ее приход. Никто из ее детей ни разу не играл с тем малышом, а она сама никогда не пила кофе с упавшей на колени женщиной. Она всего лишь по случайности остановилась на светофоре по другую сторону от перекрестка, когда это произошло. Маленький мальчик, должно быть лет пяти, одетый в красно-синий костюм Человека-паука, ждал у края дороги, держа мать за руку. Шла Неделя книги, поэтому ребенок был в костюме.

«А ведь, собственно говоря, Человек-паук вовсе не книжный персонаж», — подумала еще Сесилия, глядя на него.

И тут, по неведомой ей причине, малыш отпустил руку матери и шагнул с края тротуара в поток машин. Сесилия закричала. И еще, как она вспомнила позднее, бессознательно ударила кулаком по гудку.

Если бы Сесилия подъехала на пару мгновений позже, то не увидела бы, как все произошло. Десятью минутами позже — и смерть мальчика означала бы для нее всего лишь очередной вынужденный объезд. Теперь же это стало воспоминанием, из-за которого, вероятно, ее внуки когда-нибудь попросят: «Бабушка, не сжимай мою руку так сильно».

Да, но какая может быть связь между маленьким Человеком-пауком и этим вот письмом?

Он просто вспоминался ей время от времени.

Сесилия ногтем смахнула письмо на дальний край стола и взяла библиотечную книгу, принесенную Эстер, — «Строительство и падение Берлинской стены».

Итак, Берлинская стена. Замечательно.

Впервые она узнала, что Берлинская стена вот-вот станет существенной частью ее жизни, сегодня за завтраком.

Они с Эстер сидели за кухонным столом вдвоем: Джон Пол до среды улетел за океан, в Чикаго, а Изабель с Полли еще спали.

Обычно Сесилия по утрам не присаживалась и завтракала стоя, у рабочего стола, и одновременно собирала школьные обеды, проверяла на айпаде заказы из «Таппервера», разгружала посудомоечную машину, писала клиентам сообщения о вечеринках или занималась еще чем-нибудь. Но тут ей выдалась редкая возможность провести немножко времени наедине со своей чудаковатой, любимой средней дочерью, так что, пока Эстер расправлялась с миской воздушного риса, она присела рядом с чашкой мюсли и подождала.

Этому она научилась, общаясь с дочерями. Не говори ни слова. Не задавай вопросов. Дай им достаточно времени, и они сами расскажут, что у них на уме. Это похоже на рыбалку, которая тоже требует тишины и терпения. По крайней мере так ей говорили. Сама Сесилия скорее начала бы заколачивать себе в лоб гвозди, чем отправилась бы рыбачить.

Молчание давалось ей нелегко: Сесилия была болтушкой. «Серьезно, ты хоть иногда затыкаешься?» — спросил ее как-то тогдашний парень. Особенно много она болтала, когда тревожилась. Должно быть, с ним ей было тревожно. Впрочем, счастье делало ее не менее разговорчивой.

Но этим утром она не произнесла ни слова — просто ела и ждала, и, разумеется, Эстер заговорила первой.

— Мам, — начала она хрипловатым и уверенным голоском, слегка шепелявя. — Ты знала, что несколько человек сбежали за Берлинскую стену на самодельном воздушном шаре?

— Нет, этого я не знала, — откликнулась Сесилия, хотя, возможно, она об этом и слышала.

«Прощай, „Титаник", привет, Берлинская стена», — подумала она.

Она бы предпочла, чтобы Эстер поделилась с ней собственными переживаниями, тревогами из-за школы или друзей, спросила, откуда берутся дети. Но нет, дочери хотелось поговорить о Берлинской стене.

С трехлетнего возраста на Эстер время от времени накатывали разные увлечения, или, точнее, почти мании. Первыми оказались динозавры. Конечно, множеству детей нравятся динозавры, но интерес Эстер был, сказать по правде, несколько утомительным и своеобразным. Ничто другое ребенка не занимало. Она рисовала динозавров, играла в динозавров, наряжалась динозавром. «Я не Эстер, — заявляла она. — Я ти-рекс». Каждая сказка на ночь должна была повествовать о динозаврах. Каждый разговор должен был каким-либо образом затрагивать динозавров. Повезло еще, что Джон Пол разделял этот интерес, поскольку Сесилия не могла говорить на данную тему больше пяти минут. Они же вымерли! О них вообще нечего сказать! Джон Пол ездил с Эстер по музеям, приносил для нее книги, часами беседовал с дочерью о травоядных и хищниках.

С тех пор увлечениями Эстер становились самые разные вещи: от американских горок до тростниковых жаб. Последним был «Титаник». Теперь, к десяти годам, она достаточно повзрослела, чтобы проводить собственные исследования в библиотеке и в Сети, и Сесилию поражали собранные ею сведения. Какая десятилетка станет читать в кровати исторические книги, настолько огромные и толстые, что она едва способна их поднять?

«Поощряйте ее!» — советовали школьные учителя, но порой Сесилия беспокоилась. Даже опасалась, не страдает ли Эстер легкой формой аутизма или, по крайней мере, расстройством аутистического спектра. Мать Сесилии рассмеялась, когда она поделилась с ней своими тревогами. «Но ты же была точь-в-точь такой же! — возразила она. Хотя вовсе ничего подобного. Содержание в безупречном порядке коллекции кукол Барби не в счет.

— На самом деле у меня есть кусок Берлинской стены, — внезапно вспомнив об этом, призналась Сесилия этим утром и с удовольствием заметила, как в глазах дочери вспыхнул интерес. — Я побывала в Германии после того, как ее снесли.

— Можно посмотреть?

— Можешь забрать его себе, милая.

Для Изабели и Полли — украшения и наряды. Для Эстер — кусок Берлинской стены.

В 1990 году Сесилия, которой тогда было двадцать, отправилась в шестинедельную поездку по Европе со своей подругой Сарой Сакс. Знаменитая нерешительность Сары вкупе со знаменитой решительностью Сесилии превратили их в идеальных попутчиц: никаких споров между ними и быть не могло.

За несколько месяцев до того объявили о сносе стены. Добравшись до Берлина, девушки обнаружили выстроившихся вдоль сооружения туристов, пытающихся отколоть по кусочку на память с помощью ключей, камней и прочих подручных орудий. Стена напоминала огромную тушу дракона, некогда державшего город в страхе, а туристы — воронов, расклевывающих останки.

Без инструментов было почти невозможно отколоть приличный кусок, так что Сесилия с Сарой решили (ну, то есть Сесилия решила) купить сувениры у предприимчивых местных жителей, разложивших тряпицы с товарами тут же поблизости. Капитализм воистину торжествовал. Можно было купить булыжник любого вида, от серых осколков размером со стеклянный шарик до огромных глыб с сохранившимися граффити.

Сесилия не помнила, сколько заплатила за серый камешек, который, судя по виду, могли подобрать на любом газоне перед домом. «И вероятно, так и было», — заметила Сара, когда они вечером уезжали на поезде из Берлина. И они посмеялись над собственной доверчивостью, но, по крайней мере, почувствовали себя причастными к истории. Сесилия спрятала свой осколок в бумажный пакет, надписала его «Мой кусок Берлинской стены» и, вернувшись в Австралию, бросила в коробку с прочими сувенирами: картонными подставками под бокалы, проездными билетами, меню, заграничными монетками и гостиничными ключами.

Теперь Сесилия жалела, что не уделила стене больше внимания, не сделала больше фотографий, не запомнила больше баек, которыми могла бы поделиться с Эстер. Собственно говоря, из той поездки в Берлин ей лучше всего запомнились поцелуи с симпатичным молодым немцем-шатеном в ночном клубе. Он все время вылавливал из своего бокала кубики льда и водил ими вдоль ее ключиц. Тогда это казалось Сесилии невероятно эротичным, а теперь — негигиеничным, да и кожа потом была вся липкая...

Если бы только она была одной из тех любознательных, сведущих в политике девушек, которые расспрашивали местных о том, каково это было — жить в тени стены. Вместо этого она теперь могла поведать подрастающему поколению только о поцелуях и кубиках льда. Конечно, Изабель и Полли с огромным удовольствием послушали бы и про это. Или только Полли. Изабель, вероятно, уже вошла в тот возраст, когда отвращение внушает сама мысль о том, что ее мать могла с кем-то целоваться.

Сесилия внесла строчку «Найти кусок Берлинской стены для Э.» в список дел на день: в нем значилось двадцать пять пунктов и для его составления она пользовалась специальным приложением на айфоне. Примерно в два часа пополудни она отправилась на чердак — искать свой кусок истории.

«Чердак», пожалуй, было слишком громким наименованием для кладовки под крышей. Чтобы туда попасть, нужно было выдвинуть вниз лестницу из люка в потолке.

Наверху она не могла бы привстать с коленей, не стукнувшись головой. Джон Пол наотрез отказывался туда лазать. Он страдал жесточайшей клаустрофобией и ежедневно пешком поднимался до кабинета по шести лестничным пролетам, лишь бы не пользоваться лифтом. Бедняге частенько снились кошмары, будто он заперт в комнате, стены которой сдвигаются. «Стены!» — выкрикивал он и просыпался весь в поту и с диким взглядом. «Тебя в детстве не запирали в чулане?» — спросила его как-то Сесилия. От его матери вполне можно было ожидать чего-то такого, но он заверил, что ничего подобного не было. «Вообще-то, в детстве Джону Полу никогда не снились кошмары, — сообщила Сесилии его мать, когда та спросила ее. — Он прекрасно спал. Может, ты кормишь его на ночь слишком жирной пищей?» Сесилия уже привыкла к его кошмарам.

Чердак был тесен и набит битком, но, разумеется, содержался в идеальной чистоте и порядке. В последние годы стремление к порядку, похоже, стало одной из наиболее характерных для нее черт. Словно она была мелкой знаменитостью с единственным поводом притязать на славу. Забавное дело: стоило лишь семье и друзьям Сесилии начать обсуждать ее организованность и подсмеиваться над ней, как та будто начала сама себя поддерживать — и теперь все у нее оказалось исключительно хорошо организовано, как если бы семейная жизнь была спортом и она ставила в нем рекорды. Словно она думала: «Как далеко я могу зайти? Как много еще я могу охватить, не утратив контроля?»

И именно поэтому, в то время как у других людей, вроде ее сестры Бриджет, целые комнаты в домах были набиты пыльным хламом, на чердаке Сесилии стояли ряды белых пластмассовых контейнеров с четкими ярлычками. Картину портила только башня из обувных коробок в углу, принадлежавшая Джону Полу. Ему нравилось хранить квитанции за каждый финансовый год в отдельной обувной коробке. Он завел эту привычку много лет назад, еще до знакомства с Сесилией, и гордился своими коробками. А ее так и подмывало сказать, что картотечный шкаф гораздо лучше подошел бы для этого дела.

Благодаря ярлычкам она почти сразу же нашла свой кусок Берлинской стены. Она сняла крышку с контейнера, помеченного «Сесилия: путешествия/сувениры. 1985–1990», и там он и лежал в выцветшем коричневом бумажном пакете. Ее маленький кусочек истории. Она вытащила осколок камня (или цемента?) и взвесила на ладони. Он оказался еще меньше, чем ей помнилось. Ничего особенно впечатляющего, но, будем надеяться, он сумеет вызвать одну из редких кривоватых улыбок Эстер. За улыбку Эстер приходилось усердно трудиться.

Затем Сесилия позволила себе отвлечься: порыться в коробке и посмеяться над собственной фотографией с молодым немцем, любителем кубиков льда. Да, она ежедневно добивалась многого, но все же не была роботом и порой тратила немножко времени на пустяки. Как и кусочек Берлинской стены, немец оказался куда менее впечатляющим, чем ей помнилось. А потом зазвонил городской телефон, выдернув ее из прошлого; она вскочила чересчур поспешно и больно ударилась головой о потолок. Стены, стены! Она чертыхнулась, отшатнулась и врезалась локтем в башню из обувных коробок Джона Пола.

Как минимум три картонки потеряли крышки и рассыпали содержимое, образовав небольшой бумажный оползень. Вот именно поэтому обувные коробки и не были такой уж блестящей идеей.

Сесилия выругалась снова и потерла ушибленную голову. В коробках хранились документы еще восьмидесятых годов. Она принялась было складывать квитанции стопкой в коробку, но вдруг зацепилась взглядом за собственное имя на белом деловом конверте.

Она взяла его в руки и узнала почерк Джона Пола. Там было написано:

Моей жене Сесилии Фицпатрик.
Вскрыть только в случае моей смерти.

Сесилия засмеялась, но вдруг осеклась, как будто на вечеринке расхохоталась над чьими-то словами, а потом осознала, что они не были шуткой и ее собеседник на самом-то деле вполне серьезен.

Она перечитала надпись. «Моей жене Сесилии Фицпатрик». Удивительное дело — на миг ее щеки потеплели, словно от смущения. За него или за себя? Точно она не знала. Казалось, она наткнулась на нечто постыдное, как будто застала его онанирующим в ванной. Мириам Опенгеймер как-то застукала Дуга за этим занятием, и, как это ни ужасно, все об этом знали: после первого же бокала шампанского секреты начинали выплескиваться из Мириам, а если ты уже узнал нечто подобное, забыть об этом совершенно невозможно.

Что там написано? Сесилия прикинула, не вскрыть ли конверт прямо на месте, пока она не успела все обдумать. Так же порой (правда, не слишком часто) она запихивала в рот последнее печенье или шоколадку, пока совесть не спохватилась и не совладала с жадностью.

Телефон зазвонил снова. Часов при ней не было, и внезапно Сесилии показалось, что она напрочь потеряла чувство времени.

Сесилия запихнула оставшиеся бумаги в обувную коробку и забрала с собой вниз кусок Берлинской стены и письмо.

Стоило лишь спуститься с чердака, как ее подхватило и закружило стремительное течение жизни. Нужно было доставить большой заказ от «Таппервера», забрать девочек из школы, купить на ужин рыбу (они часто ели рыбу, когда Джон Пол уезжал по делам, поскольку он терпеть ее не мог), ответить на телефонные звонки. Приходский священник, отец Джо, звонил напомнить о завтрашних похоронах сестры Урсулы. Похоже, его беспокоило, соберется ли народ. Конечно, она пойдет. Сесилия оставила загадочное письмо Джона Пола на холодильнике и перед ужином отдала Эстер кусочек Берлинской стены.

— Спасибо, — отозвалась дочь, с трогательным почтением взяв камешек. — А от какой именно части стены он отколот?

— Ну, по-моему, где-то неподалеку от КПП «Чарли», — ответила Сесилия с жизнерадостной уверенностью.

На самом деле она понятия об этом не имела. Помнила лишь, что на юноше с кубиками льда была красная футболка и белые джинсы и что он приподнял ее собранные в хвост волосы и сказал: «Очень мило».

— А он дорого стоит? — спросила Полли.

— Сомневаюсь. Как ты докажешь, что он действительно из той самой стены? — спросила Изабель. — На вид обычный кусок камня.

— Тест ДМК, — предложила Полли.

Этот ребенок слишком много смотрит телевизор.

— Не ДМК, а ДНК, и он только для людей, — уточнила Эстер.

— Я знаю!

Прибыв в этот мир, Полли с досадой обнаружила, что ее сестры оказались здесь раньше.

— Что ж, тогда почему...

— А как вы думаете, против кого сегодня проголосуют в «Потерявшем больше всех»? — спросила Сесилия.

«Ну да, — между тем отметила она про себя. — Кто бы там ни наблюдал сверху за моей жизнью, да, я меняю тему с увлекательнейшего периода новой истории, который мог бы действительно чему-то научить моих детей, на дрянную телепрограмму, которая ничему их не научит, но сохранит покой в семье и не доведет меня до головной боли».

Если бы Джон Пол был дома, она, вероятно, не стала бы менять тему. В присутствии зрителей она была гораздо лучшей матерью.

Остаток ужина девочки болтали о «Потерявшем больше всех», а Сесилия изображала на лице интерес и размышляла о письме на холодильнике. Когда со стола было убрано, а дети прилипли к телевизору, она вновь достала его оттуда, чтобы еще раз взглянуть.

Отставив чашку с чаем, она поднесла конверт к свету, слегка посмеиваясь над собой. Похоже, внутри лежал исписанный от руки линованный тетрадный лист. Ни слова разобрать не удалось.

Может, Джон Пол увидел по телевизору какую-нибудь передачу о том, как солдаты в Афганистане писали семьям, чтобы эти письма отправили в случае их гибели, словно послание из могилы, и подумал, не сделать ли и ему нечто в этом же роде?

Она попросту не могла представить, как он садится и принимается за подобное дело. Слишком уж сентиментально.

Хотя и мило. Он хотел бы, чтобы и после его смерти они знали, как сильно он их любил.

«В случае моей смерти». Почему он задумался о смерти? Он болел? Но это письмо, похоже, было написано давным-давно, а он все еще жив. Кроме того, он проходил осмотр всего пару недель назад, и доктор Клюгер нашел, что он «здоров как жеребец». В последующие дни Джон Пол то и дело принимался гарцевать по дому, запрокидывая голову и подражая лошадиному ржанию, а Полли каталась у него на спине, вместо кнута крутя над головой кухонным полотенцем.

Вспомнив это, Сесилия улыбнулась, и ее тревога рассеялась. Значит, несколько лет назад Джон Пол поддался нехарактерно сентиментальному порыву и написал это письмо. И не из-за чего так себя накручивать. И конечно, не следует его вскрывать ради одного любопытства.

Она глянула на часы — почти восемь вечера. Скоро он позвонит. Обычно он, уехав из дома, каждый вечер звонил примерно в это время.

Сесилия даже не собиралась упоминать о письме. Это его смутит. Да и кто же обсуждает такие вещи по телефону?

Интересно, а как она должна была, по его мнению, обнаружить это письмо в случае его смерти? Она могла бы и вовсе его не найти! Почему он не отдал конверт Дугу Опенгеймеру — их поверенному и мужу Мириам? Однако как же трудно не думать о нем в ванной всякий раз! Конечно, это никак не сказывается на его квалификации как юриста, — возможно, это больше говорит о способностях Мириам в спальне. По отношению к Мириам Сесилия всегда испытывала некое чувство соперничества.

Разумеется, учитывая все обстоятельства, сейчас не время упиваться сознанием своей сексуальности.

«Прекрати! — велела она себе. — Не думай о сексе».

Как бы там ни было, со стороны Джона Пола было глупо не отдать письмо Дугу. Если бы муж умер, она, вероятно, попросту выбросила бы все эти обувные коробки во время очередного приступа уборочной лихорадки, даже не потрудившись проверить их содержимое. Если он хотел, чтобы она нашла письмо, глупо было хранить его среди старых квитанций.

Ведь куда логичнее положить его в папку с копиями их завещаний, страховками и тому подобным.

Джон Пол был одним из самых умных людей, которых она знала, но в повседневной жизни порой бывал порядком рассеян.

— Совершенно не понимаю, каким образом мужчинам когда-то удалось захватить власть над миром, — только этим утром заявила она Бриджет. А перед этим рассказала ей, что Джон Пол потерял в Чикаго ключи от взятой напрокат машины.

Сесилия чуть с ума не сошла, увидев его сообщение об этом. Она же ничего не могла поделать! Он ничего от нее и не ждал, но все же!

И такого рода происшествия с Джоном Полом случались постоянно. Будучи за океаном в прошлый раз, он забыл в такси ноутбук. Этот человек постоянно что-нибудь терял: бумажники, телефоны, ключи, обручальное кольцо. Его имущество буквально разбегалось от него.

— Им неплохо удается строить всякие штуки, — предположила ее сестра. — Вроде мостов и дорог. Вот ты смогла бы построить хижину? Самую простую глинобитную хижину?

— Я смогла бы построить хижину, — заверила Сесилия.

— Ты, может, и смогла бы, — простонала Бриджет, как будто это было недостатком. — В любом случае мужчины не правят миром. У нас премьер-министр — женщина. И ты правишь своим миром. Правишь хозяйством Фицпатриков. И в школе Святой Анджелы. И в мире «Таппервера».

Сесилия была председателем родительского комитета начальной школы Святой Анджелы и Ассоциации горожан. А еще она занимала одиннадцатое место по продажам среди консультантов «Таппервера» в Австралии. Ее сестра считала оба этих достижения крайне забавными.

— Я не правлю хозяйством Фицпатриков, — возразила Сесилия.

— Да уж конечно, — расхохоталась Бриджет.

Безусловно, если бы Сесилия умерла, хозяйство Фицпатриков попросту бы... Нет, невыносимо было даже думать о том, что произошло бы тогда. Джон Пол не обошелся бы единственным письмом от нее. Ему понадобилось бы подробное руководство, включающее детальный план дома с указанием мест, где лежит грязное белье, а где — чистое.

Зазвонил телефон, и она схватила трубку.

— Дай я угадаю: наши дочери смотрят на пухлых людей? — спросил Джон Пол.

Ей всегда нравилось, как звучит по телефону его голос: низкий, сердечный и успокаивающий. О да, ее муж был безнадежен, он терял вещи и опаздывал, но заботился о жене и дочерях, повинуясь старомодным представлениям об ответственности: «я мужчина, и это мой долг». Бриджет была права, Сесилия властвовала над собственным миром, но всегда знала, что в критической ситуации именно Джон Пол спасет их: случись рядом вооруженный безумец, потоп или пожар, именно он, муж и отец, заслонит семью от пули, построит плот, проведет сквозь пылающий ад. А как только все закончится, вернет бразды правления Сесилии, похлопает себя по карманам и спросит: «Никто не видел мой бумажник?»

После того как на ее глазах погиб маленький Человек-паук, первым делом она позвонила Джону Полу, набрав номер трясущимися руками.

— Я тут письмо нашла, — сообщила Сесилия.

Она провела пальцами по надписанному знакомым почерком конверту. Стоило ей услышать голос мужа, как она поняла, что немедленно его об этом спросит. Они женаты вот уже пятнадцать лет. Между ними никогда не было секретов.

— Что за письмо?

— Письмо от тебя, — пояснила Сесилия, пытаясь говорить легко и шутливо, чтобы вся эта ситуация предстала в правильном свете, чтобы содержание этого письма, о чем бы там ни шла речь, ничего не изменило и не испортило. — Мне, чтобы вскрыть в случае твоей смерти.

Невозможно сказать собственному мужу «в случае твоей смерти» так, чтобы голос прозвучал естественно.

Повисло молчание. На миг ей показалось, что их разъединили, но она по-прежнему слышала приглушенный гул разговоров и позвякивание на заднем плане. Похоже, он звонил из ресторана.

Ее желудок сжался.

— Джон Пол?

Глава 2

Е сли это шутка, — заявила Тесс, — то мне не смешно. Уилл накрыл ладонью одну ее руку, Фелисити — другую. В таком положении они напоминали парные подпорки для книг.

— Нам очень, очень жаль, — сказала Фелисити.

— Очень жаль, — эхом подхватил Уилл, как будто они пели дуэтом.

Они сидели за большим круглым деревянным столом, за которым иногда беседовали с заказчиками, но чаще ели пиццу. Лицо Уилла было мертвенно-бледным. Тесс различала каждый черный волосок в его щетине, торчащей, словно миниатюрные посевы, на поразительно белой коже. На горле Фелисити проступили три отчетливых красных пятна.

На миг Тесс заворожили эти пятна на недавно похудевшей шее Фелисити, как будто в них скрывался ответ. Они напоминали следы пальцев. Наконец Тесс подняла взгляд и заметила, что глаза Фелисити покраснели и блестят от слез. Ее знаменитые прекрасные миндалевидные зеленые глаза, о которых часто говорили: «Какие чудные глаза у этой толстушки!»

— То есть, если я правильно вас поняла... — начала Тесс, — вы хотите сказать, что вы двое...

Она осеклась. Сглотнула.

— Мы хотели, чтобы ты знала, что на самом деле между нами не было... ничего такого, — перебила ее Фелисити.

— Мы не... ну, ты понимаешь, — подхватил Уилл.

— Вы друг с другом не спали.

Тесс видела, что они гордятся этим и едва ли не ждут от нее восхищения их сдержанностью.

— Совершенно верно, — подтвердил Уилл.

— Но вы хотели бы, — заключила Тесс, едва не смеясь над нелепостью всей ситуации. — Именно это вы и пытаетесь мне сказать? Вы хотите спать вместе.

Они наверняка целовались. И это даже хуже, чем если бы они переспали. Всем известно, что в мире нет ничего более возбуждающего, чем украденный поцелуй.

Пятна на шее Фелисити начали расползаться по подбородку. Она выглядела так, будто ее сразила редкая заразная болезнь.

— Нам очень жаль, — снова повторил Уилл. — Мы старались изо всех сил, чтобы этого не произошло.

— Мы действительно старались, — добавила Фелисити. — Видишь, мы месяцами только...

— Месяцами? Так это происходит уже несколько месяцев!

— На самом деле ничего не произошло, — подчеркнул Уилл торжественно, словно в церкви.

— Ну, кое-что все же произошло, — уточнила Тесс. — И притом довольно-таки важное.

Кто бы мог подумать, что она способна говорить с такой твердостью? Каждое слово походило на бетонный блок.

— Прости, — спохватился Уилл. — Конечно... я только имел в виду... сама знаешь что.

— О Тесс! — Фелисити прижала ко лбу кончики пальцев и расплакалась.

Рука Тесс непроизвольно потянулась ее утешить. Они были ближе, чем родные сестры, — она всегда так говорила. Их матери были сестрами-близнецами, а Фелисити с Тесс были единственными детьми в семьях, с разницей в возрасте меньше полугода. Они все делали вместе.

Однажды Тесс ударила мальчика — нанесла ему настоящий правый хук прямо в челюсть — за то, что он обозвал Фелисити слоненком, притом что в школьные годы она именно так и выглядела. Выросла Фелисити в толстушку, «большую девушку с хорошеньким личиком». Она пила колу, словно воду, никогда не сидела на диетах, не занималась спортом, и ее, казалось, не особенно беспокоил собственный вес. А затем, примерно полгода назад, она вступила в ряды «Весонаблюдателей»[1], отказалась от колы, пошла в спортзал, сбросила сорок килограммов и превратилась в красавицу. Именно таких людей ищут для программы «Потерявший больше всех» — сногсшибательная женщина в капкане жирного тела.

Тесс искренне радовалась за нее.

— Может, теперь она найдет какого-нибудь хорошего человека, — сказала Тесс Уиллу. — Она стала куда увереннее в себе.

Похоже, Фелисити и впрямь нашла хорошего человека. Самого лучшего, которого знала Тесс, то есть Уилла. И нужно иметь немало уверенности в себе, чтобы увести мужа у двоюродной сестры.

---

1 *«Весонаблюдатели»* — существующее с 1963 года общественное движение с собственной системой для похудания и диетой по балльной схеме.

— Мне так жаль, что даже хочется умереть, — рыдала Фелисити.

Тесс отдернула руку. Фелисити — раздражительная, язвительная, веселая, остроумная, толстая Фелисити — заговорила, словно юная американка из группы поддержки.

Уилл запрокинул голову и уставился в потолок, стиснув зубы. Он пытался не расплакаться сам. Последний раз Тесс видела его в слезах, когда родился Лиам.

Глаза Тесс оставались сухими, но сердце колотилось, словно перед лицом смертельной угрозы. Зазвонил телефон.

— Не отвечай, — предложил Уилл. — Рабочий день закончился.

Тесс встала, подошла к своему рабочему столу и взяла трубку.

— Рекламное агентство «ТУФ», — представилась она.

— Тесс, милочка, я в курсе, что уже поздно, но у нас тут небольшое затруднение.

Звонил Дирк Фримен, коммерческий директор фармацевтической компании «Петра», их самый важный и прибыльный клиент. В обязанности Тесс входило следить за тем, чтобы Дирк ощущал собственную значительность. Уверять его, что, хотя он в свои пятьдесят шесть уже не поднимется выше по карьерной лестнице, тут он важная шишка, а Тесс — его служанка, горничная, призванная всячески ему угождать. И он вправе распоряжаться ею, и флиртовать, и ворчать, и сердиться, и даже если она притворится, будто перечит ему, в конце концов ей придется сделать все так, как он велит. Не так давно ей пришло в голову, что услуги, которые она оказывает Дирку Фримену, довольно близки к сексуальным.

— Цвет дракончика на упаковках для «Стоп-кашля» совершенно не подходит, — сообщил Дирк. — Он слишком фиолетовый. Чрезмерно фиолетовый. Они уже ушли в печать?

Да, они уже ушли в печать. Пятьдесят тысяч картонных коробочек сегодня сошли с печатных станков. Пятьдесят тысяч безоговорочно фиолетовых дракончиков с зубастыми улыбками.

Сколько трудов было вложено в этих дракончиков! Электронная переписка, обсуждения. И пока Тесс разговаривала о дракончиках, Уилл и Фелисити завели между собой роман.

— Нет, — ответила Тесс, не отводя взгляда от мужа и двоюродной сестры, которые по-прежнему сидели посреди комнаты за столом для совещаний, понурив головы и разглядывая собственные пальцы, словно оставленные после уроков подростки. — Вам сегодня везет, Дирк.

— О, а я думал, они уже... Что ж, хорошо.

Ему едва удалось скрыть разочарование. Он хотел, чтобы у Тесс от волнения сбилось дыхание. Жаждал услышать в ее голосе дрожь испуга.

— Нужно приостановить все работы по «Стоп-кашлю», — заговорил он резко и властно, будто собирался повести войска на поле боя. — Ясно?

— Ясно. Приостановить все работы по «Стоп-кашлю».

— Я свяжусь с тобой позже, — сказал он и повесил трубку.

На самом деле с цветом все в порядке. Завтра Дирк перезвонит и скажет, что годится как есть. Ему просто нужно на несколько мгновений ощутить себя могущественным повелителем. Должно быть, на совещании его поставил на место какой-нибудь молодой выскочка.

— Коробки для «Стоп-кашля» сегодня ушли в печать, — напомнила Фелисити, повернувшись на стуле и обеспокоенно глянув на Тесс.

— Неважно, — отмахнулась та.

— Но если он собирается изменить... — начал было Уилл.

— Я сказала, все в порядке.

Пока Тесс не чувствовала настоящей злости, но ощущала приближение такой ярости, какой не испытывала никогда в жизни. Она превращалась в бурлящий котел гнева, способный взорваться огненным шаром и разрушить все в пределах досягаемости.

Садиться обратно она не стала. Вместо этого повернулась и уставилась на пластиковую доску, на которой они составляли список текущих заказов.

Упаковки «Стоп-кашля»!

Печатная реклама «Фезермарта»!

Веб-сайт «Постельных принадлежностей» :)

Как же унизительно смотреть на собственный небрежный, беззаботный, уверенный почерк с легкомысленными восклицательными знаками. На смайлик, поставленный рядом с веб-сайтом «Постельных принадлежностей», — они так жаждали получить этот заказ, вырвав его у более крупных фирм! И вот — они его добились. Она нарисовала этот смайлик вчера, когда еще понятия не имела о тайне, которую хранили Уилл с Фелисити. Обменялись ли они при этом скорбными взглядами за ее спиной? «До смайликов ли ей будет, когда мы раскроем наш маленький секрет?» — думали они.

Телефон зазвонил снова.

На этот раз Тесс оставила работу службе записи и передачи сообщений абонентам.

Рекламное агентство «ТУФ». Имена, сплетенные в крохотное предприятие их мечты. Праздная болтовня на тему «а что, если», которую они и впрямь воплотили в жизнь.

На позапрошлое Рождество они поехали на праздники в Сидней. Как обычно, сочельник они проводили дома у родителей Фелисити, у тетушки Мэри и дяди Фила. Фелисити еще была толстой — такая милая, розовая, потеющая в платье двадцать второго размера[1]. Как всегда, жарили на решетке колбаски, ели неизменный макаронный салат со сметаной и торт со взбитыми сливками. Фелисити и Уилл хором ныли, жалуясь на работу: некомпетентное руководство, тупые коллеги, сквозняки в кабинетах. И так далее, и тому подобное.

— Эх вы, несчастные жертвы эксплуатации, — заметил дядя Фил, которому не на что было жаловаться, поскольку он уже вышел на пенсию.

— А почему бы вам вместе не организовать свое дело? — спросила мать Тесс.

Они и впрямь трудились в смежных областях. Тесс была менеджером по работе с клиентами в правовой издательской компании из разряда «но мы же всегда делали это именно так». Уилл занимал пост креативного директора в крупном, престижном и до крайности самодовольном рекламном агентстве. Так они и познакомились: Тесс оказалась клиенткой Уилла. Фелисити работала у одного деспота художником-оформителем.

Стоило им об этом заговорить, как идеи посыпались одна за другой, вставая на места. Щелк, щелк, щелк! К тому времени, как они доели торт, все уже было улажено. Уилл станет креативным директором! Ясное дело! Фелисити — главным художником! Конечно же! Тесс — коммерческим директором! Вот это не казалось таким уж очевидным, ведь она никогда не занималась ничем

---

1 Примерно соответствует 60–62-му российскому размеру.

подобным. Тесс всегда представляла сторону заказчика и к тому же в плане общения относилась к интровертам.

Собственно говоря, несколько недель назад в приемной у врача она прошла напечатанный в журнале «Ридерз дайджест» тест под названием «Страдаете ли вы социофобией?». И ее ответы (все «В») подтвердили, что она и впрямь страдает социофобией и ей следует обратиться за профессиональной помощью или «вступить в группу психологической поддержки». Должно быть, все, кто проходил этот тест, получали тот же результат. Если ты не подозреваешь, что страдаешь социофобией, то не станешь и утруждаться прохождением теста, ибо будешь слишком занят болтовней с секретарем.

Конечно, она не обратилась за профессиональной помощью и даже не рассказала о своем открытии ни единой живой душе. Даже Уиллу и Фелисити. Заговори она, и социофобия стала бы реальностью. Они оба начали бы наблюдать за ней на людях и искренне сочувствовать, подмечая унизительные свидетельства ее застенчивости. А она стремилась это скрыть. Когда она была маленькой, мать как-то сказала, что ее застенчивость — это едва ли не своеобразный эгоизм. «Когда ты вот так опускаешь голову, милая, людям кажется, что они тебе не нравятся!» Тесс приняла эти слова близко к сердцу. Она выросла и научилась вести светские беседы, пусть даже сердце заходится от ужаса. Она заставляла себя встречаться с собеседником взглядом, хотя ее нервы визжали, требуя, чтобы она отвернулась. «Слегка простыла», — говорила она, объясняя сухость в горле. Она научилась жить с этим так же, как другие учатся жить с непереносимостью лактозы или чувствительной кожей.

Как бы там ни было, в тот сочельник двухлетней давности Тесс не особенно встревожилась. Это всего лишь разговоры после тетушкиного пунша. На самом деле никто не собирался начинать совместное предприятие. Ей и правда не придется работать с клиентами.

Но потом, когда они уже вернулись в Мельбурн и отмечали Новый год, Уилл с Фелисити все продолжали об этом говорить. В доме Уилла и Тесс имелся просторный подвал с отдельным входом, который предыдущие владельцы отвели под «подростковый клуб». И что они теряют? Стартовыми затратами можно и пренебречь. Уилл и Тесс выплачивали за ипотеку больше, чем необходимо. Фелисити снимала квартиру на пару. Если у них ничего не выйдет, они смогут все бросить и снова найти работу.

Волна их энтузиазма захватила Тесс. Она охотно уволилась из тогдашней фирмы, но, когда она в первый раз сидела за дверью офиса потенциальных клиентов, ей пришлось зажать ладони между коленями, чтобы унять дрожь. Часто она отчетливо ощущала, как трясется голова. Даже теперь, полтора года спустя, каждая встреча с новым заказчиком давалась ей ценой нервного истощения. И тем не менее она непостижимым образом преуспевала в своей деятельности.

— Вы не такая, как остальные люди из агентств, — заметил однажды клиент под конец их первой встречи, рукопожатием скрепляя сделку. — Вы действительно умеете слушать.

Ужасную нервотрепку уравновешивал прилив восторга, который она испытывала всякий раз по завершении встречи. Казалось, она ступает по облакам. Ей снова это удалось! Она сразилась с чудовищем и одержала победу. И, что самое восхитительное, никто даже не подозревал о ее тайне. Она находила заказчиков, бизнес процветал. Благодаря запуску новой линейки продукции, который они организовали для косметической фирмы, их даже номинировали на премию в области маркетинга.

Должность Тесс предполагала, что она часто будет уезжать из конторы, оставляя Уилла и Фелисити наедине на долгие часы. Если бы кто-нибудь спросил, беспокоит ли ее это, она бы рассмеялась и сказала: «Фелисити Уиллу — как сестра».

Она отвернулась от доски. Ноги подкашивались. Она отошла и снова села, выбрав стул по другую сторону стола. И попыталась уложить в голове все происходящее.

Сейчас шесть часов вечера, понедельник. Она находится посреди собственной жизни.

У нее хватало других забот, когда Уилл поднялся из офиса в подвале и сказал, что им с Фелисити нужно с ней поговорить. Тесс только что закончила беседовать по телефону с матерью, которая позвонила сообщить, что сломала ногу, играя в теннис. Следующие восемь недель ей предстоит провести на костылях, и она крайне сожалеет, но нельзя ли в этом году отпраздновать Пасху в Сиднее, а не в Мельбурне?

Впервые за пятнадцать лет, прошедшие с тех пор, как они с Фелисити перебрались в другой штат, Тесс пожалела, что живет так далеко от матери.

— Мы вылетим в четверг, сразу после занятий в школе, — пообещала она. — Ты справишься до тех пор?

— О, со мной все будет в порядке. Мэри мне поможет. И соседи тоже.

Но тетушка Мэри не водит машину, а от дяди Фила нельзя ждать, что он возьмется подвозить ее каждый день. Кроме того, Мэри и Фил уже и сами далеко не молоды. А все соседи у матери Тесс — либо древние старушки, либо деятельные молодые семьи, которым едва хватает времени приветственно помахать рукой, пока они задним ходом выводят свои большие автомобили с подъездных дорожек. Вряд ли они станут носить кому бы то ни было еду в судках.

Тесс беспокойно размышляла, не заказать ли билет до Сиднея прямо на завтрашний день, а затем, возможно, найти для матери домработницу. Люси будет возражать против посторонних в доме, но как ей иначе принимать душ? Как готовить?

Ситуация складывалась непростая. У них накопилось много работы, а ей не хотелось оставлять Лиама. С ним что-то было неладно. Одноклассник Маркус портил ребенку жизнь. Не то чтобы он впрямую изводил Лиама. В этом случае ситуация оказалась бы ясной и недвусмысленной и они могли бы прибегнуть к строгому, расписанному по пунктам школьному своду правил: «Мы проводим политику нулевой терпимости к травле». Но Маркус был не так-то прост. Очаровательный маленький психопат.

И Тесс была уверена, что сегодня при участии Маркуса в школе случилось нечто новое и ужасное. Она кормила Лиама ужином, пока Уилл с Фелисити работали внизу. Обычно по вечерам им с Уиллом и Лиамом, а зачастую и с Фелисити тоже, удавалось собраться за едой вместе, по-семейному, но веб-сайт «Постельных принадлежностей» нужно было закончить к этой пятнице, так что они все работали допоздна.

За ужином Лиам вел себя тише обычного. Он всегда был мечтательным, задумчивым мальчиком, не склонным много болтать, но в том, как он машинально накалывал на вилку кусочки сосиски и макал их в томатный соус, сквозило что-то чересчур взрослое и печальное.

— Ты сегодня играл с Маркусом? — спросила Тесс.

— Не-а, — отозвался Лиам. — Сегодня понедельник.

— И что с того?

Но он умолк и отказался обсуждать это дальше, и сердце Тесс наполнилось яростью. Нужно еще раз поговорить с его учителем. У нее было отчетливое чувство, что ее ребенок подвергается дурному обращению и никто этого не замечает. Школьная игровая площадка превратилась в поле боя.

Так что, когда Уилл позвал ее вниз, мысли Тесс были заняты этими двумя вещами: маминой лодыжкой и Маркусом.

Уилл и Фелисити ждали ее за столом для совещаний. Прежде чем к ним присоединиться, Тесс собрала кофейные кружки, расставленные по всей конторе. За Фелисити водилась привычка готовить себе все новые порции кофе, не допив прежние. Тесс выставила кружки в ряд на столе и села.

— Фелисити, новый рекорд, — объявила она. — Пять недопитых чашек.

Та не откликнулась. Она как-то странно смотрела на Тесс, будто ей было по-настоящему стыдно из-за кружек с кофе, а затем Уилл сделал это из ряда вон выходящее заявление.

— Тесс, не знаю, как тебе об этом сказать, — выговорил он, — но мы с Фелисити влюбились друг в друга.

— Очень смешно, — улыбнулась Тесс, составляя кружки вместе. — Обхохочешься.

Но похоже, шуткой это не было.

Сейчас она положила руки на медово-золотистую сосновую столешницу и уставилась на них. На свои бледные, оплетенные голубоватыми венами угловатые кисти. Бывший ухажер — она не могла припомнить который — как-то заявил, что влюблен в ее руки. На свадьбе Уилл намучался, надевая ей на палец кольцо, застрявшее на суставе. Гости негромко посмеивались. Справившись, Уилл выдохнул с напускным облегчением, хотя сам тем временем украдкой поглаживал ее руку.

Тесс подняла глаза: Уилл с Фелисити втихомолку обменивались встревоженными взглядами.

— И это настоящая любовь, так? — спросила Тесс. — Вы созданы друг для друга?

На щеке Уилла подрагивала жилка. Фелисити вцепилась пальцами в волосы.

«Да». Вот что они оба думают. «Да, это настоящая любовь. Да, мы созданы друг для друга».

— Когда именно это началось? — продолжила она. — Когда между вами успели развиться эти «чувства»?

— Это неважно, — поспешно заявил Уилл.

— Для меня важно! — повысила голос Тесс.

— Я не уверена, но, наверное, где-то с полгода назад? — пробормотала Фелисити, глядя в стол.

— То есть когда ты начала терять вес? — уточнила Тесс.

Фелисити пожала плечами.

— Забавно, что тебе и в голову не приходило к ней приглядеться, пока она была толстой, — заметила Тесс в сторону Уилла.

Во рту стало горько от произнесенной гадости. Когда она в последний раз позволяла себе настолько жестокие слова? Должно быть, еще подростком.

Она никогда не называла Фелисити толстой. Не говорила ни слова по поводу ее веса.

— Тесс, пожалуйста... — начал было Уилл, и в голосе его не было и тени упрека — только тихая, отчаянная мольба.

— Все в порядке, — остановила его Фелисити. — Я этого заслуживаю. Мы этого заслуживаем.

Она вздернула подбородок и взглянула на Тесс с неприкрытым отважным смирением.

Значит, они позволят Тесс пинаться и царапаться, сколько ей угодно. А сами будут просто сидеть и терпеть, пока она не закончит. Они не собираются давать ей отпор. Уилл и Фелисити, в сущности, хорошие, она это знала. Они хорошие люди и поэтому будут крайне тактичны, они поймут и примут гнев Тесс, и в итоге именно Тесс, а не они окажется плохой. Они не спали вместе, не предали ее. Они влюбились! Это вам не заурядная грязная интрижка, это судьба, предопределенность. Никто не может дурно о них подумать.

Гениально.

— Почему ты не рассказал мне сам?

Тесс попыталась встретиться глазами с Уиллом, как будто сила ее взгляда могла вернуть его, куда бы он ни ушел. Его карие глаза с густыми черными ресницами имели необычный оттенок чеканной меди, совсем не то что обыкновенные, блекло-голубые глаза Тесс. Ее сын унаследовал отцовские глаза, из-за чего Тесс казалось, будто теперь она тоже отчасти имеет на них право. Драгоценное приобретение, комплименты которому она охотно принимала. «Какие красивые глаза у вашего сына». — «Они достались ему от моего мужа, я тут совершенно ни при чем». Но она была очень даже при чем — они принадлежали и ей. Обычно золотистые глаза Уилла лучились весельем, он всегда был готов смеяться над окружающим миром и в целом находил повседневную жизнь довольно-таки забавной. Эту черту характера она любила в нем больше всего, но сейчас он смотрел на нее умоляюще, как Лиам, когда ему чего-нибудь хочется в супермаркете. «Ну пожалуйста, мам, я хочу вон ту сладкую штучку со всеми ее консервантами и хитро продуманной упаковкой, и я помню, что обещал ничего не выпрашивать, но я ее хочу-у».

«Ну пожалуйста, Тесс, я хочу твою прелестную двоюродную сестру, и я помню, что обещал быть верным тебе в горе и в радости, в болезни и здравии, но пожа-а-алуйста».

«Нет. Ты ее не получишь. Я сказала, нет».

— Мы не могли придумать, какое время или место лучше подойдет, — объяснил Уилл. — Но оба хотели тебе сказать. Мы не могли, а потом решили, что не можем так дальше жить, не признавшись тебе. Так что мы просто... — Он осекся и подвигал челюстью на индюшачий лад, взад и вперед. — Мы подумали, что для подобных разговоров все равно не бывает подходящего времени.

«Мы». Они теперь были «мы». Они это обсуждали. Без нее. Ну разумеется, они обсуждали это без нее. «Влюбились» они тоже без нее.

— Я решила, что мне тоже стоит присутствовать, — добавила Фелисити.

— Вот как? — переспросила Тесс, не находя в себе сил посмотреть на сестру. — И что же будет дальше?

Произнесенный вопрос отозвался в ней новой тошнотворной волной неверия. Конечно же, дальше ничего особенного не будет. Конечно, Фелисити умчится на одно из своих новых спортивных занятий. А Уилл поднимется наверх поговорить с Лиамом, пока тот принимает ванну, и, возможно, докопается до сути истории с Маркусом. А Тесс тем временем поджарит на ужин курицу; все продукты уже подготовлены, и как же нелепо думать сейчас об упакованных в полиэтилен лоточках с нарезанным мясом, терпеливо ожидающих ее в холодильнике. Конечно, они с Уиллом, как и собирались, выпьют по бокалу вина из той початой бутылки и обсудят возможных мужчин для внезапно похорошевшей Фелисити. Например, ей мог бы подойти тот итальянец, управляющий их банка. Или высокий молчаливый парень, хозяин продуктового магазинчика. Ни разу еще Уилл не хлопал себя ладонью по лбу и не заявлял: «Ну конечно же! Как я сразу не сообразил? Я! Я превосходно ей подойду!»

Это шутка. Она никак не могла отвязаться от мысли, что вся эта история — просто розыгрыш.

— Мы понимаем, что эту ситуацию приятнее никак не сделать, — ответил Уилл. — Но мы готовы на все, что ты захочешь, лишь бы облегчить жизнь тебе и Лиаму.

— Лиаму, — ошеломленно повторила Тесс.

Почему-то ей и в голову не пришло, что об этом придется рассказать Лиаму, что это вообще имеет к нему какое бы то ни было отношение, как-то его затронет. А Лиам сейчас смотрит наверху телевизор, лежа на животе, и его шестилетний умишко переполняют непомерные тревоги из-за Маркуса.

«Нет, — подумала она. — Нет-нет-нет. Ни в коем случае».

Ей вспомнилось, как однажды в дверях ее спальни появилась мать и сказала:

— Мы с твоим папой хотим кое о чем с тобой поговорить.

Лиам не пострадает, как некогда пострадала она сама. Только через ее труп. Ее чудный серьезный мальчик не испытает утрат и смятения, которые обрушились на нее тем давним жутким летом. Он не будет каждую вторую пятницу собирать сумку с вещами на сутки. Он не будет сверяться с календарем на холодильнике, чтобы узнать, где ему предстоит ночевать в выходные. Он не приучится сперва думать, а потом уже говорить, если один из родителей задаст ему безобидный с виду вопрос о втором.

Ее мысли заметались.

Только Лиам сейчас имеет значение. Ее собственные чувства к делу не относятся. Как же ей это уладить? Как это остановить?

— Мы ни в коем случае не хотели, чтобы так вышло, — сообщил Уилл, глядя на нее большими бесхитростными глазами. — И мы решили все сделать правильно. Наилучшим для всех нас образом. Мы даже подумывали...

Тесс заметила, как Фелисити, глянув на Уилла, легонько покачала головой.

— Вы даже подумывали о чем? — спросила Тесс.

Вот и новые свидетельства их бесед. Она представляла себе приятную прочувствованность этих разговоров. Слезы на глазах, говорящие о том, какие они хорошие, как страдают от одной мысли, что причинят боль Тесс, но куда деваться от неодолимой страсти?

— Пока еще слишком рано обсуждать, что мы будем делать, — неожиданно решительным тоном заявила Фелисити.

Ногти Тесс впились в ладони. Да как она смеет?! Как она смеет говорить обычным голосом, как будто это обычная ситуация, ничего особенного!

— Вы даже подумывали о чем? — повторила она, не отрывая взгляда от Уилла.

«Забудь о Фелисити, — велела она себе. — У тебя нет времени на злость. Думай, Тесс, думай».

Лицо Уилла из бледного стало красным.

— Мы подумывали, не получится ли у нас жить всем вместе. Здесь. Ради Лиама. Это же не обычное расставание. Мы все тут... одна семья. Вот почему мы подумали... То есть, может, и зря, но нам показалось, что это вполне возможно. Со временем.

Тесс расхохоталась — резким, почти гортанным смехом. Они что, из ума выжили?

— Ты имеешь в виду, я просто выселюсь из моей спальни, а Фелисити туда въедет? Чтобы мы сказали Лиаму: «Не волнуйся, милый, папа теперь спит с Фелисити, а мама — в свободной комнате»?

— Конечно нет. — Фелисити выглядела обескура-
женной.

— Когда ты это так изображаешь... — начал было
Уилл.

— А как еще ты предлагаешь?

— Послушай! — Уилл выдохнул и подался вперед. —
Нам необязательно что-то решать прямо сейчас.

Иногда в конторе Уилл прибегал к нарочито мужест-
венному, рассудительному, но властному тону, если хотел, чтобы что-то было сделано определенным образом.
Тесс с Фелисити никогда ему этого не спускали. И сейчас он воспользовался этим тоном, как будто пришло
время взять ситуацию в свои руки.

Да как он смеет!

Тесс подняла сжатые кулаки и ударила ими по столу
с такой силой, что тот пошатнулся. Она никогда прежде так не делала. Жест показался ей смехотворным, нелепым, но отчасти волнующим. Она с удовольствием
отметила, что и Уилл, и Фелисити вздрогнули.

— Я скажу вам, что будет дальше, — сообщила она,
поскольку внезапно все стало абсолютно ясным.

Все просто.

Уиллу с Фелисити нужно развить роман дальше. Чем
раньше, тем лучше. Эти затеплившиеся между ними отношения должны идти своим чередом. Пока что это
слишком сладко и волнующе. Встречаясь тоскующими
взглядами над фиолетовым драконом «Стоп-кашля»,
они чувствуют себя несчастными влюбленными, Ромео
и Джульеттой. Нужно, чтобы все стало потным, и лип-
ким, и постыдным — и, в конце концов, будем надеяться, с Божьей помощью, заурядным и скучным. Уилл
любит сына, и, как только туман похоти рассеется, он
поймет, что совершил ужасную, но вполне поправимую
ошибку.

Все еще можно наладить.

И единственным выходом для Тесс было уехать. Сейчас же.

— Мы с Лиамом уедем в Сидней и поживем там, — сообщила она. — С мамой. Она звонила пять минут назад и сказала, что сломала лодыжку. Кому-нибудь нужно побыть там, чтобы помогать ей.

— О боже! Как так вышло? Она в порядке? — ахнула Фелисити.

Тесс не обратила на нее внимания. Фелисити больше не имела права изображать заботливую племянницу. Она превратилась в «другую женщину». А Тесс осталась женой, и она намеревалась бороться с бедой. Ради Лиама. Она будет бороться и победит.

— Мы поживем у нее, пока нога не срастется.

— Но, Тесс, ты не можешь увезти Лиама в Сидней.

Властный тон Уилла куда-то делся. Он вырос в Мельбурне. И никогда прежде даже вопрос не вставал, не переехать ли им куда-нибудь.

Он воззрился на Тесс с обиженным видом, словно Лиам, которого за что-то несправедливо отчитали. Затем его лицо прояснилось.

— А как насчет школы? — спросил он. — Он не может пропускать занятия.

— Он может одну четверть проучиться в школе Святой Анджелы. Побыть подальше от Маркуса, что уже хорошо. Ему будет полезно полностью сменить обстановку. Он сможет ходить до школы пешком, как я когда-то.

— Ты не сможешь его туда зачислить, — отчаянно возразил Уилл. — Он же не католик!

— Кто сказал, что он не католик? — удивилась Тесс. — Он окрещен в католической церкви.

Фелисити открыла было рот, но тут же закрыла его снова.

— Я все устрою, — заверила их Тесс, хотя понятия не имела, насколько трудно это сделать. — Мама знает людей из церкви.

Пока Тесс говорила, на нее нахлынули воспоминания о школе Святой Анджелы, крошечном местном католическом заведении, в котором учились они с Фелисити. Игра в классики в тени церковного шпиля. Звон колоколов. Сладковато-гнилостный запах бананов, забытых на дне портфеля. Школа стояла в пяти минутах ходьбы от маминого дома, в конце тупика, окаймленного деревьями, и летом лиственный полог над ним напоминал своды собора. Уже осень, но в Сиднее еще достаточно тепло для купания. Листья амбровых деревьев сейчас зеленые с золотом. Лиам будет ходить по россыпям бледных розовых лепестков на неровных дорожках.

Кое-кто из старых учителей Тесс еще работал в школе Святой Анджелы. Ребята, с которыми они с Фелисити вместе учились, выросли и превратились в родителей, отправляющих туда собственных детей. Мама порой упоминала их имена, но Тесс не могла до конца поверить, что они и впрямь по-прежнему существуют в этом мире. Скажем, красавцы-братья Фицпатрики, шесть белокурых мальчиков с решительными подбородками, такие похожие, будто их приобрели оптовой партией. Они были так хороши собой, что Тесс заливалась румянцем всякий раз, когда кто-нибудь из них проходил мимо. Кто-то из Фицпатриков всегда попадал в министранты[1]. В четвер-

---

1 *Министрант* — в латинском обряде католической церкви мирянин, обычно юноша, прислуживающий священнику во время мессы и иных богослужений. То же, что алтарник в византийском обряде.

том классе все они переводились в престижную мужскую католическую школу близ порта. С достатком у них дела обстояли не хуже, чем с внешностью. Как она слышала, старший Фицпатрик уже успел обзавестись тремя дочками, и все они учились в школе Святой Анджелы.

Сможет ли она на самом деле так поступить — увезти Лиама в Сидней и устроить в свою начальную школу? Это казалось невозможным, как если бы она пыталась отправить сына назад, во времена собственного детства. На миг у нее опять закружилась голова. Ничего этого не будет. Разумеется, она не может забрать Лиама из школы. Ему к пятнице задана работа по морским животным. В субботу будут спортивные соревнования. Ей нужно развесить выстиранное белье, а завтра с утра встретиться с возможным новым заказчиком.

Но Уилл с Фелисити снова обменялись взглядами, и сердце ее сжалось. Она посмотрела на часы: восемнадцать тридцать. Сверху донеслась музыкальная тема этой невыносимой передачи, «Потерявший больше всех». Должно быть, Лиам переключил телевизор с воспроизведения на обычный канал. Вскоре он начнет прыгать по программам в поисках чего-нибудь со стрельбой.

— И за ничего вы не получаете ничего! — выкрикнул кто-то в телевизоре.

Тесс терпеть не могла бессмысленные мотивационные реплики, которые использовались в этой передаче.

— Мы вылетаем сегодня же, — решила она.

— Сегодня? — переспросил Уилл. — Ты не можешь увезти Лиама сегодня.

— Могу. Вылет в девять вечера, мы прекрасно успеем.

— Тесс, — вмешалась Фелисити. — Это уже чересчур. Тебе и вправду необязательно...

— Мы не будем путаться у вас под ногами, — ответила Тесс. — И вы с Уиллом сможете наконец-то переспать. Прямо на моей кровати, я как раз с утра поменяла белье.

А в голову ей пришло еще кое-что — она ведь могла бы сказать вещи и похуже.

Фелисити: «Ему нравится, когда женщина сверху, и вам повезло, что ты так сильно похудела!»

Уиллу: «Только не рассматривай вблизи ее растяжки».

Но нет, это они должны чувствовать себя грязными, словно придорожный мотель. Она встала и разгладила спереди юбку.

— Вот и все. Вам придется самим управляться с агентством. Скажете заказчикам, что у меня чрезвычайные семейные обстоятельства.

Вот уже что правда, то правда.

Тесс собрала недопитые кофейные кружки Фелисити, подцепив пальцами столько ручек, сколько удалось. Затем передумала, составила их обратно и, на глазах у Уилла с Фелисити, тщательно выбрала две самые полные. Подняла их, умостив донышками на ладонях, и с прицельной меткостью игрока в нетбол выплеснула остывший кофе прямо в их глупые, искренние, виноватые лица.

Глава 3

Рейчел ожидала сообщения, что они ждут второго ребенка. Вот что особенно усугубило ситуацию. Стоило этой паре войти в дом, как она поняла, что на подходе большие новости. У них был уверенный, самодовольный вид людей, которые собираются попросить вас сесть и выслушать их.

Роб говорил больше обычного, а Лорен — меньше. Только Джейкоб вел себя как всегда: носился туда-сюда по дому, распахивал дверцы шкафов и выдвигал ящики. Он знал, что Рейчел прячет там игрушки и прочие вещицы, которые, по ее мнению, могли бы его заинтересовать.

Конечно, Рейчел так и не спросила Лорен или Роба, не хотят ли они о чем-то ей рассказать. Она не из таких бабушек. Когда Лорен бывала у нее в гостях, она тщательно следила за тем, чтобы вести себя как безупречная свекровь: заботливая, но не назойливая, заинтересованная, но не лезущая в чужие дела. Она никогда не отпускала замечаний и не давала советов насчет Джейкоба, даже Робу, если тот заходил один, поскольку представляла, как неприятно будет Лорен услышать: «А вот мама говорит...» Это давалось ей непросто. Неиссякающий поток советов безмолвно струился в ее сознании, словно обрывки новостей в бегущей строке, мелькающие внизу телеэкрана на канале Си-эн-эн.

Для начала ребенка стоило бы подстричь! Эти двое что, ослепли, если не замечают, как Джейкоб сдувает с глаз челку? А еще ткань этой ужасной рубашки с паровозиком Томасом явно раздражает его кожу. Если его приводили в этой рубашке в те дни, когда он оставался у нее ночевать, Рейчел непременно сразу же меняла ее на старую мягкую футболочку. А потом торопливо переодевала внука обратно, когда его родители показывались на подъездной дорожке.

И что хорошего ей принесла эта деликатность? С тем же успехом она могла бы быть адской свекровью. Ведь они все равно собрались уезжать и заберут с собой Джейкоба, как будто имеют на это право! Впрочем, с формальной точки зрения так оно и есть.

Не было никакого нового ребенка. Лорен предложили работу. Замечательную работу в Нью-Йорке. Двухлетний контракт. Они рассказали ей за обедом, когда перешли к десерту — яблочному пирогу от «Сары Ли» и мороженому. Если судить по их восторгу, можно было подумать, что Лорен нашла вакансию в раю.

Пока они делились новостями, Джейкоб сидел у бабушки на коленях и его плотное, коренастое тельце растекалось по ней с божественной расслабленностью усталого малыша. Рейчел вдыхала запах его волос, припав губами к ямочке на шее.

Когда она впервые взяла Джейкоба на руки и поцеловала нежную тонкую кожу его головки, ей показалось, что она возрождается к жизни, словно увядающее растение, которое наконец полили. Его свежий младенческий запах наполнил ее легкие кислородом. Она явственно ощутила, как выпрямляется спина, будто ее избавили от тяжкого груза, который принуждали таскать годами. И когда она вышла на парковку перед больницей, то увидела, как мир вновь расцветает красками.

— Мы надеемся, вы приедете нас навестить, — заявила Лорен.

Лорен была «деловой женщиной». Она работала на «Банк Содружества» и занималась чем-то крайне важным, напряженным и значительным. Платили ей больше, чем Робу. Это не составляло тайны, более того, Роб, похоже, этим гордился, упоминая кстати и некстати. Если бы Эд услышал, как его сын хвастается зарплатой жены, он бы лег и умер на месте, так что ему еще повезло, что он... Ну, лег и умер до этого.

Рейчел до замужества тоже работала на тот же банк, хотя это совпадение ни разу не всплывало в их разговорах о работе Лорен. Рейчел не знала, забыл ли ее сын эту веху в материнской биографии, или просто не имел об этом представления, или не принимал во внимание. Конечно, недолгая работа Рейчел в «Банке Содружества», от которой она отказалась после свадьбы, не шла ни в какое сравнение с «карьерой» Лорен. Рейчел даже не понимала, чем Лорен, собственно, занимается изо дня в день. Знала только, что это имеет какое-то отношение к «управлению проектами».

А ведь можно ожидать, что человек, настолько успешный в управлении проектами, будет способен справиться и с таким проектом, как сбор вещей для Джейкоба, когда тот ночует у бабушки. Но очевидно, это было не так. Как-то получалось, что Лорен обязательно забывала что-нибудь важное.

Но больше Джейкоб не будет здесь ночевать. Никаких купаний, сказок, танцев под «Вигглс»[1] в гостиной.

---

[1] Австралийская музыкальная группа, исполняющая песенки для детей.

Все равно как если бы он умер. Рейчел пришлось напомнить себе, что внук по-прежнему жив и сейчас сидит у нее на коленях.

— Да, мам, обязательно приезжай к нам в Нью-Йорк! — подхватил Роб.

Он говорил так, будто уже обзавелся американским акцентом. Когда он улыбнулся матери, его зубы блеснули на свету. Эти зубы обошлись Эду с Рейчел в небольшое состояние. Крепкие и прямые, словно клавиши пианино, зубы Роба будут чувствовать себя в Америке как дома.

— Мам, сделай уже наконец себе паспорт! Ты сможешь даже посмотреть Америку, если захочешь. Отправишься на автобусную экскурсию. Или, я придумал, в круиз на Аляску!

Она порой гадала: если бы их жизнь не оказалась столь четко разделена, словно гигантской стеной, на «до 6 апреля 1984 года» и «после 6 апреля 1984 года», не вырос бы Роб другим человеком? Не таким неизменно жизнерадостным, не настолько похожим на агента по торговле недвижимостью. Впрочем, он и есть агент по торговле недвижимостью. Так стоит ли удивляться, что он ведет себя как таковой?

— Я бы хотела поехать в круиз на Аляску, — заметила Лорен, накрыв ладонью руку Роба. — Всегда представляла, как мы туда поедем, когда состаримся и поседеем.

И смущенно закашлялась: должно быть, вспомнила, что Рейчел уже состарилась и поседела.

— Конечно, это должно быть интересно, — признала Рейчел и отпила глоток чая. — Разве что слегка холодновато.

Они что, с ума посходили? Рейчел не хотела ни в какой круиз на Аляску. Она хотела сидеть на залитом солнцем крыльце, выдувать для Джейкоба мыльные пузыри и любоваться тем, как он смеется. Она хотела наблюдать, как он растет, неделя за неделей.

И она хотела, чтобы они завели еще одного ребенка. Поскорее. Лорен уже тридцать девять! Только на прошлой неделе Рейчел говорила Марле, что Лорен еще успеет родить второго. Нынешние так поздно заводят детей, сказала она. Но тогда она еще втайне ожидала этой новости. Сказать по правде, даже строила планы на этого второго ребенка, совсем как обычная назойливая свекровь. Она решила, что после его рождения уйдет на пенсию. Ей нравилась работа в школе Святой Анджелы, но через два года ей исполнится семьдесят — целых семьдесят! — и она уже начала уставать. Присмотра за двумя детьми два дня в неделю ей будет вполне достаточно. Она предполагала, что в будущем ее ждет именно это. Едва ли не ощущала вес нового младенца у себя на руках.

Почему ж проклятая девчонка не родит второго? Разве они не хотят, чтобы у Джейкоба появился младший братик или сестричка? Что такого особенного в этом Нью-Йорке, с его гудящими машинами и паром, валящим из дыр в асфальте? Ради всего святого, Лорен вернулась на работу спустя три месяца после рождения Джейкоба. Непохоже, чтобы ребенок доставил ей так уж много неудобств.

Если бы кто-нибудь этим утром спросил Рейчел о ее жизни, она бы назвала ее полной и приносящей удовлетворение. Она сидела с Джейкобом по понедельникам и пятницам, а остальное время он проводил под присмотром няни, пока Лорен торчала за столом где-то там, в городе, и управляла своими проектами. Пока Джейкоб был у няни, Рейчел исполняла секретарские обязанности в школе Святой Анджелы. У нее была работа, требующий ухода сад, подруга Марла, стопка библиотечных книг и целых два бесценных дня в неделю с внуком. Джейкоб часто ночевал у нее и на выходных тоже, чтобы Роб с Лорен могли куда-нибудь сходить. Им нравилось посещать вдвоем модные рестораны, театр и даже оперу, подумать только. Как бы хохотал Эд, узнай он об этом.

Была ли Рейчел счастлива? Если бы кто-нибудь спросил, она бы ответила: «Настолько, насколько это вообще возможно».

Она даже не представляла, что ее счастье ненадежно, словно карточный домик, и что Роб с Лорен могут прийти к ней в понедельник вечером и с радостным лицом выхватить единственную карту, которая имеет для нее значение. Уберите карту Джейкоба, и ее жизнь рухнет, тихо разлетевшись по земле.

Рейчел прижалась губами к голове малыша, и ее глаза наполнились слезами.

«Нечестно! Это просто нечестно».

— Два года пролетят так быстро, — пообещала Лорен, не отрывая взгляда от Рейчел.

— Вот так! — подхватил Роб и щелкнул пальцами.

«Для вас», — подумала Рейчел.

— Или, возможно, мы вернемся даже раньше, — продолжила Лорен.

— С другой стороны, возможно, вы останетесь там насовсем! — откликнулась Рейчел, лучезарно улыбнувшись, чтобы показать, что она умудрена опытом и понимает, как оно случается в жизни.

Ей вспомнились сестры-близнецы Рассел, Люси и Мэри; дочери обеих сестер переехали в Мельбурн. «В итоге там они и останутся жить», — грустно сообщила ей Люси как-то в воскресенье после церкви. Это случилось много лет назад, но запало Рейчел в память, потому что Люси оказалась права. Последнее, что Рейчел слышала о двоюродных сестрах, застенчивой дочурке Люси и пухлой девочке Мэри с красивыми глазами: они по-прежнему в Мельбурне и не собираются возвращаться.

Но до Мельбурна, в общем-то, рукой подать. Если захочется, туда можно и на день слетать. Люси и Мэри постоянно так делали. А в Нью-Йорк на день не слетаешь.

А еще были люди вроде Вирджинии Фицпатрик, как бы делившей должность школьного секретаря с Рейчел. У Вирджинии было шесть сыновей и четырнадцать внуков, и большинство их жили на сиднейском северном побережье в двадцати минутах езды. Если бы кто-то из детей Вирджинии перебрался в Нью-Йорк, она, вероятно, и не заметила бы, что внуков поблизости стало на парочку меньше.

Почему Рейчел не завела больше детей? Как хорошей жене-католичке, ей следовало бы родить по меньшей мере шестерых, но она этого не сделала: из-за пустого тщеславия, из-за того, что втайне считала себя особенной, отличающейся от всех остальных женщин. Бог знает, в чем именно она считала себя особенной. Не то чтобы у нее были какие-то личные устремления, касающиеся карьеры, или путешествий, или чего бы то ни было — не так, как у нынешних девиц.

— Когда вы отбываете? — спросила Рейчел у Лорен и Роба.

Джейкоб тем временем неожиданно сполз с ее коленей и помчался в гостиную по какому-то неотложному делу. Мгновением позже она услышала звук включившегося телевизора. Смышленый малыш разобрался, как пользоваться пультом дистанционного управления.

— Не раньше августа, — ответила Лорен. — Нам еще многое нужно уладить. Визы и тому подобное. Надо подыскать квартиру и няню для Джейкоба.

Няню для Джейкоба...

— Работу для меня, — с легкой тревогой подхватил Роб.

— О да, милый, — кивнула Рейчел.

Она пыталась воспринимать собственного сына всерьез. Правда пыталась.

— Работу для тебя. В торговле недвижимостью, как ты полагаешь?

— Еще не уверен, — признался Роб. — Посмотрим. Я вполне могу в итоге оказаться домохозяином.

— Как жаль, что я не научила его готовить, — заметила Рейчел, обращаясь к Лорен, хотя не чувствовала себя особенно виноватой.

Сама она никогда не интересовалась готовкой и не слишком в ней преуспела: для нее это была всего лишь еще одна рутинная работа, которую следует выполнять, вроде стирки. Это теперь люди говорят о готовке без умолку.

— Ничего страшного, — просияла Лорен. — Вероятно, в Нью-Йорке мы часто будем есть не дома. Сами понимаете, этот город никогда не спит!

— Хотя Джейкобу, конечно, надо будет спать, — заметила Рейчел. — Или его будет кормить няня, пока вы где-нибудь ужинаете?

Улыбка Лорен дрогнула, и она глянула на Роба, но тот, разумеется, ничего не заметил.

Звук телевизора внезапно усилился, так что дом загремел, словно кинотеатр.

— И за ничего вы не получаете ничего! — выкрикнул мужской голос.

Рейчел его узнала — это был тренер в «Потерявшем больше всех». Ей нравилась эта передача. Успокаивало погружение в ярко раскрашенный пластиковый мир, где важным считалось только то, сколько вы едите и занимаетесь спортом, где боль и страдания причиняли беды не страшнее отжиманий, где люди увлеченно говорили о калориях и счастливо рыдали над потерянными килограммами. А потом все они жили стройно и счастливо.

— Джейк, ты что, опять играешь с пультом? — окликнул сына Роб, перекрикивая телевизионный шум.

Он поднялся из-за стола и вышел в гостиную.

Первым вставал и шел к Джейкобу всегда Роб, а не Лорен. С самого начала он менял подгузники. Эд в жизни не сменил ни одной пеленки. Конечно, в нынешние дни все папы меняют подгузники, и непохоже, чтобы им это вредило. Одна только Рейчел чувствует себя из-за этого неловко, едва ли не смущается, как будто они занимаются чем-то неподобающим, слишком женским. Как бы развопились нынешние девицы, признайся она в этом!

— Рейчел, — начала Лорен.

Рейчел обратила внимание, что невестка смотрит на нее взволнованно, как будто собирается попросить об огромном одолжении.

«Да, Лорен. Я позабочусь о Джейкобе, пока вы с Робом живете в Нью-Йорке. Два года? Ничего страшного. Езжайте себе. Приятно вам провести время».

— Эта пятница, — продолжила Лорен. — Страстная пятница. Я знаю, что это, э... годовщина...

Рейчел застыла.

— Да, — подтвердила она самым ледяным своим тоном. — Именно так.

Она не испытывала ни малейшего желания обсуждать эту пятницу ни с кем, не говоря уж о Лорен. Ее тело еще несколько недель назад ощутило, что приближается эта дата. Так бывало каждый год в последние дни лета, когда она чуяла в воздухе первый намек на прохладу. Ее мышцы напрягались, ужас покалывал кожу, а затем она вспоминала: «Конечно. Вот и пришла очередная осень». Какая жалость. Раньше она любила это время года.

— Я понимаю, что вы пойдете в парк, — не унималась Лорен, как будто они обсуждали место проведения вечеринки с коктейлем. — Я просто подумала...

— Зачем нам говорить об этом? — Рейчел не могла этого вынести. — По крайней мере не сейчас. Давайте в другой раз.

— Конечно!

Лорен вспыхнула, и Рейчел кольнуло чувство вины. Она редко разыгрывала эту карту. Так она казалась себе ничтожной.

— Я заварю чай, — объявила она и принялась собирать тарелки.

— Позвольте, я помогу, — привстала Лорен.

— Не стоит, — отказалась Рейчел.

— Как скажете.

Лорен заправила за ухо прядь белокурых с рыжинкой волос. Она была хорошенькой. Впервые приведя ее домой знакомиться с матерью, Роб едва не лопался от гордости. Примерно с таким выражением на розовом пухлом личике он приносил из приготовительного класса новый рисунок.

Из-за несчастья, постигшего их семью в 1984 году, Рейчел, по идее, должна была еще сильнее полюбить сына, но этого не произошло. Она как будто утратила способность любить, и так продолжалось, пока не родился Джейкоб. К тому времени у них с Робом установились безупречно приятные отношения, напоминающие отвратительный шоколад из кэроба[1] — стоит его лишь попробовать, и сразу понимаешь, что это просто неудачная, жалкая подделка. Так что Роб имел полное право отобрать у нее Джейкоба — она заслужила это тем, что недостаточно любила сына. Такова ее епитимья. Двести раз «Аве, Мария», и твой внук уезжает в Нью-Йорк. У всего есть своя цена, и Рейчел всегда приходи-

---

[1] *Кэроб*, или рожковое дерево. Бобы, в том числе, используются как суррогат какао.

лось расплачиваться полностью. Никаких скидок. Так же, как она заплатила за свою ошибку в 1984-м.

Роб уже успел рассмешить Джейкоба. Должно быть, боролся с сыном и за ноги подвешивал вниз головой в воздухе — так же, как некогда с ним самим возился Эд.

— А вот идет... щекотное чудовище! — крикнул Роб.

Волна за волной хихиканье Джейкоба врывалось в комнату, словно стайки мыльных пузырей, и Рейчел с Лорен рассмеялись тоже. Удержаться было невозможно, как будто щекотали их самих. Их взгляды встретились над столом, и в это же мгновение хохот Рейчел перерос в рыдание.

— О, Рейчел.

Лорен привстала со стула и протянула к ней безупречно ухоженную руку: раз в три недели по субботам ей делали маникюр, педикюр и массаж. Она называла это «временем Лорен». Каждый раз на «время Лорен» Роб приводил Джейкоба к Рейчел, и они шли гулять в парк на углу и ели бутерброды с яйцом.

— Мне так жаль, я знаю, как сильно вы будете скучать по Джейкобу, но...

Рейчел глубоко, судорожно вдохнула и, собравшись с силами, взяла себя в руки, как будто взбиралась на край скального утеса.

— Не говори глупостей, — потребовала она так резко, что Лорен вздрогнула и упала обратно на стул. — Со мной все будет в порядке. Это великолепная возможность для всех вас.

Она принялась составлять в стопку десертные тарелочки, небрежно соскребая объедки пирога в неопрятную и непривлекательную кучку.

— Кстати, — заметила она перед тем, как выйти из комнаты, — этого ребенка стоило бы подстричь.

Глава 4

— Джон Пол? — Сесилия сильно, до боли, прижала трубку к уху. — Ты меня слышишь?

— Ты его вскрыла? — наконец заговорил он.

Голос у него был слабый и дребезжащий, словно у ворчливого деда из дома престарелых.

— Нет, — ответила Сесилия. — Ты же еще не умер, так что я решила, лучше не стоит.

Она пыталась говорить небрежно, но слова прозвучали визгливо, как будто она к нему придиралась.

Снова повисло молчание.

— Сэр! Сюда, сэр! — послышался в трубке чей-то крик с американским акцентом.

— Алло? — окликнула Сесилия.

— Пожалуйста, не надо его вскрывать. Я написал это давным-давно, должно быть, когда Изабель еще только родилась. Наверное, не стоило этого делать. Мне было бы неловко. Вообще-то, я думал, что конверт давно потерялся. Где ты его нашла?

Голос мужа звучал сдержанно, как будто он говорил в присутствии чужих людей.

— Ты там не один? — спросила Сесилия.

— Нет. Я просто завтракаю в ресторане при отеле.

— Я нашла его, когда поднялась на чердак, чтобы поискать кусочек Берлинской... Ну, неважно, я просто

66

опрокинула твою обувную коробку, и оно оттуда выпало.

— Должно быть, я тогда же заполнял налоговую декларацию, — предположил Джон Пол. — Вот болван. Я помню, как искал его везде. Чуть с ума не сошел. Поверить не мог, что способен потерять... — Он постепенно смолк. — Вот.

В его голосе звучало удивительное, кажущееся неоправданным и чрезмерным сожаление.

— Что ж, неважно, — заключила она, на этот раз по-матерински покровительственно, словно обращалась к кому-то из дочерей. — Но с чего ты вообще взялся писать что-то подобное?

— Это был мимолетный порыв. Наверное, я тогда совсем расчувствовался. Наш первый ребенок. Я вдруг задумался об отце и обо всем, что он уже никогда не сможет сказать, потому как умер. Обо всем, что осталось непроизнесенным. Все эти банальности. Там просто всякие слащавые глупости о том, как сильно я вас люблю. Ничего сногсшибательного. Честно говоря, я даже толком не помню.

— Так почему бы мне его не вскрыть? — произнесла Сесилия с просительной интонацией, от которой ее саму слегка замутило. — Что тут такого?

Снова тишина.

— Ничего такого, но, Сесилия, пожалуйста, я прошу тебя его не трогать!

Теперь он говорил едва ли не с отчаянием. Что за паника, бога ради! Мужчины так нелепо себя ведут, когда речь заходит о чувствах.

— Ладно. Я не стану его вскрывать. Будем надеяться, в ближайшие пятьдесят лет мне не светит ознакомиться с твоим посланием.

— Это если я тебя не переживу.

— И не надейся. Ты ешь слишком много красного мяса. Готова поспорить, ты и сейчас завтракаешь беконом.

— А я готов поспорить, что ты сегодня кормила бедных девочек рыбой.

Он шутил, но голос его все равно звучал напряженно.

— Это папочка? — спросила влетевшая в комнату Полли. — Мне срочно надо с ним поговорить!

— Тут Полли, — сообщила Сесилия, когда дочь попыталась вырвать у нее из рук телефон. — Полли, прекрати. Одну секунду. Поговорим завтра. Я тебя люблю.

— Я тоже тебя люблю, — еще успела расслышать она, пока Полли выхватывала трубку.

Затем дочь выбежала из комнаты, прижимая телефон к уху.

— Папочка, послушай, мне нужно кое-что сказать тебе, но это большой-пребольшой секрет.

Полли обожала секреты. Она без умолку о них болтала и делилась ими с тех пор, как в возрасте двух лет познакомилась с этим понятием.

— И сестрам тоже дай поговорить с отцом! — крикнула ей вслед Сесилия.

Она взяла чашку с чаем и положила письмо рядом с собой, выровняв его по краю стола. Вот, значит, что это такое. Не о чем беспокоиться. Она уберет его куда-нибудь и забудет о нем.

Ему было бы неловко. Вот и все. Как мило.

Конечно, теперь, когда она пообещала не вскрывать письмо, этого делать нельзя. Лучше было бы и вовсе о нем не упоминать. Сейчас она допьет чай и займется коржом.

Она подтянула поближе книжку Эстер о Берлинской стене, перелистнула страницы и остановилась на фотографии юноши с ангельским серьезным лицом, слегка напомнившим ей Джона Пола, каким тот выглядел в молодости, когда она только влюбилась в него. Джон Пол всегда тщательнейшим образом заботился о прическе, тратил немало геля, чтобы уложить волосы, и сохранял очаровательную серьезность даже навеселе. В те годы они частенько бывали нетрезвы. Рядом с ним Сесилия ощущала себя смешливой девчонкой. Они пробыли вместе немало времени, прежде чем ей открылась более легкомысленная сторона его характера.

Юношу, как она прочла, звали Петером Фехтером — восемнадцатилетний каменщик, он одним из первых погиб, пытаясь сбежать за Берлинскую стену. Раненный выстрелом в бедро, он упал на «полосу смерти» с восточной стороны, где истекал кровью, пока не умер. Сотни свидетелей с обеих сторон смотрели на это, но никто не предложил ему медицинской помощи, только некоторые бросали издали бинты.

— Ради всего святого! — в сердцах воскликнула Сесилия и оттолкнула книгу.

Стоит ли Эстер такое читать, надо ли узнавать, что подобное вообще возможно?

Сесилия помогла бы этому юноше. Она бы сразу направилась прямиком к нему. Вызвала бы «скорую». Закричала бы: «Люди, да что с вами не так?»

Хотя кто знает, как бы она повела себя на самом деле? Вероятно, ничего бы она не сделала, если бы знала, что ее тоже могут застрелить. Она же мать. Ей нужно оставаться в живых. «Полосы смерти» не были частью ее жизни. Полосы — это на одежде. Или в аэропортах. Ей никогда не приходилось подвергаться испытаниям. Вероятно, этого с ней никогда и не будет.

— Полли! Ты с ним уже час болтаешь! Папе, должно быть, скучно! — крикнула Изабель.

Почему им обязательно нужно все время кричать? Девочки отчаянно скучали по отцу, когда тот уезжал. Он относился к ним с бо́льшим терпением, чем Сесилия, и с самых их юных лет был готов участвовать в их жизни так, как ей, сказать по правде, совершенно не хотелось. Он разыгрывал с Полли бесконечные чаепития и держал крошечную чашечку, оттопырив мизинец. Внимательно слушал, как Изабель снова и снова рассказывает про последний драматический поворот в ее отношениях с подругами. Все они испытывали облегчение, когда Джон Пол приходил домой. «Погуляй с малышками!» — просила его Сесилия, и он увозил их в очередное приключение и возвращал через пару часов, липких и в песке.

— Папочка не считает, что я скучная! — завизжала Полли.

— Сейчас же отдай телефон сестре! — рявкнула Сесилия.

В коридоре завязалась потасовка, и Полли вернулась в кухню. Она уселась за стол рядом с матерью и подперла подбородок ладошками.

Сесилия вложила письмо Джона Пола между страниц книги Эстер и посмотрела на хорошенькое личико сердечком своей шестилетней дочери. Полли была генетической аномалией. Джон Пол выглядел хорошо — в юности его звали красавчиком, да и Сесилия была довольно привлекательной при неярком освещении, но каким-то образом им удалось произвести на свет дочь, играющую в совершенно иной лиге. Полли выглядела точь-в-точь как Белоснежка: черные волосы, ярко-синие глаза и алые губки — по-настоящему алые, люди даже думали, что она пользуется помадой. Две ее старшие сестры, с их пепельными волосами и веснушчатыми носиками, казались красивыми собственным родителям, но только на Полли постоянно оглядывались в торговых центрах. «От такой красоты добра не будет», — заметила на днях свекровь, и Сесилия возмутилась, но в то же время поняла ее. Что делает с твоей личностью обладание тем единственным, чего жаждет всякая женщина? Сесилия замечала, что красавицы даже держатся иначе: они, словно пальмы, покачиваются на ветру обращенного на них внимания. Сесилия предпочла бы, чтобы ее дочери бегали, шагали и топали. И ей вовсе не хотелось, чтобы Полли, черт возьми, покачивалась.

— Хочешь знать, какой секрет я рассказала папочке? — спросила Полли, взглянув на нее сквозь ресницы.

У Полли отлично выйдет покачиваться. Сесилия уже теперь это видела.

— Ничего страшного, — заверила она. — Тебе необязательно мне говорить.

— Секрет в том, что я решила пригласить мистера Уитби на мою пиратскую вечеринку, — объявила Полли.

Через неделю после Пасхи Полли исполнялось семь лет. И вот уже месяц все обсуждали ее предстоящую пиратскую вечеринку.

— Полли, — одернула ее Сесилия, — мы уже об этом говорили.

Мистер Уитби работал учителем физкультуры в школе Святой Анджелы, и Полли была в него влюблена. Сесилия не знала, говорит ли что-нибудь о будущих отношениях Полли то, что первым ее увлечением стал ровесник ее отца. Таким девочкам положено влюбляться в поп-звезд подросткового возраста, а не в бритых наголо взрослых мужчин. Правда, в мистере Уитби было что-то особенное. Широкоплечий и спортивно сложенный, он ездил на мотоцикле и умел слушать, не отрывая взгляда от собеседника, но ощущать его сексуальную притягательность должны были не шестилетние ученицы, а их матери. Что с ними определенно и происходило; сама Сесилия не была исключением.

— Мы не будем приглашать мистера Уитби на твою вечеринку, — заявила Сесилия. — Так будет нечестно. Иначе ему пришлось бы ходить на вечеринки ко всем.

— Он захочет прийти на мою.

— Нет.

— Поговорим об этом в другой раз, — беспечно бросила Полли, отодвигая стул от стола.

— Ни в коем случае! — крикнула ей вслед Сесилия, но Полли уже удалилась небрежной походкой.

Сесилия вздохнула. Что ж. Куча дел. Она встала и вытащила письмо Джона Пола из книги Эстер. Прежде всего она уберет эту проклятую бумажку.

Он сказал, что написал письмо сразу после рождения Изабели и толком не помнит, о чем там идет речь. Это и понятно. Изабель уже исполнилось двенадцать, а Джон Пол частенько бывал рассеян. Он всегда полагался на то, что Сесилия запомнит все нужное за него.

Вот только она была уверена, что на сей раз он солгал.

Глава 5

— Может, нам взломать дверь? — Голосок Лиама прорезал тихий вечерний воздух, словно взвизг свистка. — Мы могли бы разбить окно камнем. Например, вон тем! Смотри, мам, глянь, смотри-смотри, ты видишь...

— Тсс, — урезонила его Тесс. — Говори потише!

Она снова и снова стучала дверным кольцом.

Бесполезно.

Было уже одиннадцать вечера, и они с Лиамом стояли у дверей ее матери. В доме не светилось ни одного окна, шторы были задернуты. Он выглядел заброшенным. Собственно говоря, вся улица казалась зловеще тихой. Неужели никто не смотрит последние новости? Единственный свет падал от фонаря на углу. В небе не виднелось ни звезд, ни луны. Тишину нарушал заунывный стрекот одинокой цикады, последнего пережитка лета, и тихий шелест дорожного движения вдали. Доносился сладкий аромат маминых гардений. У мобильного телефона Тесс сел аккумулятор. Она не могла никому позвонить, даже вызвать такси, чтобы добраться до гостиницы. Может, им и придется вломиться в дом, но маму Тесс в последние годы так волновала безопасность. Не поставила ли она сигнализацию? Тесс представила себе, как на окрестности обрушивается внезапный вой сирены.

Ей не верилось, что это происходит с ней.

Она ничего толком не продумала. Следовало бы позвонить и предупредить мать об их приезде. Но она была вся на нервах, пока заказывала билеты, собирала вещи, добиралась до аэропорта, искала нужный выход на посадку, а Лиам шагал рядом с ней, не умолкая ни на миг. Он был так перевозбужден, что болтал на протяжении всего полета. А теперь так выдохся, что едва не бредил.

Ему казалось, что они отправились в спасательную экспедицию, чтобы помочь бабушке.

— Бабушка сломала лодыжку, — объяснила ему Тесс. — Так что мы некоторое время поживем у нее и будем ей помогать.

— А что насчет школы?

— Ничего страшного, если ты пропустишь пару дней, — сообщила она, и его глаза загорелись, словно огоньки на рождественской елке.

Понятное дело, она ни словом не упомянула о переводе в другую школу.

Фелисити ушла. Тесс и Лиам собирали вещи, а Уилл бродил по дому, бледный и шмыгающий носом.

Оставшись с Тесс наедине, Уилл попытался с ней заговорить, но Тесс, швырявшая одежду в сумку, развернулась к нему, словно кобра, готовая к броску.

— Оставь меня в покое, — яростно прошипела она сквозь стиснутые зубы.

— Прости, — пробормотал он, отступив на шаг. — Мне так жаль.

Они с Фелисити произнесли слово «жаль», должно быть, уже не меньше пятисот раз.

— Честное слово, — добавил Уилл, понизив голос, видимо, чтобы Лиам не подслушал, — если у тебя есть хоть малейшие сомнения, я хочу, чтобы ты знала: мы ни разу не переспали.

— Уилл, ты все время об этом твердишь, — заметила она. — Не знаю, почему тебе кажется, будто это как-то помогает делу. Наоборот. Мне и в голову не приходило, что вы можете переспать! Что я должна сказать — большое вам спасибо за сдержанность? То есть, бога ради... — Ее голос сорвался.

— Прости, — повторил он снова и утер нос тыльной стороной ладони.

При Лиаме Уилл вел себя как обычно. Помог сыну найти под кроватью любимую бейсболку, а когда прибыло такси, опустился на колени и обнял его в той грубовато-ласковой манере, с которой отцы возятся с сыновьями. Тесс поняла, как именно Уиллу так долго удавалось сохранять роман с Фелисити в секрете. Семейная жизнь, даже с единственным маленьким ребенком, имеет собственные привычные ритмы, и не так уж сложно продолжать танцевать, как и прежде, даже если твоя голова занята чем-то другим.

И вот она здесь, словно выброшенная на мель, в этом сонном маленьком пригороде Сиднея на северном побережье, в обществе бредящего шестилетки.

— Что ж, — осторожно начала она, обращаясь к Лиаму. — Думаю, нам стоит...

Что? Разбудить соседей? Рискнуть поднять тревогу?

— Подожди! — потребовал Лиам и прижал палец к губам; его большие глаза казались во мраке озерами блестящей черноты. — Кажется, я что-то слышу там, внутри.

Он прижал ухо к двери. Тесс последовала его примеру.

— Слышишь?

Она и впрямь что-то слышала. Незнакомый ритмичный глухой стук откуда-то сверху.

— Должно быть, это бабушкины костыли, — предположила Тесс.

Бедная ее мама. Возможно, она уже легла спать, а ее спальня прямо в противоположном конце дома. Чертов Уилл. Чертова Фелисити. Вытащить ее бедную хромую маму из постели.

Когда именно начался роман между теми двумя? Было ли какое-то конкретное мгновение, в которое все изменилось? Как она могла это прозевать? Она видела их вместе ежедневно и так ничего и не заметила. Вечером в прошлую пятницу Фелисити осталась на ужин. Возможно, Уилл был чуть молчаливее обычного. Тесс решила, что у него разболелась спина. Они все напряженно трудились, он изрядно устал. Но Фелисити была в прекрасной форме, едва ли не сияла. Тесс несколько раз ловила себя на том, что глазеет на сестру. Красота Фелисити все еще была новостью, и благодаря этому все в ней казалось прекрасным — ее смех, ее голос.

И все же Тесс не насторожилась. Она была по-глупому уверена в любви Уилла. Достаточно, чтобы носить старые джинсы и черную футболку, в которых она, по словам Уилла, напоминала байкершу. Чтобы поддразнивать его за легкую сварливость. И потом, пока они прибирались на кухне, он шлепнул ее пониже спины посудным полотенцем.

В последние выходные они, вопреки обыкновению, не виделись с Фелисити. Она сказала, что занята. Было дождливо и холодно; Тесс с Уиллом и Лиамом смотрели телевизор, играли в карты, вместе пекли блинчики. Прекрасно провели время, разве нет?

А теперь ей пришло в голову: вечером в пятницу Фелисити сияла, потому что была влюблена.

Дверь распахнулась, из коридора хлынул свет.

— Что там такое? — спросила мама Тесс.

На ней был синий стеганый халат, и она тяжело опиралась на пару костылей, близоруко моргая и кривясь от боли и усилий.

Тесс опустила взгляд на ее лодыжку в белых бинтах и представила, как мама просыпается, как выбирается из кровати и, прихрамывая, шарит вокруг в поисках халата и костылей.

— Ох, мама! — вздохнула она. — Прости, пожалуйста.

— За что ты извиняешься? И что вы здесь делаете?

— Мы приехали... — начала было Тесс, но у нее перехватило горло.

— Помогать тебе, бабушка! — крикнул Лиам. — Из-за лодыжки! Мы летели сюда прямо в темноте!

— Что ж, это очень мило с твоей стороны, дорогой мой, — заключила мама Тесс и отодвинулась на костылях в сторону, пропуская их в дом. — Входите, входите же. Простите, что я так долго ковыляла до двери. Я-то и понятия не имела, насколько хитрая штука эти чертовы костыли. Воображала, что буду небрежно скакать, куда захочу, но они врезаются в подмышки, как я не знаю что. Лиам, сбегай-ка включи свет на кухне, и мы выпьем горячего молока с коричными тостами.

— Круто!

Лиам направился на кухню и по какой-то необъяснимой причине, понятной только шестилетним мальчишкам, начал двигать руками и ногами рывками, словно робот.

— Обработка данных! Обработка данных! Коричный — тост — подтвержден!

Тесс занесла в дом сумки.

— Прости, — повторила она, поставив вещи в коридоре и подняв взгляд на мать. — Мне следовало бы позвонить. Твоя лодыжка очень болит?

— Что случилось? — спросила мать.

— Ничего.

— Врешь.

— Уилл... — начала было Тесс, но осеклась.

— Милая моя девочка.

Мама опасно пошатнулась, как будто пыталась потянуться к ней, не выпуская костылей.

— Только ничего больше не сломай, — попросила Тесс, поддержав ее.

Она чуяла запах зубной пасты, крема для лица и мыла, а подо всем этим — знакомый мускусный и чуть затхлый мамин запах. На стене коридора позади ее головы висела в рамке фотография семилетних Тесс и Фелисити: в праздничных белых кружевных платьицах и вуалях, с ладошками, благочестиво сложенными перед грудью, как принято для первого причастия. В коридоре у тетушки Мэри точно на том же месте висела такая же фотография. Фелисити с тех пор стала атеисткой, а Тесс определяла себя как «отпавшую от церкви».

— Давай же, расскажи, — потребовала Люси.

— Уилл, — снова попыталась объяснить Тесс. — И... и...

Закончить она не могла.

— Фелисити, — подсказала ее мать. — Я права? Да.

Она подняла локоть и с силой впечатала костыль в пол, так что фотография с первого причастия закачалась.

— Маленькая дрянь!

* * *

1961 год. Холодная война была на пике. Тысячи жителей Восточной Германии бежали на Запад. «Никто не собирается возводить стену», — объявил председатель Государственного совета ГДР Вальтер Ульбрихт, которого кое-кто называл роботом Сталина. Люди перегля-

нулись, вскинув брови. Что за... Кто вообще что-то говорил о стене? Еще несколько тысяч собрали вещи.

В Сиднее, Австралия, девушка по имени Рейчел Фишер сидела на высокой стене над пляжем Мэнли, болтая длинными загорелыми ногами, а ее парень, Эд Кроули, с досадной увлеченностью листал «Сидней морнинг геральд». В газете была статья о событиях в Европе, но и Эда, и Рейчел Европа не слишком-то занимала.

Наконец Эд заговорил.

— Эй, Рейч, а давай купим тебе такое? — окликнул он и указал на развернутую перед ним страницу.

Рейчел без особого интереса заглянула ему через плечо. Газета была открыта на полностраничной рекламе ювелирной фирмы «Ангус энд Кут». Палец Эда остановился на обручальном кольце. Он едва успел поймать ее за локоть, пока она не свалилась со стены на пляж.

* * *

Они ушли. Рейчел лежала в постели, с включенным телевизором, журналом «Уименз уикли» на коленях и чашкой «Эрл грея» на тумбочке у кровати вкупе с плоской картонной коробкой печенья под названием «макарони», которую сегодня принесла Лорен. Рейчел следовало бы выставить ее на стол в конце вечера, но она забыла. Возможно, преднамеренно: никогда нельзя быть уверенной, насколько ей неприятна невестка. Не исключено, что Рейчел ее ненавидела.

Почему бы той не уехать в Нью-Йорк одной? Она бы получила полных два года «времени Лорен»!

Рейчел сдвинула картонный лоток на постель поближе к себе и внимательно осмотрела шесть ярко окрашенных печеньиц. На вид в них не было ничего особенного. Предположительно это был последний писк для тех, кого заботили последние писки. Эти штуки продавались где-то в городе, в магазине, и люди часами стояли за ними в очереди. Дурачье. Им что, больше нечем заняться? Хотя казалось сомнительным, что Лорен будет часами стоять в очереди. В конце концов, ей-то уж точно есть чем заняться, и побольше, нежели всем остальным! Рейчел подозревала, что ей поведали целую историю о приобретении макарони, но, когда Лорен говорила о чем-либо, не имеющем отношения к Джейкобу, она обычно слушала вполуха.

Она выбрала красное печеньице и осторожно надкусила.

— О господи, — простонала она мгновением позже.

Впервые за бог весть сколько лет Рейчел подумала о сексе. А затем откусила кусок побольше.

— Матерь божья! — Она рассмеялась в голос.

Неудивительно, что люди выстраиваются за ними в очередь. Вкус оказался изысканным: малиновый аромат кремовой сердцевинки напоминал нежное прикосновение пальцев к коже, а безе было легким и воздушным, словно съедобное облако.

Стоп. Кто это сказал?

— Как будто съедобное облако, мамочка!

Восторженное маленькое личико.

Джейни. Года примерно в четыре. Впервые попробовала сахарную вату... в луна-парке? На церковном празднике? Рейчел не удавалось раздвинуть границы воспоминания. Оно было сосредоточено только на сияющем лице Джейни и ее словах: «Как будто съедобное облако, мамочка».

Джейни пришла бы в восторг от этих макарони.

Печенье выскользнуло из пальцев Рейчел. Она согнулась, как будто в попытке избежать первого удара, но слишком поздно — он уже настиг ее. Давно уже ей не было настолько плохо. Волна боли, такой же свежей и потрясающей, как в тот первый год, когда она просыпалась каждое утро и на мгновение забывала, а потом ей в лицо било осознание, что в комнате дальше по коридору нет Джейни. И никто не опрыскивает себя слишком обильно тошнотворным дезодорантом «Импульс», не наносит макияжа в оранжевых тонах поверх безупречной семнадцатилетней кожи, не пританцовывает под Мадонну.

Могучая, неистовая несправедливость разрывала и скручивала ее сердце, словно в схватках. Моя дочь пришла бы в восторг от этих дурацких печеньиц. Моя дочь сделала бы карьеру. Моя дочь могла бы уехать в Нью-Йорк.

Стальные тиски охватили грудь Рейчел и сдавили так, что она едва не задохнулась и хватанула ртом воздух, но сквозь панику до нее доносился усталый, спокойный голос.

«С тобой такое уже бывало, — нашептывал он. — Это тебя не убьет. Тебе кажется, что ты не можешь вздохнуть, но на самом деле ты дышишь. Тебе кажется, что ты никогда не перестанешь плакать, но на самом деле ты уймешься».

Наконец мало-помалу тиски, сжимавшие ее грудную клетку, ослабли, и она снова смогла дышать. Полностью они не исчезали никогда. Она смирилась с этим давным-давно. Она так и умрет с тисками скорби, по-прежнему сдавливающими грудь. Она и не хотела, чтобы они исчезли. Без них ей показалось бы, будто Джейни никогда и не было на свете.

Ей вспомнились все те рождественские открытки в первый год. «Дорогие Рейчел, Эд и Роб, мы желаем вам радостного Рождества и счастливого Нового года».

Как будто семья попросту сомкнула ряды на том месте, где прежде была Джейни. И еще и «радостного»! Они что, выжили из своих куцых умишек? Она чертыхалась каждый раз, когда читала очередную открытку, и рвала ее на мелкие кусочки.

— Мам, да не цепляйся ты к ним, они просто не знают, что еще сказать, — устало попросил ее Роб.

Ему было всего пятнадцать, а его лицо, казалось, принадлежало грустному, бледному, прыщавому пятилетке.

Рейчел стряхнула с простыней крошки от макарони. «Крошки! Господь всемогущий, ты только взгляни на этот мусор!» — непременно сказал бы Эд. Он считал, что есть в постели безнравственно. Опять же, если бы он увидел телевизор на комоде, его бы хватил удар. Эд верил, что люди, которые держат в спальне телевизор, сродни наркоманам-кокаинистам — слабые, развращенные личности. Согласно мнению Эда, в спальне положено, во-первых, молиться, стоя на коленях у кровати, касаясь головой сложенных пальцев и быстро шевеля губами, чтобы не тратить слишком много Божьего времени; во-вторых, заниматься сексом, желательно каждую ночь; и в-третьих, спать.

Она взяла пульт дистанционного управления и направила на телевизор, перещелкивая каналы.

Документальный фильм о Берлинской стене.

Нет. Слишком грустно.

Очередная передача о расследовании преступлений.

Только этого не хватало.

Семейный комедийный сериал.

Тут она на мгновение задержалась, но на экране муж и жена кричали друг на друга, и их пронзительные голоса резали слух. Тогда она переключилась на кулинарную передачу и приглушила звук. Оставшись одна, Рейчел ложилась спать с работающим телевизором: успокаивающая банальность бормочущих голосов и мелькающих картинок удерживала на расстоянии ужас, который временами ею овладевал.

Она улеглась на бок и закрыла глаза. Свет она на ночь не выключала. После смерти Джейни они с Эдом не выносили темноты. Не могли лечь спать, как нормальные люди, им приходилось одурачивать самих себя и притворяться, будто вовсе и не собираются в царство Морфея.

Ей привиделся Джейкоб: вот он ковыляет по улице Нью-Йорка в джинсовом комбинезончике, присаживается на корточки, упершись пухлыми ручками в коленки, чтобы рассмотреть повнимательнее пар, валящий из отдушин в дороге. А этот пар, случаем, не горячий?

Плакала ли она сейчас по Джейни — или на самом деле по Джейкобу? Она знала лишь одно: как только у нее отнимут внука, жизнь снова сделается невыносимой.

Вот только, и это было хуже всего, в действительности Рейчел вполне сможет ее выносить. Это не убьет ее, и она продолжит существовать день за днем, в бесконечной петле великолепных восходов и закатов, которых не довелось увидеть Джейни.

«Джейни, ты звала меня?»

Эта мысль всегда казалась ей острием ножа, проворачивающегося в самой ее сердцевине.

Она где-то читала, как раненые солдаты, умирая на поле боя, просили морфия и звали матерей. Особенно итальянские солдаты. «Mamma mia!» — кричали они.

Внезапным движением, болью отдавшимся в спине, Рейчел села, а там и выскочила из постели прямо в пижаме Эда, которую носила со времен смерти мужа. Его запах давно выветрился, но Рейчел почти удавалось вообразить, что он по-прежнему на месте.

Она опустилась на колени перед комодом и вытащила старый фотоальбом в мягкой выцветшей обложке из зеленого винила.

Рейчел села обратно на кровать и принялась медленно переворачивать страницы. Джейни смеется. Джейни танцует. Джейни ест. Джейни дуется. Джейни с друзьями.

В том числе и с ним. С тем мальчиком. Его голова повернута прочь от камеры, он смотрит на Джейни так, будто она только что сказала что-то остроумное и забавное. Что она сказала? Всякий раз Рейчел задумывалась над этим. Джейни, что ты сейчас произнесла?

Рейчел прижала кончик пальца к его смешливому веснушчатому лицу, и ее артритная, покрытая возрастными пятнами рука сжалась в кулак.

6 апреля 1984 года

Поднявшись с постели тем зябким апрельским утром, Джейни Кроули первым делом подсунула спинку стула под дверную ручку, чтобы никто из родителей не смог застукать ее на месте преступления. Затем опустилась на колени около кровати и приподняла угол матраса, чтобы достать из-под него бледно-голубую коробочку. Джейни присела на край постели, вытащила из упаковки крошечную желтую таблетку и на кончике пальца поднесла ее к глазам, размышляя о ней и обо всем, что она собой символизировала. Потом положила ее на язык не менее благоговейно, чем гостию на причастии. Затем снова спрятала коробочку под матрас и запрыгнула обратно в теплую постель, укрылась одеялом и включила радиочасы, откуда с металлическим призвуком полился голос Мадонны, поющей «Like a Virgin».

Крошечная таблетка отдавала химической сладостью. Это был восхитительный вкус греха.

— Думай о своей девственности как о даре, — посоветовала ей как-то мать. — Не стоит вручать его первому попавшемуся дружку.

Это был один из тех разговоров, где родительница пыталась притвориться современной. Как будто добрачный секс в какой бы то ни было форме ничуточки ее не смущал. Как будто отец не рухнул бы на колени, чтобы молиться тысячу девятин, при одной только мысли о том, что кто-то прикоснется к его невинной маленькой девочке.

Джейни вовсе не собиралась отдавать девственность кому попало. Она рассмотрела все поступившие заявления и сегодня сообщит об успехе победившему кандидату.

Песня сменилась новостями, но бо́льшая их часть оказалась скучной и не задержалась у нее в голове, поскольку не имела к ней отношения. Заинтересовало ее только сообщение о том, что в Канаде родился первый ребенок из пробирки. В Австралии уже был ребенок из пробирки! Так что первенство за нами, Канада! Ха-ха. В Канаде жили ее старшие двоюродные сестры, и она невольно завидовала их изощренной любезности и не вполне американскому выговору. Она села на постели, схватила школьный ежедневник и нарисовала длинного тонкого младенца, втиснутого в пробирку: маленькие ладошки прижимаются к стеклу, рот разинут. «Выпустите меня, выпустите меня!» Девчонки в школе помрут со смеху. Она захлопнула ежедневник. Сама мысль о ребенке из пробирки казалась отталкивающей. Напоминала о том дне, когда их учитель естественных наук начал говорить о женских яйцеклетках. О-мер-зи-тель-но! А хуже всего что? Что естественные науки у них вел мужчина. Мужчина, рассказывающий о женских яйцеклетках, — это попросту неподобающе! Джейни с подругами пришли в ярость. А еще он наверняка хотел бы заглянуть им всем в вырез блузки. Они ни разу не поймали учителя на горячем, но так и чувствовали его отвратительную похоть.

Какая жалость, что жизнь Джейни должна была оборваться спустя всего лишь восемь часов — ведь ее характер переживал сейчас не лучшие времена. Она была очаровательной малышкой, славным ребенком, милым и застенчивым подростком, но примерно в прошлом мае, когда ей исполнилось семнадцать, все изменилось. Джейни смутно осознавала, что стала несколько гадкой. Но это была не ее вина. Ее пугало все подряд: университет, вождение автомобиля, звонок парикмахеру, чтобы условиться о посещении. Гормоны сводили ее с ума, и множество мальчишек начали проявлять к ней какой-то болезненный интерес, как будто она была хорошенькой, — это ей льстило, но и сбивало с толку: ведь в зеркале она видела только свое заурядное, ненавистное лицо и нескладное, длинное и тощее тело. Одноклассница как-то заметила, что Джейни похожа на богомола, и это было вполне справедливо. Ее конечности казались слишком длинными, особенно руки. Она вся была непропорциональной.

Опять же, с матерью тем временем происходило что-то странное: она не сосредоточивалась целиком на Джейни, а ведь до недавних пор все ее внимание с раздражающим пылом обрушивалось на дочь. Ее матери было сорок! Да что вообще интересного могло происходить в ее жизни? Джейни беспокоило, что этот яркий луч интереса вдруг без предупреждения рассеялся. И даже, пожалуй, обижало, хотя она ни за что в этом не призналась бы и даже не отдавала себе отчета в том, что обижена.

Если бы Джейни выжила, ее мать вскоре вновь сосредоточилась бы на ней со всем привычным пылом, а к дочери вернулось бы очарование — примерно к девятнадцатому дню рождения. Они были бы близки настолько, насколько это возможно для матери с дочерью, и это Джейни похоронила бы свою мать, а не наоборот.

Если бы Джейни выжила, она успела бы попробовать легкие наркотики и хулиганистых парней, аквааэробику и садоводство, «Ботокс» и тантрический секс. За всю жизнь с ней случилось бы три мелкие автомобильные аварии, тридцать четыре сильных простуды и две серьезные хирургические операции. Она стала бы умеренно успешным художником-оформителем, смелой аквалангисткой, капризной, но увлеченной туристкой и одной из первых обладательниц айпода, айфона и айпада. Она развелась бы с первым мужем и завела ЭКО-близнецов со вторым, и слова «дети из пробирки», словно бородатый анекдот, пришли бы ей на ум, когда она вывешивала бы их фотографии на «Фейсбуке», чтобы ими полюбовались ее двоюродные сестры из Канады. Она сменила бы имя на Джейн в двадцать лет и обратно на Джейни в тридцать.

Если бы Джейни Кроули выжила, она бы путешествовала и сидела на диетах, танцевала и готовила, смеялась и плакала, много смотрела телевизор и старалась изо всех сил.

Но ничему из этого не суждено было сбыться, ведь наступило утро последнего дня ее жизни. И хотя она с немалым удовольствием полюбовалась бы на перепачканные тушью лица подруг, пока те при всем честном народе цеплялись друг за дружку и рыдали над ее могилой в оргии скорби, все же Джейни, безусловно, предпочла бы на собственном опыте пережить все то, что ей еще только предстояло.

Вторник

Глава 6

Большую часть времени на похоронах сестры Урсулы Сесилия размышляла о сексе.

Не об извращенном сексе. О славном, супружеском, одобренном папой римским сексе. Но тем не менее. Покойница, вероятно, этого бы не оценила.

— Сестра Урсула посвятила свою жизнь детям из школы Святой Анджелы.

Отец Джо взялся за края аналоя, торжественно взирая на горсточку скорбящих. Хотя, вот если честно, скорбел ли по сестре Урсуле вообще хоть кто-нибудь в этой церкви? На миг священник вроде бы встретился взглядом с Сесилией, как будто искал одобрения. Сесилия кивнула и чуть заметно улыбнулась ему, давая понять, что он отлично справляется.

Отцу Джо сравнялось всего тридцать, и выглядел он вполне привлекательно. Что в наши дни побуждает столь молодых мужчин принимать духовный сан? Соблюдать целибат?

Итак, снова к сексу. Прости, сестра Урсула.

Как Сесилии помнилось, впервые она заметила, что с их сексуальной жизнью не все ладно, на прошлое Рождество. Они с Джоном Полом постоянно ложились в постель в разные часы. Либо он засиживался допоздна за работой или в Интернете и она засыпала раньше, чем он присоединялся к ней в кровати, либо внезапно объявлял, что совершенно вымотался, и ложился в девять. Недели сменяли одна другую, и порой она спохватывалась: «Боже, сколько же времени прошло?» — но тут же забывала об этом.

Затем была та ночь в феврале, когда она отправилась поужинать с другими матерями четвероклассников и выпила больше обычного, поскольку за рулем была Пенни Марони. Ложась в постель, Сесилия была настроена игриво, но Джон Пол оттолкнул ее руку и пробормотал: «Слишком устал. Оставь меня в покое, женщина, ты пьяна». Она посмеялась и заснула, совершенно не оскорбившись. Вот пусть он теперь заведет разговор о сексе — она скажет шутливо: «О, так, значит, теперь тебе этого захотелось». Но возможности сказать что-то в этом роде ей так и не предоставилось. Именно тогда она начала отмечать проходящие дни. В чем же дело?

По ее ощущениям, минуло уже около полугода, и ее замешательство все возрастало. Но всякий раз, когда на язык просилось: «Послушай, милый, что происходит?», что-то ее останавливало. Между ними секс никогда не был поводом для разногласий, как это бывает у многих пар. Она не использовала его как оружие или предмет для торга. Он оставался чем-то невысказанным, естественным и прекрасным. И ей не хотелось бы все разрушить.

А может, она просто боялась услышать его ответ.

Или, того хуже, молчание вместо ответа. В прошлом году Джон Пол увлекся греблей. Он был в восторге и по воскресеньям приходил домой, бессвязно расписывая, как ему это нравится. А затем неожиданно и необъяснимо ушел из команды.

— Я не хочу об этом говорить, — заявил он, когда она пристала к нему с расспросами. — Закроем тему.

Временами Джон Пол вел себя так странно.

Сесилия поспешно выбросила эту мысль из головы. К тому же она была почти уверена, что все мужчины временами ведут себя странно.

Опять же, шесть месяцев — это, в общем-то, не так уж и долго, правда? Во всяком случае, для женатой пары средних лет. Пенни Марони говорила, что они занимаются сексом хорошо если раз в год.

Впрочем, в последнее время из-за постоянных мыслей о сексе Сесилия ощущала себя мальчишкой-подростком. Умеренно порнографические образы мелькали в ее голове, пока она стояла в очереди к кассе в супермаркете. Она беседовала с другими родителями на игровой площадке о предстоящей экскурсии в Канберру, а сама тем временем вспоминала гостиницу в Канберре, где Джон Пол связал ей запястья синей пластиковой лентой, которую ей выдал физиотерапевт, чтобы упражнять голеностоп.

Они забыли эту ленту в номере.

В голеностопе у Сесилии до сих пор что-то щелкало, когда она поворачивала ногу определенным образом.

Как же справляется отец Джо? Ей сорок два года, она замотанная мать трех дочерей, на горизонте маячит менопауза, а она отчаянно жаждет секса, — значит, отец Джо Маккензи, здоровый молодой мужчина, которому ничто не мешает выспаться, наверняка сталкивается с теми же трудностями.

Может, он мастурбирует? Разрешено ли подобное католическим священникам, или это шло бы вразрез с самой идеей целибата?

Погодите, разве онанизм не считается грехом для всех? Ее неверующие друзья обычно предполагали, что она должна знать вещи такого рода. Похоже, считали ее ходячей Библией.

Сказать по правде, будь у нее время как следует об этом подумать, она усомнилась бы, что по-прежнему остается такой уж горячей почитательницей Бога. Похоже, Господь давным-давно перестал справляться с делами. Каждый день с детьми по всему миру случались ужасные вещи. Это непростительно.

Маленький Человек-паук.

Она закрыла глаза, отгоняя воспоминание.

Сесилию не заботило, что там оговорено в примечаниях мелким шрифтом о свободной воле, неисповедимых путях Господних и всем таком прочем. Если бы у Бога был начальник, она уже давно отправила бы ему одно из своих знаменитых негодующих писем: «Вы лишились клиента в моем лице».

Она всмотрелась в смиренные черты отца Джо. Как-то он сказал ей, что находит «поистине занимательным, когда люди подвергают сомнению собственную веру». Но она не считала, что эти сомнения имеют такое уж большое значение. Она верила в Святую Анджелу всем сердцем: в школу, в приход, в сообщество, которое они представляли. Она верила, что «любите друг друга» — чудесный нравственный закон, которым следует руководствоваться. Таинства казались ей прекрасными, вневременными ритуалами. Католическая церковь была командой, за которую она неизменно болела. Что до Бога и того, насколько успешно Он (или она!) справляется со своей работой, — что ж, это уже совершенно другой вопрос.

И тем не менее все считали ее истинно верующей.

Ей вспомнилось, что Бриджет как-то на днях за ужином спросила: «Когда ты успела так удариться в религию?» Сесилия тогда упомянула что-то совершенно обыденное насчет первой исповеди Полли в будущем году — или примирения с Богом, как это называют теперь.

Можно подумать, ее сестра в школьные годы сама не блистала на литургических танцах.

Сесилия без колебаний пожертвовала бы сестре почку, но временами ей искренне хотелось сесть на Бриджет сверху и положить подушку ей на голову. В детстве это вполне успешно помогало держать ее в рамках. Прискорбно, но взрослым приходится обуздывать свои истинные чувства.

Конечно, Бриджет тоже отдала бы Сесилии почку. Только она бы гораздо больше ныла, выздоравливая, упоминала бы об этом при каждой возможности и проследила бы за тем, чтобы сестра покрыла все ее расходы.

Отец Джо подвел речь к завершению. Разрозненная группка людей в церкви поднялась на ноги для заключительного гимна — тихий шелест сдержанных вздохов, приглушенный кашель и пощелкивание немолодых коленей. Сесилия перехватила взгляд Мелиссы Макналти, стоящей через проход от нее. Та вскинула брови, подразумевая: разве мы не добрые люди, коли пришли на похороны сестры Урсулы, хотя она была такой противной, а у нас есть множество других дел?

Сесилия в ответ удрученно пожала плечами: но разве не так оно всегда и бывает?

У нее в машине лежал заказ из «Таппервера», который нужно было передать Мелиссе после похорон, а заодно уточнить, присмотрит ли та днем за Полли на балете, поскольку самой Сесилии еще предстоял поход с Эстер к логопеду и стрижка Изабели. И, раз уж об этом зашла речь, Мелиссе определенно стоило бы подкрасить волосы. Ее темные корни смотрелись ужасно. Сесилии следовало бы быть милосерднее и не обращать на это внимания, но она невольно вспомнила, как в прошлом месяце в столовой выслушивала жалобы Мелиссы на то, что ее муж хочет заниматься сексом через день, словно по графику.

Подпевая «Великому Богу», Сесилия задумалась о шутливом замечании Бриджет за ужином и поняла, почему оно так задело ее.

Все дело в сексе. Без секса она оказывалась всего лишь занудной старомодной мамашей средних лет. А она, между прочим, вовсе не старомодна. Только вчера водитель грузовика со вкусом присвистнул ей вслед, когда она перебегала улицу на красный свет, чтобы купить кориандр.

Свист определенно предназначался ей. Она даже огляделась, дабы убедиться, что в поле зрения нет более молодых и привлекательных женщин. На прошлой неделе ее обескуражил подобный свист, пока она прогуливалась по торговому центру с дочерями: обернувшись, она увидела, что Изабель решительно смотрит прямо перед собой, розовая от смущения. Изабель внезапно вытянулась, догнав мать ростом, и начала местами округляться: сделалась тоньше в талии, раздалась в груди и бедрах. В последнее время она убирала волосы в высокий хвост с тяжелой прямой челкой, слишком низко спадающей на глаза. Она росла, и замечала это не только ее мать.

«Начинается», — грустно подумала Сесилия.

Она жалела, что не может вручить Изабели щит вроде тех, которыми пользуется полиция при борьбе с беспорядками, чтобы уберечь ее от мужского внимания: от чувства, будто тебе начисляют очки всякий раз, когда ты проходишь по улице, от оскорбительных выкриков из машин, от небрежных оценивающих взглядов. Она хотела бы сесть и поговорить с дочерью об этом, но не знала, что сказать. Она и сама-то толком с этим не разобралась. Это неважно. Это важно. Они не имеют права внушать тебе такие мысли. Или: просто не обращай внимания, однажды тебе стукнет сорок, и ты медленно осознаешь, что больше не ловишь на себе взглядов, и свобода принесет облегчение, но отчасти тебе станет их не хватать, и когда ты будешь перебегать дорогу, а водитель грузовика свистнет тебе вслед, ты подумаешь: «Правда? Это вы мне?»

Опять же, прозвучал свист вполне искренне и дружелюбно.

Нет, пожалуй, унизительно так много думать об этом случае.

Что ж, как бы там ни было, она не боялась, что Джон Пол завел роман на стороне. Ни в коем случае. Этого просто не может быть. Ему бы времени не хватило на роман! Куда бы он его уместил?

Впрочем, он изредка путешествовал. Это время можно было потратить на интрижку.

Гроб сестры Урсулы выносили из церкви четверо широкоплечих юношей с взъерошенными волосами, в костюмах и при галстуках, с нарочито бесстрастными лицами. Предположительно они приходились ей племянниками. Подумать только: сестра Урсула имела общую ДНК со столь привлекательными молодыми людьми. Должно быть, они тоже все время похорон думали о сексе. Такие здоровые ребята с бурлящим юношеским либидо. Тот, что повыше, с темными сверкающими глазами, выглядел особенно симпатичным...

Боже правый. Теперь она воображает, что занимается сексом с одним из мальчишек, несущих гроб сестры Урсулы. Совсем ребенком, судя по виду. Должно быть, еще и школу не закончил. Ее мысли не только безнравственны и неуместны, но еще и противозаконны. Хотя противозаконно ли думать? Вожделеть юношу, несущего гроб учительницы третьих классов?

В Страстную пятницу Джон Пол вернется из Чикаго, и они будут заниматься любовью еженощно. Откроют свою сексуальную жизнь заново. Им всегда было так хорошо вместе. Она как-то привыкла считать, что их паре повезло с сексом больше, чем всем остальным. На школьных мероприятиях эта мысль изрядно ее подбадривала.

Джон Пол нигде не мог бы найти лучшего секса. Сесилия прочла много книг и поддерживала навыки на уровне современных требований, как будто это было ее профессиональной обязанностью. Ему не было нужды заводить роман на стороне. Не говоря уже о том, что он был одним из самых нравственных, правильных людей из всех, кого она знала. Он и за миллион долларов не пересек бы двойную сплошную линию. Измена для него была бы делом невозможным. Он никогда бы на такое не решился.

То письмо не имело никакого отношения к походам налево. Она вовсе даже и не думала о письме! Вот насколько это ее не беспокоило. Когда ей прошлым вечером мимолетно показалось, будто он лжет по телефону, это было исключительно плодом воображения. Неловкость при обсуждении письма была вызвана естественной нескладностью, присущей всем телефонным звонкам на дальнее расстояние. В таких разговорах всегда есть нечто неестественное. Вы находитесь на противоположных концах света, у вас разное время суток, так что вы не можете вполне соразмерить голоса: один из вас слишком бодр, а другой, наоборот, расслаблен.

Письмо не может содержать никаких шокирующих откровений. Там не говорится, к примеру, о другой тайной семье, которую он содержит. Для двоеженства Джону Полу не хватило бы организационных способностей. Он бы давным-давно допустил ошибку: приехал бы не в тот дом, назвал бы одну жену именем второй. Он бы постоянно забывал вещи в другом месте!

Если только, конечно, его рассеянность не была частью прикрытия.

Возможно, он гей. Вот почему он потерял интерес к сексу. И все это время только притворялся гетеросексуальным. Что ж, тогда он, определенно, неплохо постарался. Ей вспомнились первые годы их совместной жизни, когда им случалось заниматься сексом по три-четыре раза на дню. Никакое чувство долга не могло бы подвигнуть его на такие жертвы, если бы он всего лишь изображал заинтересованность.

Однако ему действительно нравились мюзиклы. Он был в восторге от «Кошек»! И ему лучше удавалось причесывать девочек, чем самой Сесилии. Всякий раз, когда Полли предстояло балетное выступление, она настаивала, чтобы именно Джон Пол убирал ей волосы в пучок. Он мог обсуждать с Полли арабески и пируэты так же, как футбол с Изабелью или «Титаник» с Эстер. И свою маму он обожал. Разве мужчины-геи не особенно близки с матерями? Или это просто миф?

У него была персиковая рубашка поло, и он сам ее гладил.

Да, возможно, он гей.

Гимн закончился. Гроб сестры Урсулы покинул церковь, и люди с чувством исполненного долга принялись подбирать сумки и куртки, готовясь разойтись по своим делам.

Сесилия отложила книгу псалмов. Ради всего святого. Ее муж не гей. Ей вспомнилось, как в прошлые выходные на футбольном матче Изабели Джон Пол расхаживал взад-вперед вдоль кромки поля и выкрикивал что-то ободряющее. Помимо суточной серебристой щетины, на его щеках красовалась пара фиолетовых наклеек с балеринами. Их прилепила туда Полли забавы ради. Воспоминание принесло волну нежности. В Джоне Поле не было ничего женственного. Он просто нравился себе такой, какой он есть, и не пытался никому ничего доказывать.

Письмо не имеет ни малейшего отношения к затишью их сексуальной жизни. Оно вообще ни к чему не имеет отношения. Конверт благополучно заперт в шкафу для документов, в красно-коричневой папке вместе с копиями их завещаний.

Она пообещала его не вскрывать. Так что она не может и не станет это делать.

Глава 7

—Ты не знаешь, кто умер? — поинтересовалась Тесс.

— Что ты сказала? — переспросила ее мать.

Глаза у нее были закрыты, а лицо обращено к солнцу.

Они находились на игровой площадке при начальной школе Святой Анджелы. Мама Тесс устроилась в инвалидной коляске, которую они взяли напрокат в местной аптеке, а ее больная нога покоилась на подставке. Тесс предполагала, что мама возненавидит коляску, но ту, похоже, все устраивало: она сидела с безукоризненно выпрямленной спиной, словно на званом обеде.

Они ненадолго задержались на утреннем солнышке, пока Лиам исследовал школьный двор. У них еще оставалось несколько минут до назначенной встречи с секретарем насчет зачисления Лиама.

Люси договорилась обо всем еще с утра и с гордостью сообщила дочери, что мальчика примут без вопросов. Собственно говоря, они могут все устроить хоть сегодня, если захотят!

— Это не горит, — ответила ей Тесс. — Нам необязательно что-то предпринимать до Пасхи.

Она не просила маму звонить в школу. Разве она не имеет права по меньшей мере ближайшие сутки приходить в себя от потрясения и не заниматься ничем другим? Благодаря хлопотам матери все происходящее казалось чересчур реальным и бесповоротным, как будто тот кошмарный розыгрыш был чистой правдой.

— Я могу отменить встречу, если хочешь, — с мученическим видом предложила Люси.

— Ты уже договорилась? Не спросив меня?

— Ну, я просто решила, что нам стоит стиснуть зубы и двигаться дальше.

— Ладно, — вздохнула Тесс. — Давай так и сделаем.

Естественно, Люси настояла на том, чтобы пойти с ними. Скорее всего, она и на все вопросы станет отвечать за Тесс, как делала и прежде, пока та была маленькой и робела при встрече с незнакомцами. Мама так никогда толком и не избавилась от привычки говорить за нее. Эта манера слегка смущала Тесс, но в то же время казалась довольно милой и расслабляющей, словно обслуживание в пятизвездочном отеле. Почему бы и не позволить кому-то другому делать за тебя всю тяжелую работу?

— Ты не знаешь, кто умер? — повторила Тесс свой вопрос.

— Умер?

— Похороны, — пояснила Тесс.

Школьная игровая площадка примыкала к церковному двору, и отсюда было видно гроб, который несли к катафалку четверо молодых людей.

Чья-то жизнь подошла к концу. Кто-то никогда больше не ощутит на лице солнечного света. Опираясь на эту мысль, Тесс попыталась взглянуть на свою боль под новым углом, но это не помогло. Она задумалась, не занимаются ли Уилл с Фелисити любовью прямо в эту минуту, в ее постели. Уже позднее утро, но им никуда не нужно идти. Их связь представлялась Тесс кровосмешением, чем-то грязным и неправильным. Она содрогнулась. В горле стоял горьковатый привкус, как будто она всю ночь напролет пила дешевое вино. И в глаза словно песка насыпали.

Погода тоже не облегчала ситуацию — слишком уж чудесной она была, будто в насмешку над болью Тесс. Сидней утопал в золотистой дымке. Японские клены перед школой ярко пламенели, камелии цвели роскошным густым багрянцем. На окнах классов выстроились горшки с алыми, желтыми, персиковыми и кремовыми бегониями. Высокие песчаниковые стены церкви Святой Анджелы четко вырисовывались на фоне кобальтовой синевы неба. Мир прекрасен, как будто говорил Тесс сам Сидней. Что с тобой-то не так?

— Ты не знаешь, кого там хоронят? — по возможности мягче поинтересовалась она.

На самом деле ее не особенно волновало, чьи это похороны. Просто хотелось слушать чужие слова о чем угодно, только бы прогнать видение рук Уилла на постройневшем белом теле Фелисити. У сестры фарфоровая кожа. Сама Тесс была смуглее — сказалось наследие с отцовской стороны. Одна из прабабушек Тесс, умершая еще до ее рождения, была ливанкой.

Уилл с утра позвонил ей на мобильный. Не стоило отвечать, но, когда Тесс увидела его имя, в ней вспыхнула незваная искорка надежды и она схватила трубку. Он звонит сказать, что все это было ошибкой. Ну конечно же.

Но стоило ему заговорить этим новым, ужасным, веским и торжественным тоном без намека на смех, как надежда угасла.

— Ты в порядке? — спросил он. — У Лиама все хорошо?

Он говорил так, будто в их жизни недавно произошло несчастье, в котором он ничуточки не виноват.

Ей отчаянно хотелось пожаловаться настоящему Уиллу на то, что наделал этот новый Уилл, захватчик без чувства юмора, на то, как он разбил ее сердце. Настоящий Уилл захотел бы все исправить ради нее. Настоящий Уилл сразу же отобрал бы у нее трубку, пожаловался бы на то, как обошлись с его женой, и потребовал бы возмещения. Настоящий Уилл заварил бы ей чашку чая, наполнил бы ванну и, наконец, обернул бы эту ситуацию так, чтобы она увидела в ней забавную сторону.

Вот только на этот раз забавной стороны не было.

Ее мать открыла глаза и, прищурившись, оглянулась на Тесс.

— По-моему, ту жуткую монашку.

Тесс приподняла брови, обозначая легкое потрясение, и мама усмехнулась, довольная собой. Она с такой решительностью взялась веселить дочь, что напоминала эстрадного артиста, в отчаянии прибегающего к самым рискованным новинкам, чтобы удержать слушателей на местах. С утра, сражаясь с крышкой на банке «Веджимайта», она даже употребила слово «ублюдочный», тщательно выговорив его по слогам, так что оно прозвучало не более бранным, чем, скажем, «лепрекон».

Мать воспользовалась самым крепким ругательством в своем лексиконе, поскольку пылала гневом от ее лица. Люси, произносящая «ублюдочный», — это все равно что кроткий и вежливый, законопослушный гражданин, внезапно превратившийся в народного мстителя с ружьем наперевес. Вот почему она так быстро созвонилась со школой. Тесс ее понимала. Маме хотелось действовать — сделать что-нибудь, что угодно, ради дочери.

— Какую именно из жутких монашек?

— Где Лиам? — спохватилась мать и неловко извернулась в коляске.

— Вон там, — подсказала Тесс.

Лиам бродил по игровой площадке, изучая ее оснащение пресыщенным взглядом шестилетнего эксперта. Присел на корточки у подножия большой желтой горки-трубы и засунул голову внутрь, как будто проводил проверку эксплуатационной безопасности.

— Я на мгновение потеряла его из вида.

— Тебе необязательно следить за ним все время, — мягко напомнила Тесс. — Это вроде как моя работа.

— Конечно твоя.

С утра за завтраком они обе пытались проявить взаимную заботу. У Тесс оказалось преимущество: имея две рабочие лодыжки, она успела вскипятить чайник и заварить чай за то время, пока ее мама тянулась за костылями.

Тесс наблюдала, как Лиам подходит к краю игровой площадки, под смоковницу, где они с Фелисити обычно обедали в компании Элоизы Бангонии. Элоиза познакомила их с каннеллони, что было ошибкой в отношении человека с метаболизмом Фелисити. Миссис Бангония давала дочери с собой столько еды, что хватало на троих. Это было еще до того, как вопрос детского ожирения начал всех беспокоить. Тесс до сих пор помнила этот вкус. Божественно.

Лиам замер, уставившись в пространство, словно увидел, как его мать впервые пробует каннеллони.

Возвращение в старую школу сбивало с толку, как будто время было одеялом и его свернули так, чтобы разные концы оказались наложены друг на друга.

Надо будет напомнить Фелисити о каннеллони миссис Бангонии.

Нет. Нет, не надо.

Лиам внезапно повернулся и на манер каратиста пнул мусорный бак, так что тот лязгнул.

— Лиам, — сделала ему замечание Тесс, но недостаточно громко, чтобы он услышал.

— Лиам! Тсс! — куда громче одернула внука Люси, прижав к губам палец и кивнув на церковь.

Небольшая компания скорбящих уже высыпала наружу, и теперь они стояли, беседуя между собой со скованностью и облегчением, характерными для участников похорон.

Лиам не стал больше пинать бак. Он был послушным ребенком. Вместо этого он подобрал палку, взял ее двумя руками, словно пулемет, и принялся молча целиться из нее по сторонам. Тем временем из окна приготовительного класса зазвенели нежные детские голоса, поющие про крошку-паучка.

«О господи, — подумала Тесс, — где он этому научился?»

Ей стоит бдительнее отнестись к компьютерным играм, в которые он играет, хотя она невольно восхитилась достоверности, с которой он по-солдатски сужал глаза. Надо будет потом рассказать Уиллу. Пусть посмеется.

Нет, она не расскажет об этом Уиллу.

Ее мозг, похоже, никак не поспевал за реальностью. Этой ночью она пыталась во сне подкатиться под бок Уиллу, но на его месте находила лишь пустоту, и, вздрогнув, просыпалась. Они с Уиллом прекрасно спали рядом. Никакого подергивания, храпа или сражений за одеяло. «Я больше не могу без тебя выспаться, — пожаловался как-то Уилл, хотя они тогда встречались всего лишь несколько месяцев. — Как будто без любимой подушки. Теперь придется брать тебя с собой, куда бы я ни поехал».

— Какая именно из жутких монашек умерла? — снова спросила Тесс у матери, глядя на скорбящих.

Сейчас было неподходящее время для подобных воспоминаний.

— Не все они были жуткими, — заметила Люси. — Большинство их выглядели довольно мило. Как насчет сестры Маргарет Энн, которая пришла к тебе на день рождения в десять лет? Она была красавицей. По-моему, твой отец на нее заглядывался.

— Серьезно?

— Ну, может, и нет.

Мама пожала плечами, как будто равнодушие к хорошеньким монашкам было всего лишь еще одним недостатком ее бывшего мужа.

— В любом случае это должны быть похороны сестры Урсулы. На прошлой неделе в приходской газете писали, что она умерла. По-моему, тебя она не учила? Говорят, била учеников ручкой метелочки для смахивания пыли. В наши дни никто не пользуется перьевыми метелочками. Интересно, стало ли в мире из-за этого больше пыли?

— Кажется, я помню сестру Урсулу, — задумалась Тесс. — Красное лицо и брови как гусеницы. Мы обычно от нее прятались, когда она дежурила на игровой площадке.

— Не уверена, остались ли еще монашки среди учителей в школе. Вымирающая порода.

— В буквальном смысле, — уточнила Тесс.

— О боже, я не имела в виду... — Люси фыркнула и осеклась, отвлеченная чем-то у входа в церковь. — Ладно, милая, соберись с духом. Нас только что заметила одна из приходских дам.

— Что?

Тесс немедленно охватил ледяной ужас, словно мать сообщила, что их заметил проходящий мимо снайпер.

Миниатюрная блондинка уже отделилась от группки скорбящих и резво направлялась к ним через школьный двор.

— Сесилия Фицпатрик, — пояснила мама. — Старшая из девочек Беллов. Вышла замуж за Джона Пола, старшего мальчика Фицпатриков. Самого симпатичного, если хочешь знать мое мнение, хотя они все один другого стоят. У Сесилии, кажется, была младшая сестра, которая могла с тобой учиться. Не помнишь Бриджет Белл?

Тесс уже собиралась сказать, что никогда о них не слышала, но тут воспоминание о сестрах Белл начало постепенно всплывать в ее сознании, словно отражение на воде. Ей не удалось отчетливо представить их лица — только длинные и тонкие белокурые косы, развевавшиеся за спиной, пока они бегали по школе, занимаясь тем, чем обычно занимаются дети, вокруг которых вращается мир.

— Сесилия продает посуду от «Тапервера», — продолжала мама. — Зарабатывает на этом огромные деньги.

— Но она же нас не знает, правда?

Тесс с надеждой оглянулась через плечо, проверяя, нет ли там кого-нибудь, кто махал бы рукой Сесилии. Никого не обнаружилось. Может, она собирается рекламировать им «Тапервер»?

— Сесилия всех знает, — отозвалась Люси.

— А мы не можем сбежать?

— Слишком поздно, — уголком рта шепнула мама, блеснув зубами в широкой светской улыбке.

— Люси! — воскликнула Сесилия, приблизившись к ним с такой скоростью, что это было похоже на телепортацию, и наклонилась поцеловать ее мать. — Что вы с собой сотворили?

«Не смей звать мою мать по имени, — подумала Тесс, проникаясь мгновенной ребяческой неприязнью. — Миссис О'Лири, с твоего позволения!»

Теперь, когда Сесилия оказалась прямо перед Тесс, она отчетливо вспомнила ее лицо. У нее была маленькая аккуратная головка, а косы сменила искусная круглая стрижка с четкими очертаниями. Выразительное открытое лицо, заметный глубокий прикус и две смехотворно большие ямочки на щеках. Она напоминала симпатичного хорька. И тем не менее ей достался один из братьев Фицпатрик.

— Я вас заметила, когда вышла из церкви. Похороны сестры Урсулы, вы слышали, что она отошла в мир иной? В любом случае я вас увидела и сразу подумала: это же Люси О'Лири в инвалидной коляске! В чем же дело? Так что я, как настоящая любопытная Варвара, подошла поздороваться! Коляска, кстати, выглядит добротно, вы ее в аптеке взяли напрокат? Но что же случилось, Люси? Это лодыжка, да?

О господи! Тесс показалось, что сама ее индивидуальность вытекает из тела. Такие вот разговорчивые, энергичные люди всегда оказывали на нее подобное воздействие.

— Ничего особенно серьезного, спасибо, Сесилия, — отозвалась мама Тесс. — Всего лишь перелом лодыжки.

— О нет, но это же как раз очень серьезно, бедняжка! Как же вы справляетесь? Как выходите из дома? Я принесу вам лазанью. Нет, обязательно. Я настаиваю. Вы же не вегетарианка, правда? Но думаю, именно поэтому вы и приехали, верно? — без предупреждения обернулась Сесилия к Тесс.

Та невольно отступила на шаг. Что она имеет в виду? Явно что-то касающееся вегетарианства.

— Поухаживать за мамой? Кстати, я Сесилия, если вы меня не помните!

— Сесилия, это моя дочь... — начала было мама Тесс, но ее тут же перебили.

— Конечно. Тесс, правильно?

Сесилия снова повернулась к ней и, к удивлению Тесс, протянула ей руку на деловой манер. Тесс успела мысленно отнести Сесилию к эпохе собственной матери, увидеть в ней старомодную богобоязненную даму, которая использует благочестивые выражения вроде «отошла в мир иной», а значит обычно стоит в сторонке, любезно улыбаясь, пока мужчины занимаются такими мужскими делами, как обмен рукопожатиями. Ладонь у нее оказалась маленькой и сухой, а хватка довольно сильной.

— А это, должно быть, ваш сын? — Сесилия лучезарно улыбнулась в сторону Лиама. — Лиам?

Господи. Она знала даже его имя. Как это вообще возможно? Тесс понятия не имела, есть ли дети у Сесилии. Еще полминуты назад она не помнила о самом ее существовании.

Лиам присмотрелся, нацелил свою палку прямо на Сесилию и спустил воображаемый курок.

— Лиам! — одернула сына Тесс.

Сесилия тем временем застонала и схватилась за грудь, ноги ее подломились в коленях. Она разыграла это настолько правдоподобно, что на какой-то ужасный миг Тесс встревожилась, не падает ли она на самом деле.

Лиам поднес палку к губам, дунул на нее и довольно ухмыльнулся.

— Надолго вы в Сидней? — спросила Сесилия, перехватив взгляд Тесс.

Она была из тех людей, которые слишком долго удерживают зрительный контакт. Полная противоположность самой Тесс.

— Только до тех пор, пока не поставите Люси на ноги? У вас же своя фирма в Мельбурне, да? Наверное, вы не можете уехать слишком надолго! А Лиаму ведь нужно в школу?

Тесс обнаружила, что не в состоянии говорить.

— Собственно, Тесс как раз собирается записать Лиама в школу Святой Анджелы на... некоторое время, — вмешалась Люси.

— О, как замечательно! — обрадовалась Сесилия.

Она так и не отвела взгляда от Тесс. Боже правый, эта женщина вообще хоть иногда моргает?

— Ну-ка, давайте посмотрим, сколько Лиаму лет?

— Шесть, — выговорила Тесс. Она опустила взгляд, не в силах больше это выносить.

— Что ж, тогда, выходит, он окажется в одном классе с Полли. Чуть раньше в этом году уехала одна девочка, так что вас запишут к нам. В первый «Д». К миссис Джефферс. Мэри Джефферс. Между прочим, она замечательная. И кстати, общительная, что очень мило с ее стороны!

— Чудесно, — слабым голосом отозвалась Тесс.

Просто изумительно.

— Лиам! Теперь, когда ты меня застрелил, подойди-ка поздороваться! Я слышу, ты теперь будешь учиться в нашей школе!

Она жестом подозвала Лиама, и он побрел к ним, волоча за собой палку.

Сесилия согнула колени, полуприсев так, чтобы их с Лиамом глаза оказались на одном уровне.

— У меня есть маленькая дочка, с которой вы окажетесь в одном классе. Ее зовут Полли. В выходные после Пасхи она отмечает свой седьмой день рождения. Хочешь прийти?

Лицо Лиама мгновенно приобрело отсутствующее выражение, из-за которого Тесс постоянно беспокоилась, не сочтут ли его люди умственно неполноценным.

— Мы устраиваем пиратскую вечеринку, — продолжила Сесилия, выпрямившись и повернувшись к Тесс. —

Надеюсь, вы сможете поучаствовать. Заодно познакомитесь со всеми мамами. У нас будет собственный небольшой оазис для взрослых. Будем хлестать шампанское, пока вокруг буйствуют маленькие пираты.

Тесс поняла, что ее собственное лицо тоже утратило выражение. Должно быть, Лиам унаследовал этот оцепеневший вид от нее. Она не могла знакомиться с еще одной, совершенно новой компанией матерей. Общение со школьными мамочками давалось ей достаточно тяжело, даже когда с ее жизнью все было в полном порядке. Болтовня-болтовня-болтовня, водоворотики смеха, теплота, дружелюбие (большинство мамочек были неизменно милы) и затаенный намек на стервозность, прячущийся в глубине. В Мельбурне она с этим справилась, даже завела пару подруг на окраинах внутреннего круга общения, но этого подвига ей не повторить. Не сейчас. Ей не хватит сил. Как будто кто-то жизнерадостно предложил ей бежать марафон, едва лишь она выползла из постели, куда свалилась с гриппом.

— Чудесно, — отозвалась она.

Отговорку можно придумать позже.

— Я сделаю Лиаму пиратский костюм, — предложила мама. — Повязку на глаз, красно-белую полосатую рубашку, о — и саблю! Ты же хочешь саблю, правда, Лиам?

Она огляделась в поисках мальчика, но тот уже убежал и теперь ковырял своей пушкой ограду, словно буравом.

— Конечно, мы будем рады видеть на вечеринке и вас тоже, Люси, — заявила Сесилия.

Ее поведение раздражало, однако навыки общения были безупречны. Тесс наблюдала за этим, будто за искусной игрой на скрипке: совершенно непостижимо, как людям это удается!

— О, спасибо, Сесилия!

Мама была счастлива. Она обожала вечеринки, в особенности благодаря угощению.

— Давайте-ка посмотрим, красно-белая полосатая рубашка для пиратского костюма. Тесс, у него такой еще нет?

Если сравнивать Сесилию со скрипачом, то мама была простоватым, исполненным благих намерений гитаристом, изо всех сил пытающимся играть ту же мелодию.

— Мне не следует вас задерживать. Вы, наверное, как раз собирались подняться в кабинет к Рейчел? — спросила Сесилия.

— Нам назначена встреча со школьным секретарем, — ответила Тесс.

Она понятия не имела, как этого секретаря зовут.

— Да, Рейчел Кроули, — подтвердила Сесилия. — Отлично знает свое дело. Школа у нее работает как швейцарские часы. Собственно, она делит эту должность с моей свекровью, но, строго между нами, по-моему, всю работу делает Рейчел. Вирджиния только болтает целыми днями. Кому бы говорить... Ну, собственно, это я в виду и имею — я тоже не прочь поболтать.

Она радостно рассмеялась над собственной шуткой.

— И как поживает Рейчел в последнее время? — многозначительно спросила мама.

Хорьковое личико Сесилии разом помрачнело.

— Я не так уж хорошо ее знаю, но слышала, что у нее есть чудный маленький внук. Джейкоб. Ему недавно исполнилось два года.

— А, — выдохнула Люси, как будто это все объясняло. — Это хорошо. Джейкоб.

— Что ж, Тесс, очень рада была повидаться, — заключила Сесилия, снова пронзив ее немигающим взглядом. — А мне пора бежать. Нужно успеть на занятия по зумбе[1] — я хожу в спортзал дальше по улице, это замечательно, тебе обязательно стоит как-нибудь попробовать самой, очень весело, а потом я еду прямо в то местечко в Стратфилде, где торгуют товарами для вечеринок. Дорога неблизкая, но оно себя оправдывает, цены там просто удивительные, я серьезно, набор из сотни гелиевых шариков там и пятидесяти долларов не стоит, а мне в ближайшие месяцы предстоит столько вечеринок: это и пиратская вечеринка Полли, и собрание родителей первоклассников — на которое ты, разумеется, тоже приглашена! — а затем мне еще нужно развезти заказы из «Таппервера». Я, кстати, работаю на «Таппервер», Тесс, так что если тебе что-нибудь понадобится... В любом случае все это надо успеть до окончания уроков в школе! Сама знаешь, каково это.

Тесс моргнула. Ее как будто погребла под собой лавина подробностей, несметное число крошечных маневров, которые вместе составляли жизнь другого человека. И дело даже не в том, что это было скучно, хотя это и впрямь было довольно-таки скучно. Главным образом ее смутило само количество слов, которые так непринужденно хлынули изо рта Сесилии.

О боже, она замолчала.

Вздрогнув, Тесс осознала, что настала ее очередь.

— Дела, — выговорила она наконец. — Тебе есть чем заняться. Уж это точно. — Она изогнула губы, надеясь, что это сойдет за улыбку.

— Увидимся на пиратской вечеринке! — обратилась Сесилия к Лиаму.

Тот прекратил сверлить ограду и повернулся к ней с этим забавным, непроницаемым, мужественным выражением, которое временами появлялось на его лице и сейчас мучительно напомнило Тесс об Уилле.

---

1 *Зумба* — авторская танцевальная фитнес-программа.

— Йо-хо-хо, салаги! — Сесилия вскинула руку, сложенную крюком.

Лиам заулыбался, как будто против воли, и Тесс поняла, что отведет его на пиратскую вечеринку, чего бы ей это ни стоило.

— О боже, — вздохнула Люси, когда Сесилия уже не смогла бы ее услышать. — И мать у нее точно такая же. Очень мила, но до крайности утомительна. Каждый раз после разговора с ней мне хочется выпить чашечку чая и прилечь.

— А что там насчет этой Рейчел Кроули? — спросила Тесс по дороге в школьную канцелярию.

Они с Лиамом вместе толкали коляску, держась каждый за свою ручку.

— Помнишь такое имя — Джейни Кроули? — Мама поморщилась.

— Это не та девушка, которую нашли с четками...

— Именно та. Она была дочерью Рейчел.

* * *

Рейчел не сомневалась, что и Люси О'Лири, и ее дочь думали о Джейни, когда пришли записывать сына Тесс в школу Святой Анджелы: их выдавала неестественная разговорчивость. Тесс явно избегала встречаться с Рейчел взглядом, а Люси, склонив голову набок, старательно изображала на лице заботу. Так делали многие женщины определенного возраста при разговорах с Рейчел — как будто навещали ее в доме престарелых.

Люси уточнила, запечатлен ли на фотографии, стоящей у Рейчел на столе, ее внук, и они с дочерью рассыпались в совершенно неумеренных похвалах. И не то чтобы ей самой не нравился этот чудесный портрет Джейкоба, но вовсе не нужно быть семи пядей во лбу, чтобы догадаться, что они имели в виду на самом деле. «Мы знаем, что твою дочь убили много лет назад, но разве этот малыш не восполняет утрату? Пожалуйста, пусть он ее восполняет, чтобы мы могли избавиться от этого странного и неуютного ощущения!»

— Я присматриваю за ним два дня в неделю, — пояснила Рейчел, не отрывая взгляда от экрана компьютера, поскольку распечатывала для Тесс кое-какие бумаги. — Но это ненадолго. Вчера вечером я узнала, что родители увозят его в Нью-Йорк на два года.

Ее голос невольно надломился, и она раздраженно прочистила горло.

Она ждала реакции, которую этим утром слышала со всех сторон: «Как здорово!», «Какая чудная возможность!», «Собираешься их навещать?»

— Ну, это уже через край! — взорвалась Люси и всплеснула руками, ударившись локтями о подлокотники коляски, словно капризный малыш.

Ее дочь, занятая заполнением бланков, подняла взгляд и нахмурилась. Тесс была из тех неприметных женщин с короткой мальчишеской стрижкой и строгими чертами лица, которые иногда ошеломляют вас проблеском неподдельной красоты. Ее сынишка, очень похожий на мать, если не считать необычных глаз золотистого оттенка, тоже обернулся и уставился на бабушку.

— Конечно, я не сомневаюсь, что ваш сын и невестка в полном восторге. — Люси потерла ушибленные локти. — Но после всего, что вам довелось пережить: вот так вот потерять Джейни, а затем и мужа — простите, не могу припомнить, как его звали, но я знаю, что его вы тоже потеряли, — в общем, это попросту нечестно.

К тому времени, как она закончила тираду, ее щеки приобрели малиновый оттенок. Рейчел понимала, что она в ужасе от самой себя. Люди постоянно беспокоились из-за того, что нечаянно напоминали ей о смерти дочери, как будто она была способна о ней забыть.

— Рейчел, простите, пожалуйста, мне не следовало... — Бедная Люси выглядела донельзя смущенной.

— Не стоит. — Рейчел махнула рукой, отметая ее извинения. — Спасибо. На самом деле это и впрямь через край. Мне будет ужасно его не хватать.

— Ну-ка, кто это тут у нас?

В кабинет влетела начальница Рейчел, директор школы Труди Эпплби: одна из ее фирменных вязаных шалей едва не сползает с костлявых плеч, пряди седых вьющихся волос обрамляют лицо, на левой скуле — пятно красной краски. Вероятно, она только что поднялась с пола, где рисовала вместе с приготовишками. Верная себе, Труди не стала отвлекаться на Люси и Тесс О'Лири, сразу отыскав взглядом ребенка — Лиама. Эту женщину совершенно не интересовали взрослые, что однажды и приведет к ее падению. Рейчел пережила на посту секретаря трех директоров и пришла к выводу, что невозможно управлять школой, не считаясь со взрослыми. Эта роль была политической.

Опять же, Труди, похоже, для этой работы была недостаточно убежденной христианкой. Не то чтобы она то и дело нарушала заповеди, но во время мессы на ее лице не читалось особого благочестия, а глаза искрились лукавством. Сестра Урсула — чьи похороны Рейчел проигнорировала, поскольку так и не простила ее за то, что она ударила Джейни перьевой метелкой, — перед смертью, вероятно, отправила в Ватикан письмо с жалобой на директора.

— Это мальчик, о котором я упоминала чуть раньше, — пояснила Рейчел. — Лиам Кертис. Он поступает в первый класс.

— Конечно, конечно. Добро пожаловать в школу Святой Анджелы, Лиам! Поднимаясь по лестнице, я как раз думала, что познакомлюсь сегодня с кем-нибудь, чье имя начинается на «Л» — одну из моих любимых букв.

Скажи-ка мне, Лиам, что тебе нравится больше? Динозавры? Инопланетяне? Супергерои? — перечислила она, загибая пальцы с каждым пунктом.

Лиам всерьез задумался над вопросом.

— Ему нравятся дино... — начала было Люси О'Лири, но Тесс накрыла ладонью мамину руку.

— Инопланетяне, — наконец выбрал Лиам.

— Инопланетяне! — кивнула Труди. — Что ж, я буду иметь это в виду, Лиам Кертис. А это, я полагаю, твои мама и бабушка?

— Да, именно так, я... — начала Люси О'Лири.

— Рада познакомиться с вами обеими, — рассеянно улыбнулась Труди приблизительно в их сторону, а затем снова повернулась к мальчику. — И когда ты к нам присоединишься, Лиам? Завтра?

— Нет! — вмешалась Тесс, как будто встревожившись. — Только после Пасхи.

— О, но зачем терять время? — отмахнулась Труди. — Куй железо, пока горячо! Лиам, тебе нравятся пасхальные яйца?

— Да, — твердо заявил тот.

— А то мы завтра затеваем большую охоту на пасхальные яйца.

— Я первоклассно охочусь на пасхальные яйца, — похвастался Лиам.

— Правда? Замечательно! Что ж, тогда мне стоит понадежнее их попрятать, — заключила Труди и перевела взгляд на Рейчел. — Тут все под контролем, Рейчел, со всеми этими... — Она горестно указала на бумаги, о которых не имела ни малейшего представления.

— Все под контролем, — подтвердила Рейчел.

Она изо всех сил старалась удержать Труди на посту: в самом деле, для детей хорошо иметь директора родом из сказочной страны.

— Чудно, чудно! Оставляю все на тебя! — И с этими словами Труди упорхнула в кабинет, прикрыв за собой дверь.

По всей видимости, для того чтобы посыпать клавиатуру волшебной пыльцой, поскольку другого применения компьютеру она явно не находила.

— Боже правый, ничего общего с сестрой Вероникой Мэри! — тихонько заметила Люси.

Рейчел утвердительно фыркнула. Она прекрасно помнила сестру Веронику Мэри, директора с 1965 по 1980 год.

Раздался стук. Подняв взгляд, Рейчел различила за матовым стеклом двери высокую и внушительную мужскую тень, а затем в кабинет просунулась голова.

Это он. Она вздрогнула, как будто увидела мохнатого черного паука, а не самого обычного человека. Собственно, Рейчел слышала, как другие женщины называли его шикарным, но сама она находила это нелепым.

— Прошу прощения, э, миссис Кроули.

Он так и не вырос из ученических привычек, чтобы звать ее по имени, как остальные сотрудники школы. Их взгляды встретились, и, как обычно, он отвел глаза первым, уставившись куда-то поверх ее головы.

«Глаза лжеца, — мысленно повторила Рейчел, как делала почти каждый раз при встрече с ним, словно это было заклинанием или молитвой. — Лживые глаза».

— Не хотел вам помешать, — продолжил Коннор Уитби. — Просто думал забрать те анкеты для теннисного лагеря.

«Мальчишка Уитби чего-то недоговаривает, — сказал сержант Родни Беллах много лет назад, когда эта голова еще вся была в изумительных черных кудрях. — У этого малого лживые глаза».

Родни Беллах уже вышел в отставку. Лысый, как бандикут[1]. Он звонил каждый год в день рождения Джейни и любил рассказывать Рейчел о своих последних недомоганиях. Еще один человек, который состарился, в то время как Джейни осталась семнадцатилетней.

Рейчел передала бланки анкет, и взгляд Коннора упал на Тесс.

— Тесс О'Лири!

Его лицо преобразилось так, что на миг он показался ей мальчиком из фотоальбома Джейни.

Тесс настороженно посмотрела на него. Похоже, она вовсе не узнала этого мужчину.

— Я Коннор! — пояснил он, похлопав себя по широкой груди. — Коннор Уитби!

— А, Коннор, конечно. — Тесс привстала, но обнаружила, что ей мешает инвалидная коляска матери. — Я так рада...

— Не вставай, не вставай, — спохватился Коннор.

Он потянулся поцеловать Тесс в щечку одновременно с тем, как она начала садиться обратно, так что его губы мазнули по мочке ее уха.

— Что ты здесь делаешь? — спросила Тесс.

Судя по всему, встреча ее не особенно обрадовала.

— Я тут работаю.

— Бухгалтером?

— Нет-нет, сменил профессию пару лет назад. Я учитель физкультуры.

— Вот как? — удивилась она. — Что ж, это... — Она заколебалась, но в итоге все же договорила: — Мило.

Коннор прокашлялся:

— Ну, как бы там ни было, очень рад был повидаться.

---

1 *Бандикуты (сумчатые барсуки)* — отряд млекопитающих, обитающих в Австралии и Новой Гвинее.

Он глянул на Лиама, собрался было что-то сказать, но передумал и потряс в воздухе стопкой анкет:

— Спасибо, миссис Кроули.

— Рада была помочь, — холодно ответила Рейчел.

Стоило Коннору выйти, как Люси повернулась к дочери:

— Кто это был?

— Всего лишь давний знакомый. Очень давний.

— Что-то я его не припоминаю. Он за тобой ухаживал?

— Мама! — Тесс кивнула на Рейчел и лежащие перед ней бумаги.

— Прости! — виновато улыбнулась Люси.

Лиам тем временем уставился в потолок, вытянул ноги и зевнул.

Рейчел обратила внимание на то, что верхняя губа одинаково полная у всех троих: бабушки, матери и ребенка. Это походило на фокус. Благодаря этим припухшим губам все трое казались красивее, чем были на самом деле.

Она внезапно и необъяснимо разозлилась на все это семейство.

— Что ж, если вы подпишете раздел «Аллергии и медикаменты» вот здесь, — сообщила она Тесс, ткнув пальцем в бланк. — Нет, не там. Здесь. То мы, с Божьей помощью, закончим с этим.

* * *

Тесс уже вставила ключ в замок зажигания, собираясь ехать из школы домой, когда зазвонил ее сотовый. Она взяла его с приборной панели, чтобы посмотреть, кто там на связи.

Увидев надпись на экране, показала телефон матери.

Та прищурилась, разглядывая буквы, а затем пожала плечами и откинулась на спинку сиденья.

— Ну я же должна была ему рассказать. Я обещала всегда держать его в курсе того, что происходит в твоей жизни.

— Ты обещала ему это, когда мне было десять! — уточнила Тесс.

Она посмотрела на телефон, пытаясь решить, ответить или пусть звонок уйдет на голосовую почту.

— Это папа? — спросил Лиам с заднего сиденья.

— Это мой папа, — пояснила Тесс.

Рано или поздно ей придется с ним поговорить. Почему бы и не сейчас? Она глубоко вздохнула и нажала кнопку.

— Привет, пап.

Повисла пауза. Как всегда.

— Здравствуй, солнышко, — произнес ее отец.

— Как твои дела? — спросила Тесс сердечным тоном, который приберегала для него.

Когда они в последний раз созванивались? Должно быть, на Рождество.

— У меня все замечательно, — уныло ответил отец.

Очередная пауза.

— На самом деле я сейчас в машине с... — начала Тесс.

— Твоя мать рассказала мне... — тут же заговорил он.

И оба замолчали. Обычное мучение. Как бы Тесс ни старалась, ей никогда не удавалось наладить гармоничное общение с отцом. Даже когда они оказывались лицом к лицу, естественного ритма беседы они так и не достигали. Интересно, были бы их отношения менее неловкими, если бы он не разошелся с ее матерью? Она часто об этом задумывалась.

Отец прочистил горло:

— Твоя мать упомянула, что у тебя сейчас... неприятности.

Пауза.

— Спасибо, пап, — отозвалась Тесс.

— Жаль это слышать, — одновременно с ней продолжил отец.

Тесс краем глаза заметила, как мать закатывает глаза, и слегка развернулась к окну машины, словно в попытке защитить своего несчастного, неисправимого отца от насмешек бывшей жены.

— Если я чем-нибудь могу помочь, — предложил отец. — Просто... ну, сама знаешь, звони.

— Непременно, — заверила его Тесс.

Пауза.

— Ну, мне пора, — сообщила Тесс.

— Мне нравился этот малый, — заметил отец.

— Передай, что я отправила ему по электронной почте ссылку на те уроки дегустации вин, о которых рассказывала, — вмешалась мать.

— Тсс, — раздраженно отмахнулась от Люси Тесс. — Ты о чем, пап?

— Об Уилле. Он казался мне хорошим парнем. Впрочем, это вряд ли сильно тебе поможет, да, солнышко?

— Он, разумеется, никуда не пойдет, — пробормотала мать, разглядывая свои ногти. — Даже не знаю, зачем я суечусь. Этот человек попросту не желает быть счастливым.

— Спасибо, что позвонил, пап, — сказала Тесс.

— Как поживает малыш? — одновременно с ней спросил отец.

— У Лиама все отлично. Он как раз рядом. Хочешь...

— Не буду тебя задерживать, солнышко. Береги себя.

И он закончил разговор. Он всегда делал это во внезапном отчаянном порыве, как будто линию прослушивала полиция и ему нужно было скрыться, пока они не отследили его местонахождение — маленький, плоский, лишенный деревьев городок на противоположном конце страны, в Западной Австралии, куда он по загадочным причинам решил переехать пять лет назад.

— Ну что, вывалил на тебя целую груду полезных советов? — уточнила Люси.

— Он сделал все, что мог.

— О, вот уж не сомневаюсь, — с удовлетворением заключила мать.

Глава 8

—Так что стену построили в воскресенье. Этот день известен как Воскресенье колючей проволоки. Хотите знать почему? — предложила Эстер с заднего сиденья машины.

Это был риторический вопрос. Конечно же, они хотели.

— Потому что утром все проснулись, а там уже был вот такой вот длинный забор с колючей проволокой через весь город.

— И что? — спросила Полли. — Я уже видела заборы с колючей проволокой.

— Но тебе запрещалось проходить за него! — объяснила Эстер. — Как в западне! Ты знаешь, что мы живем по одну сторону Тихоокеанского шоссе, а бабушка — по другую?

— Ну да, — неуверенно согласилась Полли.

Она не очень четко представляла себе, кто где живет.

— И тогда получилось, как если бы забор с колючей проволокой построили вдоль всего Тихоокеанского шоссе и мы больше не смогли бы навещать бабушку.

— Какая жалость, — пробормотала Сесилия, оглядываясь через плечо, чтобы сменить ряд движения.

Она навещала мать как раз этим утром, после занятий зумбой, и потратила целых двадцать бесценных минут, разглядывая папку с «образцами работ», выполненных ее племянником в приготовительном классе. Бриджет устроила Сэма в престижное, до неприличия дорогое учебное заведение, и мать Сесилии никак не могла решить, радоваться ей этому или ужасаться. Остановилась она на истерическом возбуждении.

— Готова поспорить, вам не собирали таких папок в этом милом обычном приготовительном классе, куда ходили твои девочки, — заявила мать, пока Сесилия пыталась быстрее переворачивать страницы.

Она хотела съездить за непортящимися продуктами к воскресенью до того, как забирать дочерей из школы.

— По-моему, в наши дни так делают почти везде, — заметила Сесилия.

Но ее мать была слишком увлечена восторженными причитаниями над «автопортретом» Сэма, нарисованным пальчиковыми красками.

— Только представь, мам, — продолжала Эстер, — если бы мы, дети, навещали бабушку в Западном Берлине на тех выходных, когда появилась стена, а вы с папой застряли в Восточном Берлине. Вам бы пришлось сказать нам: «Оставайтесь у бабушки, дети! Не возвращайтесь! Ради вашей свободы!»

— Это ужасно, — признала Сесилия.

— А я бы все равно вернулась к мамочке, — заявила Полли. — Бабушка заставляет есть горох.

— Это история, мам, — настаивала Эстер. — Так оно и было на самом деле. Всех разделили. И никого это не волновало. Смотри! Эти люди поднимают детей повыше, чтобы показать их родственникам по другую сторону.

— Я должна смотреть на дорогу, — вздохнула Сесилия.

Благодаря Эстер в последние полгода она все время представляла себе, как выталкивает тонущих детей из ледяных вод Атлантического океана, пока «Титаник» уходит на дно. Теперь ей предстоит оказаться в Берлине, отделенной от детей стеной.

— А когда папочка возвращается из Чикаго? — спросила Полли.

— В пятницу утром! — улыбнулась ей Сесилия в зеркало заднего вида, благодарная за смену темы. — Он прилетает в Страстную пятницу. И отличная это выйдет пятница, потому что папочка вернется!

На заднем сиденье воцарилась неодобрительная тишина. Ее дочери пытались не поощрять категорически не крутой разговор.

Они находились где-то посреди обычного послешкольного круговорота суеты. Сесилия только что завезла Изабель к парикмахеру, а теперь надлежало доставить Полли на балет, а Эстер — к логопеду. Едва заметная шепелявость Эстер, которую Сесилия находила очаровательной, в современном мире явно считалась неприемлемой. После этого, бегом-бегом-бегом, нужно будет приготовить ужин, сделать уроки и прочесть что задано, прежде чем ее мать придет посидеть с детьми, пока Сесилия будет вести вечеринку с «Таппервером».

— Я хочу рассказать папочке еще один секрет, — сообщила Полли. — Когда он вернется домой.

— Один человек пробовал спуститься из окна своей квартиры по веревке, а пожарные в Западном Берлине пытались поймать его в страховочную сетку, но промахнулись, и он погиб.

— Мой секрет про то, что я больше не хочу пиратскую вечеринку, — пояснила Полли.

— Ему было тридцать, — продолжала Эстер. — Так что, я думаю, он успел неплохо пожить.

— Что? — переспросила Сесилия.

— Я сказала, ему было тридцать, — повторила Эстер. — Человеку, который погиб.

— Да не ты, Полли!

Вспыхнул красный сигнал светофора, и Сесилия вдавила ногой тормоз. Известие о том, что Полли больше не хочет пиратскую вечеринку, выглядело потрясающе незначительным в сравнении с несчастным человеком (тридцатилетним!), разбившимся насмерть ради свободы, которую Сесилия принимала как должное. Но прямо сейчас у нее не было времени остановиться и почтить его память, поскольку смена темы для вечеринки в последнюю минуту не лезла ни в какие ворота. Вот что бывает, когда ты свободен. Ты сходишь с ума из-за пиратской вечеринки.

— Полли, — не срываясь на истерику, попыталась говорить рассудительно Сесилия, — мы уже разослали приглашения. У тебя будет пиратская вечеринка. Ты просила пиратскую вечеринку, и ты ее получишь.

Невозвращаемый задаток уже внесен Пенелопе из «Поющей и танцующей пиратки», цены у которой и впрямь были грабительскими.

— Это секрет только для папочки, — заявила Полли. — Не для тебя.

— Хорошо, но я не буду менять тему вечеринки.

Ей хотелось, чтобы пиратская вечеринка прошла безупречно. Почему-то казалось особенно важным произвести впечатление на эту Тесс О'Лири. Сесилию необъяснимо привлекали загадочные, изящные люди вроде Тесс. Подруги Сесилии по большей части были болтушками. Их голоса наслаивались друг на друга, когда каждая предпринимала отчаянные попытки рассказать свою историю. «Я всегда терпеть не могла овощи...» — «...из овощей мой ребенок ест только брокколи...» — «...мой малыш обожает сырую морковь...» — «...я сама обожаю сырую морковь!» Приходится вклиниваться прямо посреди фразы, не дожидаясь паузы в разговоре, иначе очередь до тебя не дойдет никогда. Но женщины вроде Тесс как будто не терзались этой потребностью поделиться заурядными подробностями своей жизни, и из-за этого Сесилии отчаянно хотелось их узнать. Она тут же задумывалась, любят ли брокколи их малыши. Она слишком много болтала, когда встретила Тесс с матерью сегодня утром, после похорон сестры Урсулы. Даже тараторила. Иногда она замечала за собой такое. Ну, что делать.

Сесилия прислушалась к жестяному звучанию голосов, выкрикивающих что-то сердитое на немецком языке в видеоролике, который Эстер смотрела на айпаде.

Удивительно, что переломные моменты истории можно воспроизвести прямо тут, в этот будничный день, пока она едет по Тихоокеанскому шоссе в сторону Хорнсби. И в то же время Сесилия испытывала смутное ощущение неудовлетворенности. Ей хотелось бы почувствовать что-то по-настоящему важное. Временами ее жизнь казалась такой мелкой.

Разве она мечтает о каком-нибудь бедствии вроде стены, построенной через весь ее город, чтобы выше ценить свою заурядную жизнь? Разве она хочет превратиться в трагическую фигуру вроде Рейчел Кроули? Казалось, Рейчел едва ли не искалечена ужасной бедой, произошедшей с ее дочерью. Порой Сесилии стоило труда не отвести от нее взгляда, как будто перед ней была жертва страшных ожогов, а не приятного вида ухоженная дама с красивыми скулами.

Да неужели она этого хочет — какой-нибудь славной и увлекательной большой беды? Конечно же нет.

Немецкие голоса из планшета Эстер раздражающе зудели в ухе.

— Ты не могла бы выключить видео? — попросила Сесилия дочь. — Отвлекает.

— Дай я только...

— Выключи! Почему никто из вас не может хоть раз сделать, как я прошу, впервые в жизни? Не торгуясь? Хоть один раз?

Звук смолк.

В зеркало заднего вида она увидела, как Полли вскидывает брови, а Эстер пожимает плечами и разводит руками. «Что это с ней?» — «Понятия не имею». Сесилия еще помнила точно такие же молчаливые переговоры с Бриджет на заднем сиденье машины их матери.

— Прости, — смиренно извинилась Сесилия несколько секунд спустя. — Простите, девочки. Я просто...

Обеспокоена тем, что ваш отец мне врет? Нуждаюсь в сексе? Жалею, что слишком много тараторила, когда утром разговаривала с Тесс О'Лири во дворе школы? Приближаюсь к менопаузе?

— Скучаю по папе, — закончила она. — Вот будет здорово, когда он вернется из Америки, правда? Как же он обрадуется, когда увидит вас, девочки!

— Да, обязательно, — вздохнула Полли и чуть помолчала. — И Изабель.

— Конечно, — подтвердила Сесилия. — И Изабель тоже.

— Папочка так забавно смотрит на Изабель, — заметила Полли, поддерживая разговор.

Вот уж чего Сесилия никак не ожидала услышать.

— Что ты имеешь в виду? — уточнила она.

Иногда Полли приходили в голову совершенно необъяснимые вещи.

— Все время, — объяснила Полли. — Он смотрит на нее странно.

— И вовсе нет, — возразила Эстер.

— Да, смотрит на нее так, как будто его глазам больно. Как будто он сердится и грустит сразу. Особенно когда на ней эта новая юбка.

— Ну, это звучит довольно глупо, — сообщила Сесилия.

В самом деле, что имеет в виду этот ребенок? Не будь она уверена в обратном, непременно бы решила, что Полли описывает, как Джон Пол смотрит на Изабель с похотью.

— Может, папочка за что-то злится на Изабель, — предположила Полли. — Или просто огорчается, что она его дочь. Мам, ты не знаешь, почему папочка злится на Изабель? Она сделала что-то плохое?

Ощущение паники подкатило к горлу Сесилии.

— Возможно, он хотел посмотреть по телевизору крикет, — рассуждала Полли. — А Изабель хотела посмотреть что-то другое. Или я не знаю.

Изабель в последнее время стала вспыльчивой, отказывалась отвечать на вопросы и хлопала дверьми, но разве не все двенадцатилетние девочки так делают?

Сесилии вспомнились попадавшиеся ей истории о сексуальном насилии в семье. Статьи в «Дейли телеграф», где мать говорила: «Я понятия не имела», а Сесилия думала: «Да как ты могла не знать?» Она всегда дочитывала эти истории с уютным чувством превосходства. «С моими дочерями такого произойти не можст».

Временами Джон Пол бывал необъяснимо угрюмым, лицо каменело. Уговаривать его было бесполезно. Но разве не со всеми мужчинами такое бывает? Сесилия вспомнила, как им с матерью и сестрой когда-то приходилось осторожничать во время отцовских приступов дурного настроения. Теперь этого уже нет, годы его смягчили. Сесилия предполагала, что и с Джоном Полом когда-нибудь это случится, и с нетерпением ждала этой перемены.

Но Джон Пол ни за что не причинил бы вреда своим дочерям. Это нелепо. Тема для Джерри Спрингера[1]. Было бы предательством по отношению к Джону Полу допустить даже легчайшую тень подозрения. Сесилия могла жизнью ручаться, что Джон Пол ни в коем случае не стал бы домогаться собственных дочерей.

Но готова ли она поручиться жизнью одной из дочерей?

Нет. Если есть хотя бы малейший риск...

Боже правый, что же она должна делать? Спросить Изабель, не трогал ли ее папочка? Жертвы лгут. Насильники велят им лгать. Она знала, как это работает. Она читала все эти дрянные историйки. Ей нравилось наскоро выплакаться, выплеснув эмоции, а затем сложить газету, выбросить в мусорное ведро и забыть. Эти истории дарили ей какое-то болезненное наслаждение, в то время как Джон Пол наотрез отказывался их читать. Не уличает ли это его вину? Ага! Тебе не нравится читать о больных людях — значит ты сам больной!

— Мам! — окликнула Полли.

Как ей вообще подступиться к Джону Полу? «Не делал ли ты чего-нибудь неподобающего с кем-то из наших дочерей?» Если бы он задал ей подобный вопрос, она бы никогда его не простила. Как может сохраниться брак, если такая тема хотя бы возникла? «Нет, я никогда не домогался наших дочерей. Передай, пожалуйста, арахисовое масло».

— Мам! — повторила Полли.

У тебя не должно быть нужды спрашивать, скажет он. Если ты не знаешь ответа, выходит, ты не знаешь меня.

Она знала ответ. Знала!

---

1 *Джерри Спрингер* — американский актер и политик, ведущий собственного скандального ток-шоу.

Но, с другой стороны, остальные глупые матери тоже считали, что все знают про свою семью.

А Джон Пол так странно говорил с ней по телефону, когда она спросила про письмо. Он ей солгал. В этом она была уверена.

И еще оставался вопрос с сексом. Возможно, он утратил интерес к Сесилии, поскольку вожделеет изменяющееся юное тело Изабели? Это смехотворно. Это отвратительно. Ее замутило.

— Ма-ам!

— А?

— Смотри! Ты проехала нужную улицу! Мы опоздаем!

— Прости. Проклятье! Прости.

Она ударила по тормозам, чтобы выполнить разворот. Сзади раздался яростный взвизг гудка, и сердце Сесилии замерло в грудной клетке: в зеркале заднего вида она увидела огромный грузовик.

— Дерьмо, — пробормотала она и подняла руку, извиняясь. — Простите. Да-да, я знаю!

Водитель грузовика явно не был готов ее простить и не убирал руку с гудка.

— Простите, простите!

Завершив разворот, она подняла взгляд и снова в знак извинения помахала рукой. На боку ее машины красовалось название «Таппервер», и ей не хотелось бы повредить репутации фирмы. Водитель опустил окно, почти наполовину высунулся наружу и с искаженным от гнева лицом колотил себя кулаком по ладони.

— О, ради всего святого, — пробормотала она.

— По-моему, этот человек хочет тебя убить, — заметила Полли.

— Этот человек очень груб, — сурово ответила Сесилия.

Ее сердце застучало быстрее, и она степенно повела машину обратно к студии танцев, по два раза сверяясь со всеми зеркалами и заблаговременно предупреждая о каждом своем действии.

Вот она опустила окно, провожая взглядом Полли, бегущую к студии: розовая тюлевая пачка подпрыгивает, изящные лопатки выступают, словно крылышки, под лямками гимнастического купальника.

Мелисса Макналти появилась в дверях и помахала рукой, подтверждая, что позаботится о Полли, как они и договорились. Сесилия ответила тем же и дала задний ход.

— Если бы мы были в Берлине и кабинет Кэролайн находился по другую сторону стены, я бы не смогла попасть к логопеду, — заметила Эстер.

— Верно подмечено, — согласилась Сесилия.

— Мы могли бы помочь ей сбежать! Спрятали бы ее в багажнике машины. Она не очень высокая. Думаю, она бы поместилась. Если только у нее нет клаустрофобии, как у папы.

— По-моему, Кэролайн из тех людей, кто способен сам организовать собственный побег, — предположила Сесилия.

«Мы и так уже потратили на нее достаточно денег! — мысленно добавила она. — И не собираемся спасать ее из Восточного Берлина!»

С этими ее безупречными гласными логопед Эстер производила устрашающее впечатление. Беседуя с ней, Сесилия всякий раз ловила себя на том, что выговаривает каждый слог край-не тща-тель-но, как будто сдает экзамен по дикции.

— По-моему, папа вовсе не смотрит на Изабель странно, — сообщила Эстер.

— Правда? — обрадовалась Сесилия.

Боже правый, ну и мелодраму она тут устроила. Полли опять что-то ляпнула не подумав, а она в мыслях уже перескочила к сексуальным домогательствам. Должно быть, она смотрит слишком много дрянных телепередач.

— Но как-то на днях, перед отлетом в Чикаго, он плакал.

— Что?

— Под душем. Я зашла к вам в ванную за маникюрными ножницами, а папочка плакал.

— И что, милая, ты его спросила, почему он плачет? — уточнила Сесилия, пытаясь не показать, как сильно ее волнует ответ.

— Не-а, — беззаботно ответила Эстер. — Когда я плачу, мне не нравится, если меня прерывают.

Черт побери! Окажись на ее месте Полли, она бы тут же отдернула занавеску и потребовала у отца немедленного ответа.

— Я собиралась спросить у тебя, почему он плакал, — уточнила Эстер, — но потом забыла. Задумалась о чем-то другом.

— Все-таки я не думаю, что он плакал. Должно быть, он просто... расчихался или что-то в этом роде, — предположила Сесилия.

Сама мысль о Джоне Поле, плачущем в ванной, казалась такой чуждой, такой невозможной. С чего бы ему плакать, если не из-за чего-то по-настоящему ужасного? Он не был слезлив. Когда родились девочки, его глаза определенно поблескивали, а когда неожиданно умер его отец, он повесил телефонную трубку и издал необычный слабый звук, как будто подавился чем-то мелким и пушистым. Но за исключением этого она ни разу не видела его плачущим.

— Вовсе он не чихал, — отвергла ее домыслы Эстер.

135

— Может, у него голова разболелась, — продолжила рассуждать Сесилия.

Впрочем, она прекрасно знала, что Джон Пол в последнюю очередь полез бы в душ, если бы на него обрушилась очередная изматывающая мигрень. Он предпочитал оставаться один, в постели, в темной тихой комнате.

— Э-э, мам, но папочка никогда не принимает душ, когда у него болит голова, — возразила Эстер, которая знала отца ничуть не хуже.

Депрессия? Казалось, вокруг гуляет чуть ли не эпидемия. На недавнем званом обеде половина гостей признались, что принимают прозак. В конце концов, с Джоном Полом иногда случались... периоды. Они часто следовали за мигренями. Бывало, где-то с неделю ей казалось, будто он живет на автопилоте. Он говорил и делал все как обычно, но с отсутствующим взглядом, как если бы настоящий Джон Пол на некоторое время вышел, оставив на своем месте весьма достоверную копию. «Ты в порядке?» — спрашивала его Сесилия, и ему всякий раз требовалось несколько мгновений, чтобы сосредоточиться на ней, прежде чем ответить: «Конечно. Со мной все отлично».

Но это всегда бывало временным явлением. Внезапно он возвращался, и Сесилия убеждала себя, что ей просто померещилось. «Периоды», вероятно, были всего лишь затяжными последствиями мигреней.

Но слезы в ванной! О чем бы ему плакать? Сейчас все было хорошо.

Однажды Джон Пол пытался совершить самоубийство...

Это знание медленно, с отторжением, всплыло на поверхность ее сознания. Она пыталась не думать об этом слишком часто.

Произошло это, когда он учился на первом курсе института, еще до знакомства с Сесилией. По его словам, у него тогда на некоторое время «отказали тормоза», и как-то ночью он проглотил целый флакон снотворных таблеток. Обнаружил его сосед по квартире, собиравшийся на выходных навестить родителей, но неожиданно вернувшийся домой.

— Что творилось у тебя в голове? — спросила мужа Сесилия, когда впервые услышала эту историю.

— Все казалось слишком трудным, — ответил Джон Пол. — И я вдруг подумал, что заснуть навсегда было бы самым простым выходом.

За годы совместной жизни Сесилия часто пыталась выудить из него больше сведений об этой поре его жизни.

— Но почему все казалось слишком трудным? Что именно было трудным?

Но Джон Пол, похоже, был не в состоянии что-то объяснить.

— Думаю, я просто был типичным страдающим подростком, — отмахивался он.

Сесилия этого не понимала. Сама она в подростковом возрасте ничуть не страдала. В конце концов ей пришлось сдаться и списать попытку самоубийства Джона Пола как нехарактерный для него случай из прошлого.

— Мне просто нужно было найти хорошую женщину, — заверил ее Джон Пол.

И действительно, до появления в его жизни Сесилии у него ни с кем не было серьезных отношений.

— Я уже начал подозревать, что он может оказаться геем, — признался ей как-то один из его братьев.

И снова эта тема гомосексуализма!

Но его брат просто шутил.

Необъяснимая попытка самоубийства в юности — и вот теперь, столько лет спустя, рыдания под душем.

— Временами взрослых людей волнуют большие события, — осторожно произнесла Сесилия, обращаясь к Эстер.

Очевидно, первым делом она обязана удостовериться, что дочь не обеспокоена.

— Так что я думаю, папа просто...

— Мам, а можно мне на Рождество заказать на «Амазоне» эту книжку о Берлинской стене? — перебила ее Эстер. — Хочешь, я прямо сейчас ее закажу? Все отзывы на нее с пятью звездочками!

— Нет, — отрезала Сесилия. — Можешь взять ее в библиотеке.

С Божьей помощью, к Рождеству они уже спасутся из Берлина.

Она свернула на парковку под зданием, где располагался кабинет логопеда, опустила окно и нажала кнопку интеркома.

— Чем я могу вам помочь?

— Мы прибыли на встречу с Кэролайн Отто.

Даже разговаривая с секретарем, Сесилия старательно огубляла гласные.

Ставя машину на стоянку, она обдумывала полученные сведения.

Джон Пол смотрит на Изабель, «как будто грустит и сердится».

Джон Пол плачет в ванной.

Джон Пол теряет интерес к сексу.

Джон Пол лжет ей.

Это все удивляло и тревожило, но чуть глубже, под этими ощущениями, сквозило нечто почти приятное и даже отзывающееся в сердце некоторым предвкушением.

Она выключила зажигание, поставила автомобиль на ручной тормоз и отстегнула ремень безопасности.

— Идем, — позвала она Эстер и открыла дверцу машины.

Понятно, чему она обязана этим маленьким всплеском удовольствия. Причиной ему было то решение, которое она приняла. Что-то явно не в порядке. Нравственный долг обязывает ее сделать нечто безнравственное. Это меньшее из двух зол. У нее есть оправдание.

Как только девочки сегодня отправятся спать, она поступит так, как ей и хотелось с самого начала. Она вскроет это проклятое письмо.

Глава 9

В дверь постучали.

— Не обращай внимания, — посоветовала мама Тесс, не поднимая глаз от книги.

Тесс с матерью и Лиам сидели каждый в своем кресле в гостиной и читали каждый свою книжку, держа на коленях по мисочке с изюмом в шоколаде. В детстве это входило в обычный распорядок дня Тесс: есть изюм в шоколаде и читать вместе с матерью. После они обязательно делали разминку с прыжками, чтобы нейтрализовать лишние калории.

— Может, это папа.

Лиам отложил книжку. Удивительное дело — он охотно согласился сесть почитать. Должно быть, изюм помог. Просто так никогда не удавалось заставить его прочесть даже то, что задали в школе.

А теперь, как ни странно, он шел в новую школу. Вот так вот запросто. Прямо завтра. Тесс не могла опомниться: как же легко та экстравагантная дама убедила его прийти на занятия на следующий же день, пообещав охоту на пасхальные яйца!

— Твой папа говорил с тобой по телефону из Мельбурна всего лишь несколько часов назад, — напомнила она Лиаму, проследив за тем, чтобы голос остался ровным.

Уилл общался с сыном минут двадцать.

— Мы с папой поговорим позже, — сказала Тесс, когда Лиам протянул ей трубку.

Этим утром она уже беседовала с Уиллом. Ничего не изменилось. Ей не хотелось опять слушать этот его отвратительно серьезный новый голос. Да и что она могла сказать? Упомянуть, что наткнулась на бывшего поклонника в школе Святой Анджелы? Спросить, не ревнует ли он?

Коннор Уитби. Пожалуй, они не виделись лет пятнадцать, а встречались меньше года. Теперь она даже не узнала его. Он лишился волос и выглядел куда более крупной и широкой версией человека, которого она помнила. Ну и неловкая же вышла сцена. Как будто мало того, что она сидела за одним столом с женщиной, чью дочь убили.

— Может, папа сел на самолет, чтобы сделать нам сюрприз, — настаивал Лиам.

В окно у самой головы Тесс кто-то поскребся.

— Я знаю, что вы все там! — объявил голос.

— Господи боже! — Мама с шумом захлопнула книгу.

Тесс обернулась и увидела лицо собственной тети, прижавшееся снаружи к стеклу, — руки приставлены сбоку к глазам, чтобы разглядеть что-то внутри.

— Мэри, я же сказала тебе не приходить!

Голос Люси взлетел разом на несколько октав. У нее всегда прорезался голос сорокалетней давности, когда она обращалась к своей сестре-близнецу.

— Открой дверь! — потребовала тетушка Мэри, снова постучав в стекло. — Мне нужно поговорить с Тесс!

— Тесс не хочет с тобой разговаривать! — заявила Люси, подняв костыль и ткнув им в воздух в направлении Мэри.

— Мам! — окликнула ее Тесс.

— Она моя племянница! — Тетушка Мэри попыталась поднять деревянную оконную раму. — У меня есть права!

— У нее, видите ли, есть права! — фыркнула Люси. — Что за редкостный...

— Но почему ей нельзя войти? — удивился Лиам, нахмурив брови.

Тесс с матерью переглянулись. Они так внимательно следили за тем, что говорилось при Лиаме.

— Конечно, ей можно войти, — заверила Тесс, отложив книгу. — Бабушка просто ее поддразнивает.

— Да, Лиам, это всего лишь игра! — проворковала Люси.

— Люси, впусти меня! — крикнула тетушка Мэри. — Честное слово, я неважно себя чувствую! И вот-вот упаду в обморок прямо на твои любимые гардении!

— Ну и веселая же игра! — безумно хихикнула Люси.

Это напомнило Тесс те бесплодные усилия, которые мама прилагала, чтобы поддержать миф о Санта-Клаусе. Она была худшим лжецом на всей планете.

— Сбегай впусти их, — попросила Тесс Лиама, повернулась к стоящей за окном тетушке Мэри и указала на входную дверь. — Мы уже идем.

— Ладушки! — Тетушка Мэри напролом двинулась через сад.

— Вот я тебе покажу — «ладушки», — буркнула Люси.

Тесс резко кольнуло чувство утраты: ведь она не сможет пересказать эту сцену Фелисити. Как будто настоящая ее сестра исчезла вместе с прежним толстым телом. Существует ли она сейчас? Существовала ли она хоть когда-нибудь?

— Милая! — приветствовала ее Мэри, когда Тесс подошла к двери. — И Лиам! Ты еще подрос! И как это у тебя получается?

— Привет, дядя Фил.

Тесс направилась к дяде, чтобы обменяться с ним воздушным поцелуем, но, к ее удивлению, он внезапно привлек ее к себе и неловко обнял.

— Мне стыдно за мою дочь, — тихонько шепнул он ей на ухо. А затем выпрямился и произнес вслух: — Я составлю компанию Лиаму, а вы, девочки, поболтайте.

Когда Лиам и дядя Фил благополучно устроились перед телевизором, Мэри, Люси и Тесс сели пить чай за кухонным столом.

— Я же ясно дала понять, что тебе не следует здесь показываться, — возмутилась мама.

Она так сильно сердилась на сестру, что даже готова была отказаться от ее изумительно вкусных шоколадных кексов.

Мэри возвела очи горе, поставила локти на стол и сжала руку Тесс в теплых пухлых ладошках.

— Милая моя, мне так жаль, что с тобой это случилось.

— Я бы не сказала, что это попросту взяло и «случилось» с ней, — взорвалась Люси.

— Я имею в виду, что не думаю, будто у Фелисити на самом деле был какой-то выбор, — пояснила Мэри.

— О! А я и не знала! Бедняжка Фелисити! Кто-то заставил ее под дулом пистолета, да?

Люси приставила воображаемый ствол к собственному виску. Тесс задумалась, когда ее мать в последний раз измеряла кровяное давление.

— Милая, ты же знаешь, Фелисити ни за что не хотела бы, чтобы все так обернулось. — Мэри решительно проигнорировала сестру и подчеркнуто повернулась к Тесс. — Для нее это пытка. Просто пытка.

— Это что, шутка? — возмутилась Люси, свирепо откусив кусок кекса. — Или ты всерьез ожидаешь от Тесс жалости к Фелисити?

— Я только надеюсь, что тебе хватит великодушия ее простить.

Мэри прекрасно удавалось делать вид, что сестры с ними нет.

— Ладно, с меня хватит, — заявила Люси. — Не желаю слышать от тебя больше ни слова.

— Люси, иногда любовь просто обрушивается! — Мэри наконец-то признала ее существование. — Берет и случается! Как гром среди ясного неба!

Тесс уставилась в свою чашку и покрутила ее в руках. Действительно ли это случилось как гром среди ясного неба? Или так оно всегда и было, прямо у нее на глазах? Фелисити и Уилл превосходно ладили с самого знакомства. «Твоя кузина — это нечто!» — сказал Уилл Тесс после того, как они впервые поужинали втроем. Тесс восприняла это как комплимент, потому что Фелисити была ее частью. Ее блистательное общество неизменно прилагалось к Тесс. И то, что Уилл по достоинству оценил Фелисити (не всем ее предыдущим ухажерам это удалось, а кое-кому она и вовсе пришлась не по душе), стало огромным плюсом в его пользу.

Самой Фелисити Уилл тоже сразу же понравился.

— Можешь выходить за этого, — заявила она Тесс на следующий день. — Это то, что надо. Точно тебе говорю.

Не влюбилась ли Фелисити в Уилла еще тогда? Было ли это неизбежно? Предсказуемо?

Тесс припомнила восторг, переполнявший ее на следующий день после того, как она познакомила Уилла с Фелисити. Ей казалось, что она достигла великолепной цели, вершины горы.

— Он безупречен, правда? — спросила она у Фелисити. — Он нас получит. Он будет первым, кто на самом деле нас получит.

«Нас получит», сказала она тогда. А не «меня получит».

Ее мать и тетя по-прежнему разговаривали, не замечая того, что Тесс совершенно не участвует в беседе.

Люси прикрыла глаза ладонью.

— Мэри, это тебе не какая-нибудь романтическая история из книжки! — выразительно заметила она, убрала руку и покачала головой, негодуя на сестру, как будто та была величайшим в мире злодеем. — Ты соображаешь, что происходит? Тесс с Уиллом женаты. Или, может, ты забыла, что к этому имеет отношение настоящий живой ребенок, мой внук?

— Но ты же видишь, как отчаянно они старались все исправить, — напомнила Мэри, обращаясь к Тесс. — Они оба так сильно тебя любят.

— Как мило, — отозвалась Тесс.

За прошедшие десять лет Уилл ни разу не пожаловался, что-де Фелисити проводит с ними слишком много времени. Возможно, это было знаком того, что одной Тесс ему недостаточно. Какой муж обрадуется, когда толстая двоюродная сестра жены увяжется с ними в ежегодный летний отпуск? Если только он в нее не влюблен. Тесс была дурой, что этого не замечала. Ей нравилось наблюдать, как Уилл и Фелисити шутливо переругиваются, спорят и поддразнивают друг друга. Она никогда не ощущала себя лишней. Все вокруг казалось лучше, резче, смешнее, волнительнее, когда рядом была Фелисити. Тесс в большей степени ощущала себя собой, когда рядом была Фелисити, потому что та знала ее лучше всех на свете. Фелисити позволяла Тесс сиять. Фелисити громче всех смеялась над ее шутками. Она помогала определять и очерчивать личность Тесс, чтобы Уилл мог видеть ее такой, какой она была на самом деле.

И Тесс сама себе казалась красивее, когда рядом была Фелисити.

Она прижала холодные кончики пальцев к пылающим щекам. Это было постыдной правдой. Ей никогда не претила тучность Фелисити, ибо рядом с сестрой она ощущала себя особенно стройной и гибкой.

И все же для Тесс ничего не изменилось, когда сестра похудела. Ей даже в голову не пришло, что Уилл может взглянуть на Фелисити с вожделением. Она была так уверена в собственном месте в их странной тройке. Тесс находилась на вершине треугольника. Уилл любил ее больше всех. Фелисити любила ее больше всех. Этот маленький мир вращался вокруг нее — ну, она так считала.

— Тесс? — окликнула ее Мэри.

— Давайте поговорим о чем-нибудь другом. — Тесс накрыла ладонью тетину руку.

Две крупные слезы скатились, оставляя блестящие дорожки на розовых припудренных щеках Мэри. Тетя утерла лицо мятой салфеткой.

— Фил считал, что нам незачем сюда идти. Он сказал, от меня будет больше вреда, чем пользы. Но мне казалось, я смогу найти способ, чтобы все исправить. Я все утро провела, разглядывая ваши с Фелисити детские фотографии. Как вам было весело вместе! Вот что хуже всего. Я просто не вынесу, если вы отдалитесь друг от дружки.

Тесс похлопала тетю по руке. Ее собственные глаза были сухими и ясными. Сердце стиснулось, как кулак.

— Думаю, тебе, возможно, придется это вынести, — произнесла она.

Глава 10

Ты же не всерьез хочешь, чтобы я пошла на вечеринку с «Таппервером», — сказала Рейчел Марле несколько недель назад за чашечкой кофе в ответ на приглашение.

— Ты моя лучшая подруга.

Марла помешала сахар в своем соевом капучино без кофеина.

— Мою дочь убили, — напомнила Рейчел. — Это дает мне освобождение от вечеринок до конца моих дней.

Марла приподняла брови. У нее всегда были чрезвычайно выразительные брови.

И у нее было право поднимать брови. Эд был в Аделаиде по работе (Эд постоянно уезжал по работе), когда двое полицейских объявились у дверей Рейчел. Марла поехала с Рейчел в морг и стояла рядом, когда подняли самую обыкновенную белую простыню, открыв лицо Джейни. Когда у Рейчел подкосились ноги, Марла оказалась наготове и сразу же умело поймала подругу: одна рука поддерживает под локоть, другая перехватывает за плечо. Она работала акушеркой и имела огромный опыт в подхватывании здоровяков-мужей, собравшихся рухнуть на пол.

— Прости, — вздохнула Рейчел.

— Вот Джейни пришла бы ко мне на вечеринку, — заметила Марла, и ее глаза заблестели. — Джейни меня любила.

Истинная правда. Джейни обожала Марлу. Все время уговаривала Рейчел одеваться в стиле Марлы. А потом, разумеется, в тот единственный раз, когда Рейчел надела платье, которое помогла ей выбрать Марла, — смотрите, что произошло.

— Не знаю, насколько Джейни понравились бы вечеринки с «Таппервером», — усомнилась Рейчел, наблюдая, как за соседним столиком женщина средних лет спорит с учеником ее начальной школы.

Она попыталась — как всегда, безуспешно — представить Джейни сорокапятилетней женщиной. Иногда она встречала в магазине прежних друзей дочери и всякий раз вздрагивала, замечая, как призраки их же, семнадцатилетних, проступают на одутловатых, типичных лицах среднего возраста. Рейчел с трудом удерживала возглас: «Боже правый, милая, только посмотри, как ты постарела!» — так же, как обычно говорят детям: «Только посмотри, как ты вырос!»

— Мне помнится, Джейни была очень опрятной, — заметила Марла. — Она любила порядок. Готова поспорить, она бы всерьез увлеклась «Таппервером».

Самым замечательным в Марле было то, что она понимала желание Рейчел бесконечно обсуждать, какой именно могла бы стать Джейни, если бы выросла, гадать, сколько бы у нее было детей и за какого мужчину она бы вышла замуж. Это оживляло Джейни, пусть всего на несколько мгновений. Эд так сильно ненавидел эти умозрительные построения, что выходил из комнаты. Он не понимал потребности Рейчел воображать, что могло бы быть, вместо того чтобы смириться с тем, что этого никогда не будет. «Прошу прощения, я тут разговаривала!» — обычно кричала ему вслед Рейчел.

— Пожалуйста, приходи ко мне на вечеринку с «Таппервером», — попросила Марла.

— Ладно, — согласилась Рейчел. — Но, просто к твоему сведению: я ничего не покупаю.

И вот она сидела в гостиной у Марлы, где было тесно и шумно из-за женщин, пьющих коктейли. Рейчел оказалась зажата на диване между двумя невестками Марлы, Ив и Арианной. Они не собирались переезжать в Нью-Йорк и обе были беременны первыми внуками Марлы.

— Я просто не люблю боль, — рассказывала Ив Арианне. — Я так и сказала моей акушерке, я ей говорю: «Послушайте, я совершенно не переношу боли. Совсем. Даже не говорите мне об этом».

— Ну, мне кажется, никто особо не любит боль, — предположила Арианна, которая, похоже, сомневалась в каждом своем слове. — Кроме мазохистов.

— Это неприемлемо, — заявила Ив. — В наше время и в нашем возрасте. Я отказываюсь. Я говорю боли: «Спасибо, нет».

«А, так вот в чем моя ошибка, — подумала Рейчел. — Мне следовало сказать боли: „Спасибо, нет“».

— Дамы, вы только посмотрите, кто здесь!

Появилась Марла — с подносом сосисок в тесте и Сесилией Фицпатрик под боком. Сесилия, неизменно элегантная и блистательная, катила за собой аккуратный черный чемодан на колесиках.

Очевидно, добиться того, чтобы Сесилия устроила для тебя вечеринку, считалось чем-то вроде подвига. Она была просто нарасхват. По словам ее свекрови, «под ней» работали шесть консультантов «Таппервера», ее посылали во всевозможные заокеанские поездки, и все такое прочее.

— Итак, Сесилия, — начала Марла, взволнованная возложенной на нее ответственностью, и накренила поднос, так что сосиски в тесте поехали к краю, — не желаешь ли чего-нибудь выпить?

Сесилия аккуратно остановила чемодан и в последний миг спасла пирожки от падения.

— Просто стакан воды, Марла, если можно, — попросила она. — Давай я разнесу пирожки и заодно представлюсь, хотя, конечно, я многих тут знаю. Привет, я Сесилия, а вы Арианна, так? Пирожок?

Арианна беспомощно уставилась на Сесилию и взяла угощение.

— Ваша младшая сестра учит балету мою дочь Полли. Я обязательно покажу вам отличные небольшие контейнеры, чтобы замораживать пюре для вашего малыша! Рейчел, как я рада вас видеть. Как поживает крошка Джейкоб?

— Переезжает в Нью-Йорк на два года. — Рейчел взяла сосиску и криво улыбнулась Сесилии.

Та замерла.

— О, какая неприятность, — посочувствовала она, но тут же, в своей характерной манере, переключилась в режим поиска решений. — Но послушайте, вы же будете их навещать, верно? Кто-то недавно мне рассказывал про веб-сайт с изумительными предложениями по съему квартир в Нью-Йорке. Я перешлю вам ссылку, обещаю. — И проследовала дальше. — Привет всем, я Сесилия. Пирожок?

Так она и продвигалась по комнате, раздавая угощение и комплименты, одаривая каждого из гостей необычным пронзительным взглядом. И к тому времени, как она закончила и приготовилась перейти к показу, все послушно развернулись к ней всем телом, со вниманием на лицах, готовые к тому, что сейчас им будут продавать посуду от «Таппервера». Как будто строгий, но справедливый учитель завладел вниманием буйного класса.

Рейчел сама удивилась, насколько ей в итоге понравился этот вечер. Отчасти дело было в отличных коктейлях, которые подавала Марла, но не стоило также забывать и о Сесилии. Та демонстрировала товар с оживлением и страстью. «Я фанатка „Тапервера“, — заявила она, — я его просто обожаю». Рейчел сочла ее искреннюю увлеченность трогательной. И убедительной! Было бы чудесно, если бы морковка дольше оставалась хрустящей! Показ перемежался простенькой викториной: каждый гость, который верно отвечал на вопрос, получал в награду шоколадную монетку. В конце вечера участницу, заработавшую больше всех монеток в золотистой обертке, ждал приз.

Некоторые вопросы касались «Тапервера». Рейчел не знала, да и не особенно стремилась узнать, что каждые две целых семь десятых секунды где-нибудь в мире начинается вечеринка с «Тапервером». «Раз секунда, два секунда — вот и началась еще одна вечеринка с „Тапервером“», — прощебетала Сесилия. Или что человек по имени Эрл Таппер изобрел знаменитый «рыгающий замок». Но Рейчел могла похвастаться обширной общей эрудицией, и, по мере того как перед ней росла горка золотистых монет, дух соревнования все прочнее овладевал ею.

В конце это вылилось в ожесточенное сражение между Рейчел и Дженни Круз, подругой Марлы еще со времен работы в больнице. В конце концов Рейчел обошла соперницу на единственную золотую монетку на вопросе «Кто сыграл Крысу Пат в сериале „Сыновья и дочери“?» и победно вскинула в воздух сжатый кулак.

Рейчел знала ответ — Ровена Уоллес, — потому что Джейни в подростковом возрасте была просто помешана на этом дурацком сериале. Она мысленно поблагодарила Джейни.

Как же приятно выигрывать, а она и забыла.

В итоге Рейчел испытала такой душевный подъем, что заказала товаров «Таппервера» на триста долларов с лишним. По уверениям Сесилии, это должно было преобразить ее кладовую и вообще всю жизнь.

К концу вечера Рейчел оказалась слегка нетрезва.

Собственно, все там были слегка нетрезвы, кроме беременных невесток Марлы, уехавших пораньше, и Сесилии, которую, судя по всему, опьянял восторг от «Таппервера».

Перед расставанием было много визга: звонки мужьям, переговоры о подбрасывании до дома. Счастливая Рейчел сидела на диване и поедала свою груду шоколадных монет.

— Рейчел, а как насчет вас? — спросила Сесилия, пока Марла у входной двери на повышенных тонах прощалась со своими подругами по теннису. — Вас кто-нибудь подвезет?

Сесилия уже убрала все товары обратно в черный чемодан, а выглядела все так же безупречно, как и в начале вечера, не считая пары ярких пятен румянца на скулах.

— Меня? — переспросила Рейчел, оглянулась и обнаружила, что осталась последней гостьей. — Я в порядке. Сама доеду.

Почему-то ей даже не пришло в голову, что надо же как-то добраться до дома. Отчего-то казалось, что она неуязвима для повседневных хлопот и вопросы, волнующие остальных, ее-то никак не могут волновать.

— Не говори глупостей!

Марла ворвалась обратно в гостиную. Вечер, безусловно, удался.

— Чокнутая, ты не можешь вести машину! Ты явно перебрала. Тебя подвезет Мак. Ему все равно нечем заняться.

— Ничего страшного. Поймаю такси.

Рейчел заставила себя подняться. Перед глазами и впрямь все плыло. Не хотелось, чтобы Мак подвозил ее до дома. Мак, всю вечеринку просидевший у себя в кабинете, был настоящим мужчиной и отлично ладил с Эдом, но всякий раз мучительно стеснялся при разговорах с женщинами один на один. Ехать в машине с ним наедине будет невыносимо.

— Рейчел, вы ведь живете неподалеку от теннисных кортов на Уиком-роуд? — уточнила Сесилия. — Я вас подвезу. Мне как раз по дороге.

Несколько мгновений спустя они помахали на прощание Марле, и Рейчел разместилась на пассажирском сиденье белого «форда территории» с огромной эмблемой «Тапервера» на боку. В машине оказалось очень уютно, тихо и чисто и приятно пахло. Водила Сесилия точно так же, как делала все остальное: умело и проворно. Рейчел откинулась затылком на подголовник и приготовилась к надежному, успокаивающему потоку рассуждений Сесилии о лотереях, фестивалях, информационных бюллетенях и всем прочем, что имело отношение к школе.

Вместо этого повисло молчание. Рейчел искоса глянула на профиль Сесилии. Та прикусила нижнюю губу и прищурилась, как будто размышляла над чем-то болезненным.

Семейные неурядицы? Что-то с детьми? Рейчел припомнила все то время, которое сама когда-то посвящала тревогам из-за секса, непослушных детей и неправильно понятых замечаний, сломанных бытовых приборов и денег.

Не то чтобы теперь она поняла, что все это не имеет значения. Вовсе нет. Ей отчаянно хотелось, чтобы оно имело значение. Она тосковала по мудреным вызовам, которые жизнь бросала ей как матери и жене. Как замечательно быть Сесилией Фицпатрик, едущей домой к дочерям после успешной вечеринки с «Таппервером», беспокоящейся из-за того, что вполне справедливо ее беспокоит, чем бы оно ни было.

В итоге именно Рейчел заговорила первой.

— Сегодня было весело, — заметила она. — Вы отлично постарались. Неудивительно, что вы добиваетесь в этих делах таких успехов.

— Спасибо. — Сесилия чуть пожала плечами и улыбнулась. — Мне это по душе. А моя сестра над этим смеется.

— Завидует, — предположила Рейчел.

Сесилия еще раз пожала плечами и зевнула. Она казалась совершенно другим человеком — не той женщиной, что заправляла вечеринкой у Марлы или сновала туда-сюда по школе Святой Анджелы.

— Хотела бы я взглянуть на вашу кладовую, — задумчиво протянула Рейчел. — Готова поспорить, там все помечено и помещено в подходящий контейнер. Моя-то напоминает зону стихийного бедствия.

— Я горжусь своей кладовой, — призналась Сесилия и улыбнулась. — Джон Пол говорит, она похожа на картотечный шкаф с едой. Я поднимаю большой шум, если бедные девочки кладут что-нибудь не на то место.

— Как поживают ваши дочери? — спросила Рейчел.

— Замечательно, — ответила Сесилия, но Рейчел заметила набежавшую на ее лицо хмурую тень. — Быстро растут. Дерзят.

— Ваша старшая, — начала Рейчел, — Изабель. Я на днях видела ее на собрании. Она слегка напомнила мне мою дочь. Джейни.

Сесилия не ответила.

«Зачем я ей это сказала? — удивилась Рейчел. — Должно быть, я пьянее, чем мне казалось».

Ни одна женщина не хотела бы услышать, что ее дочь похожа на девушку, которую задушили.

Но тут Сесилия заговорила, не отрывая взгляда от дороги впереди.

— У меня осталось одно воспоминание о вашей дочери, — сказала она.

Глава 11

Стоило ли ей это говорить? Что, если она доведет Рейчел до слез? Та только что выиграла набор на каждый день «Подогрей и ешь» и выглядела совершенно счастливой.

В присутствии Рейчел Сесилии никогда не удавалось расслабиться. Она чувствовала себя пустой и незначительной, потому что весь мир наверняка казался пустым и незначительным женщине, потерявшей ребенка в таких обстоятельствах. Ей всегда хотелось как-нибудь показать Рейчел, что она сознает собственную незначительность. Много лет назад она услышала в какой-то телепередаче, что скорбящие родители очень ценят, когда люди пересказывают им воспоминания об их детях. Новых воспоминаний у них уже не появится, поэтому поделиться с ними теми, что есть, — это подарок. С тех самых пор всякий раз при виде Рейчел Сесилия думала о собственном воспоминании о Джейни, хотя оно и было пустяковым, и гадала, как бы им поделиться. Но возможности все никак не представлялось. Нельзя же заговорить об этом в школьной канцелярии между обсуждениями магазина форменной одежды и расписания игр в нетбол.

Теперь настало подходящее время. Другого не будет. И Рейчел сама заговорила о Джейни.

— Конечно, я толком ее не знала, — продолжила Сесилия. — Она была на четыре года старше. Но одно воспоминание у меня осталось. — Она запнулась.

— Продолжайте, — попросила Рейчел, выпрямившись в кресле. — Я люблю слушать воспоминания о Джейни.

— Ну, это всего лишь мелочь, — пояснила Сесилия. Теперь она пришла в ужас из-за того, что ее воспоминание слишком незначительно. Может, выдумать какие-нибудь живописные подробности?

— Я тогда училась во втором классе, а Джейни — в шестом. Я знала, как ее зовут, потому что она была капитаном команды «красных».

— Ах да, — улыбнулась Рейчел. — Мы все красили в красный цвет. Случайно покрасили одну из рабочих рубашек Эда. Забавно, как это все забывается.

— И вот начался школьный фестиваль. Помните, как мы тогда маршировали? Каждая команда должна была пройти строем полный круг по стадиону. Я все время говорю Коннору Уитби, что надо вернуть эту маршировку, а он только смеется.

Сесилия бросила взгляд в сторону и увидела, что улыбка Рейчел несколько померкла. Это слишком огорчительно? Не так уж и интересно? Тем не менее она упорно двинулась дальше:

— Я была из тех детей, кто крайне серьезно относился к ходьбе строем. И мне отчаянно хотелось, чтобы «красные» победили, но я споткнулась и упала, и тогда идущие сзади наткнулись на мою спину. Сестра Урсула визжала, словно баньши. Для команды «красных» все было кончено. Я ревела навзрыд, мне казалось, что мир рухнул, и тут Джейни Кроули — ваша Джейни — подошла ко мне, и помогла встать, и отряхнула сзади мою форму, и шепнула мне на ухо: «Не бери в голову. Это всего лишь дурацкая маршировка». — (Рейчел промолчала.) — Вот и все, — робко заключила Сесилия. — Немного, но мне просто всегда...

— Спасибо, милая, — оборвала ее Рейчел, напомнив Сесилии взрослого, который благодарит ребенка за самодельную закладку из картона и блесток.

Рейчел подняла руку, как будто собиралась кому-то помахать, а затем уронила ее на колени, мягко скользнув ладонью по плечу Сесилии.

— Это так похоже на Джейни. «Всего лишь дурацкая маршировка». Знаете что? Мне кажется, я это помню. Как все дети повалились на землю. Мы с Марлой животики надорвали.

Она помолчала. У Сесилии похолодело в животе. Ее спутница вот-вот разрыдается?

— Боже, кажется, я самую малость пьяна, — сообщила Рейчел. — А ведь и впрямь думала сама ехать до дома. Что, если бы я кого-нибудь сбила?

— Не сомневаюсь, все бы обошлось, — возразила Сесилия.

— Я и впрямь сегодня повеселилась, — добавила Рейчел.

Она говорила, отвернув голову, как будто обращалась к окну машины. А затем легонько стукнулась лбом о стекло. Так могла бы сделать куда более молодая женщина, которой довелось слегка перебрать.

— Мне стоит почаще выбираться из дому.

— О, чудесно! — обрадовалась Сесилия.

Вот в этом она разбиралась. С этим она могла помочь!

— Приходите на день рождения к Полли в выходные после Пасхи! Суббота, в два часа дня. Будет пиратская вечеринка.

— Очень любезно с вашей стороны, но я уверена, что совершенно не нужна Полли на ее празднике, — возразила Рейчел.

— Обязательно приходите! Вы же знаете многих гостей: мать Джона Пола, мою маму. Люси О'Лири придет вместе с Тесс и ее сынишкой Лиамом. — Внезапно Сесилии отчаянно захотелось залучить Рейчел к себе в гости. — Можете взять с собой внука! Приводите Джейкоба! Девочки придут в восторг, если там будет малыш.

Лицо Рейчел озарила радость.

— Я и впрямь обещала присмотреть за Джейкобом, пока Роб с Лорен разговаривают с посредниками. Они хотят сдавать дом, пока будут в Нью-Йорке. О, а вот и мой дом, прямо впереди.

Сесилия остановила машину возле одноэтажного строения из красного кирпича. Казалось, в нем горят все лампочки до единой.

— Спасибо огромное, что подвезли.

Рейчел выбралась из машины тем же манером, как делала и мать Сесилии: бедра плавно скользят вбок. Сесилия уже замечала: люди перестают доверять собственному телу еще до того, как их сгибает пополам и начинает трясти.

— Я передам вам приглашение в школе! — крикнула в окошко Сесилия, перегнувшись через сиденье.

Может, надо было предложить Рейчел проводить ее до дверей? Мать самой Сесилии была бы оскорблена таким предложением. А мать Джона Пола — если бы она его не сделала.

— Чудно, — отозвалась Рейчел и резво двинулась прочь, как будто прочла мысли Сесилии и хотела доказать, что она еще не настолько дряхлая, большое спасибо.

Сесилия развернула машину в тупике. К тому времени, как она проехала обратно, Рейчел уже скрылась в доме, плотно прикрыв за собой дверь.

Понапрасну поискав в окнах ее силуэт, Сесилия попыталась представить, чем Рейчел занимается сейчас. И как она себя чувствует, одна в доме, наедине с призраками дочери и мужа.

Что ж. У нее слегка перехватывало дыхание, как будто она подвезла домой знаменитость местного значения. И они поговорили о Джейни! Пожалуй, все прошло неплохо. Она поделилась с Рейчел воспоминанием, как и рекомендовала та телепередача. Сделала доброе дело, которое уже давно надо было сделать. Мысль об этом принесла ей определенное удовлетворение, но она тут же устыдилась, что испытывает гордость или какую бы то ни было радость в связи с горем Рейчел.

Она остановилась на светофоре и вспомнила сердитого водителя грузовика, встреченного днем. И тут же мысли о собственной жизни вернулись, заполнив ее сознание. В машине с Рейчел она забыла обо всем: о странностях Джона Пола, о которых сегодня рассказали Полли и Эстер, о собственном решении этой же ночью вскрыть письмо.

По-прежнему ли она считает этот шаг оправданным?

После занятия у логопеда все казалось совершенно обыденным. От дочерей не поступало больше никаких удивительных откровений, а Изабель после визита к парикмахеру выглядела особенно веселой. Подстригли ее коротко, почти по-мальчишески. По тому, как она себя держала, было ясно, что себе она кажется до крайности искушенной, хотя на самом деле так она выглядела еще младше и очаровательнее.

В почтовом ящике обнаружилась открытка для девочек от Джона Пола. Он завел привычку посылать дочерям самые дурацкие открытки, какие ему попадались. На сегодняшней красовалась одна из тех собак в складках морщинистой кожи, украшенная диадемой и бусами. Сесилия решила, что это глупо, но вполне соответствует духу игры, а девочки вовсе покатились со смеху и повесили картинку на холодильник.

— Ох, только этого не хватало, — без особого пыла буркнула она, когда на дорогу перед ней въехала другая машина.

Она потянулась было нажать на гудок, но не стала утруждаться.

«Обратите внимание: я не ору и не визжу как сумасшедшая», — подумала она, обращаясь к давешнему невоздержанному водителю грузовика — просто на тот случай, если он ненароком заглянет в их края, чтобы прочесть ее мысли.

Машина перед ней оказалась такси. И ее водитель, по странному обыкновению таксистов, каждые несколько секунд проверял тормоза.

Великолепно. Он направлялся в ту же сторону, что и она. Такси рывками продвигалось по ее улице, а затем внезапно остановилось у края тротуара перед домом Сесилии.

В салоне зажегся свет, стал виден пассажир на переднем сиденье. Кто-то из ребят Кингстонов, решила Сесилия. Кингстоны жили через дорогу от них, и трое их сыновей, все разменявшие третий десяток, еще оставались под родительским кровом, пользуясь дорогим частным образованием, чтобы получать бесконечные ученые степени и выпивать в городских барах.

— Если какой-нибудь парень Кингстонов подойдет к одной из наших дочерей, — частенько говаривал Джон Пол, — я буду ждать его с дробовиком.

Сесилия свернула на подъездную дорожку, нажала кнопку дистанционного управления, чтобы открыть гараж, и глянула в зеркало заднего вида. Таксист открыл багажник. Широкоплечий мужчина в костюме доставал оттуда вещи.

Это не был парень Кингстонов.

Это был Джон Пол. Вид мужа в костюме, если он представал перед ней неожиданно, всегда поражал ее — словно ей все еще было двадцать три, а он взял и вырос, и даже поседел без нее.

Джон Пол вернулся на три дня раньше.

Радость в ее душе мешалась с досадой.

Прощай, таинственное письмо! Теперь она уже не сможет его вскрыть.

Сесилия выключила зажигание, поставила машину на ручной тормоз, отстегнула ремень безопасности, открыла дверцу машины и побежала по подъездной дорожке навстречу мужу.

Глава 12

—Алло? — настороженно спросила Тесс, подняв трубку городского телефона, и бросила взгляд на часы.

Девять вечера. Это точно не мог быть очередной рекламный звонок.

— Это я.

Голос Фелисити. У Тесс скрутило живот. Сестра весь день звонила ей на мобильный, оставляла голосовые и текстовые сообщение, которые Тесс не слушала и не читала. Игнорирование Фелисити давалось ей с трудом, как будто она принуждала себя к чему-то противоестественному.

— Я не хочу с тобой разговаривать.

— Ничего не произошло, — сообщила Фелисити. — Мы так и не переспали.

— Да бога ради, — откликнулась Тесс, а затем, к собственному удивлению, рассмеялась.

И смех даже не был горьким. Совершенно искренне. Вот же нелепость.

— А за чем дело стало?

Но потом она заметила собственное отражение в зеркале, висящем над столом в маминой столовой, и ее улыбка угасла, точно у человека, уловившего суть жестокой проделки.

— Мы только и можем думать что о тебе, — пояснила Фелисити. — И о Лиаме. Веб-сайт «Постельных принадлежностей» рухнул — неважно, я не хочу говорить с тобой о работе. Я у себя на квартире. Уилл дома. Он выглядит совершенно разбитым.

— Ну вы и жалкие, — заявила Тесс, отвернувшись от своего отражения в зеркале. — Вы оба такие жалкие.

— Знаю, — согласилась Фелисити таким тихим голосом, что Тесс пришлось с силой прижать трубку к уху, чтобы ее расслышать. — Я дрянь. Я из тех женщин, которых мы ненавидим.

— Говори громче! — раздраженно потребовала Тесс.

— Я сказала, что я дрянь! — повторила Фелисити.

— Не жди, что я стану с тобой спорить.

— Я и не жду, — ответила Фелисити. — Ничего подобного.

Повисло молчание.

— Ты хочешь, чтобы я нормально к этому отнеслась, — предположила Тесс, которая слишком хорошо их знала. — Ведь так? Ты хочешь, чтобы я все уладила.

Это была ее работа, ее роль в их тройственном союзе. Уилл и Фелисити причитали и неистовствовали, раздражались из-за клиентов, обижались на посторонних, стучали по рулю и кричали: «Да вы что, шутите?» Задачей Тесс было успокаивать их, улещивать, уговаривать в духе «стакан наполовину полон, все еще уладится, утро вечера мудренее». Как они вообще могут завести интрижку без ее помощи? Им нужна рядом Тесс, чтобы сказать: «Вы ни в чем не виноваты!»

— Я этого не ожидаю, — возразила Фелисити. — Я вообще ничего от тебя не ожидаю. С вами все в порядке? Как Лиам?

— У нас все хорошо, — отчиталась Тесс.

На нее накатила сокрушительная усталость, а с ней пришла и полусонная отстраненность. Эти бесконечные эмоциональные качели просто выматывали. Она подтащила к себе придвинутый к столу стул и села.

— Лиам с завтрашнего дня начинает заниматься в школе Святой Анджелы.

«Полюбуйся тем, как я продолжаю жить дальше», — подразумевалось под этим.

— Завтра? К чему такая спешка?

— Там будет охота на пасхальные яйца.

— А, — протянула Фелисити. — Шоколад. Криптонит[1] Лиама. Его же не будет учить какая-нибудь из тех чокнутых монашек, которые преподавали нам?

«Не смей болтать со мной, как будто все в порядке!» — подумала Тесс.

Но почему-то продолжала разговор. Она чересчур устала, а привычка общаться с Фелисити слишком глубоко въелась в душу. Она болтала с Фелисити каждый день на протяжении всей своей жизни. Ведь это была ее лучшая подруга. И единственная.

— Все монашки уже скончались, — ответила она. — Но физкультуру ведет Коннор Уитби. Помнишь такого?

— Коннор Уитби, — повторила Фелисити. — Тот унылый парень зловещего вида, с которым ты встречалась до нашего переезда в Мельбурн. Но мне казалось, он был бухгалтером.

— Он получил второе образование. Но разве у него был зловещий вид? — удивилась Тесс.

Ей он запомнился как вполне симпатичный. Это ведь ему нравились ее руки — внезапно вспомнила она. Как

---

1 Вымышленное вещество из комиксов, единственная слабость Супермена.

странно. Она думала о нем вчера вечером, а он вдруг взял и заново объявился в ее жизни.

— Да, зловещий, — уверенно подтвердила Фелисити. — Да еще он был жутко старым.

— На десять лет старше меня.

— Как бы там ни было, я помню, от него веяло жутью. А сейчас, готова поспорить, все стало еще хуже. В учителях физкультуры есть что-то отталкивающее — эти их спортивные костюмы, свистки и планшеты.

Рука Тесс крепче сжалась на трубке. Фелисити всегда отличалась самодовольством. Считала, будто знает все, превосходно разбирается в людях и что она искушенней и внимательней, чем Тесс.

— Значит, я так понимаю, в Коннора Уитби ты влюблена не была? — спросила она резко и ожесточенно. — Уилл стал первым, кто привлек твое внимание?

— Тесс...

— Не утруждайся, — оборвала ее Тесс.

Очередная волна гнева и боли подкатила к ее горлу. Она сглотнула. Как такое вообще возможно? Она любила их обоих. Так сильно любила!

— Что-нибудь еще?

— Ты вряд ли позволишь мне пожелать Лиаму доброй ночи? — уточнила Фелисити тихим, кротким голосом, который совершенно ей не шел.

— Нет, — отрезала Тесс. — И вообще он уже спит.

Лиам еще не спал. Она совсем недавно проходила мимо его комнаты (бывшего отцовского кабинета) и видела, что он лежит в постели и играет в «Нинтендо».

— Пожалуйста, передай ему от меня привет, — с дрожью в голосе попросила Фелисити, как будто храбро делала все возможное в трудных, не зависящих от нее обстоятельствах.

Лиам обожал Фелисити. Специально для нее он приберегал особый суховатый смешок.

Гнев выплеснулся наружу.

— Конечно, я передам ему от тебя привет! — выплюнула Тесс в трубку. — И заодно скажу, что ты пытаешься разрушить его семью! Почему бы мне не упомянуть и об этом?

— О боже, Тесс, мне так... — начала Фелисити.

— Только не говори, что тебе жаль. Не смей еще хоть раз ляпнуть, что тебе жаль. Ты сама так решила. Ты позволила этому произойти. Ты сделала это. Ты сделала это со мной. Ты сделала это с Лиамом.

Теперь она неудержимо рыдала, словно ребенок, раскачиваясь взад и вперед.

— Тесс, где ты? — окликнула мать с другого конца дома.

Тесс тут же выпрямилась и яростно утерла мокрое лицо тыльной стороной ладони. Она не хотела, чтобы Люси застала ее плачущей. Собственная боль, отраженная на мамином лице, казалась невыносимой.

— Мне пора. — Она встала.

— Я...

— Меня не волнует, спите вы с Уиллом или нет, — перебила сестру Тесс. — Собственно, на мой взгляд, тебе стоило бы с ним переспать. Просто чтобы выбросить это из головы. Но я не допущу, чтобы Лиам рос с разведенными родителями. Ты видела, как разошлись мои мама с папой. Ты знаешь, чего мне это стоило. Именно поэтому я не могу поверить...

В груди вспыхнула жгучая боль, и она прижала ладонь к сердцу. Фелисити молчала.

— Тебе не светит жить с ним долго и счастливо, — продолжила Тесс. — И ты сама это знаешь. Потому что я готова это переждать. Я подожду, пока ты с ним не наиграешься. — Она глубоко, с дрожью вдохнула и закончила: — Завершай свою отвратительную интрижку, а затем верни мне моего мужа.

* * *

7 октября 1977 года. Трое подростков погибли, когда восточногерманская полиция столкнулась с демонстрантами, требующими: «Долой стену!» Люси О'Лири, беременная первым ребенком, увидела сообщение об этом в новостях и долго плакала. Ее сестра-близнец Мэри, также беременная первым ребенком, позвонила ей на следующий день и спросила, не плакала ли и она тоже из-за новостей. Некоторое время они разговаривали о несчастьях, происходящих по всему миру, а затем перешли к куда более интересной теме собственных будущих детей.

— Думаю, у нас родятся мальчики, — заявила Мэри. — И они будут лучшими друзьями.

— Куда вероятнее, им захочется убить друг друга, — возразила Люси.

Глава 13

Рейчел сидела в исходящей паром горячей ванне, цепляясь за бортики. У нее кружилась голова: глупо было идти мыться, пока она еще навеселе после вечеринки с «Тапервером». Она может поскользнуться, выбираясь наружу, и сломать бедро.

А возможно, это не такая уж и плохая стратегия. Роб и Лорен отменят переезд в Нью-Йорк и останутся в Сиднее, чтобы ухаживать за ней. Посмотрите на Люси О'Лири. Ее дочь примчалась из Мельбурна, стоило лишь ей услышать о сломанной лодыжке. Она даже выдернула сына из мельбурнской школы, что теперь, когда Рейчел об этом задумалась, показалось ей несколько чрезмерным.

Воспоминание о матери и дочери О'Лири подтолкнуло Рейчел к мысли о Конноре Уитби и выражении, появившемся на его лице при виде Тесс. Не предупредить ли Люси?

«Просто к сведению. Возможно, Коннор Уитби — убийца».

А может, и нет. Возможно, он просто симпатичный учитель физкультуры.

Иногда, когда Рейчел видела его с детьми на стадионе, под лучами солнца, со свистком на шее и красным яблоком в зубах, она думала: «Ни за что на свете такой милый человек не мог бы убить Джейни». А затем в другие, более суровые и сумрачные дни, когда она видела его бредущим в одиночестве, с бесстрастным лицом и широкими плечами человека, способного применить силу, она думала: «Ты знаешь, что случилось с моей дочерью».

Она устроила голову на бортике ванны, прикрыла глаза и вспомнила, как впервые услышала о его существовании. Сержант Беллах сообщил ей, что последним, кто видел Джейни живой, оказался мальчик по имени Коннор Уитби из местной средней школы. Рейчел еще подумала: «Не может такого быть, я никогда о нем не слышала». Она знала всех друзей Джейни и их матерей.

Эд запретил Джейни вступать в серьезные отношения до тех пор, пока она не сдаст последний школьный экзамен. Он столько шума из-за этого поднял. Но Джейни не стала спорить, и Рейчел с удовлетворением отметила, что, похоже, ее дочь пока не так уж интересуется мальчиками.

В первый раз они с Эдом встретили Коннора на похоронах Джейни. Он пожал Эду руку и прижался холодной щекой к щеке Рейчел, обмениваясь с ней воздушным поцелуем. Коннор был частью кошмара, такой же невозможной и неправильной, как и гроб. Несколько месяцев спустя Рейчел нашла ту фотографию, где они были сняты вместе на чьей-то вечеринке. Он смеялся над какой-то шуткой Джейни.

А затем, много лет спустя, он устроился в школу Святой Анджелы. Она даже и не узнала его, пока не прочла имя на заявлении о приеме.

— Не знаю, помните ли вы меня, миссис Кроули, — обратился он к ней вскоре после поступления, когда они остались наедине в канцелярии.

— Я вас помню, — холодно сообщила она.

— Я по-прежнему думаю о Джейни, — признался он. — Все время.

Она не знала, что и сказать.

«Почему ты о ней думаешь? Потому что ты убил ее?»

В его глазах определенно читалось нечто похожее на чувство вины. Она это не выдумала. Она пятнадцать лет проработала секретарем в школе. Коннор выглядел как ребенок, отправленный в кабинет директора. Но было ли это сознанием своей преступности? Или что-то иное?

— Надеюсь, вам не доставляет неудобств то, что я здесь работаю, — сказал он.

— Совершенно никаких, — кратко ответила она, и больше они эту тему не затрагивали.

Она подумывала об увольнении. Работа в начальной школе, где когда-то училась Джейни, всегда приносила ей радость, смешанную с горечью. Девочки на тонких, как у Бемби, ножках проносились мимо нее по игровой площадке, и она краем глаза замечала Джейни. В жаркую пору лета она смотрела, как матери забирают из школы детей, и вспоминала давно минувшие летние дни, когда она ходила с Джейни и Робом после школы есть мороженое и их личики сияли. Джейни училась уже в старших классах, когда погибла, так что воспоминания Рейчел о школе Святой Анджелы не были запятнаны горем потери. Так и шло, пока не объявился Коннор Уитби; он ворвался на своем ужасном ревущем мотоцикле прямо в тихие, пастельные воспоминания Рейчел.

В итоге она осталась из чистого упрямства. Ей нравилась эта работа. Почему она должна уходить? И более того, ей почему-то казалось, что ее долг перед Джейни — не убегать и быть готовой к встрече с этим человеком и его виной, в чем бы та ни состояла.

Если он убил Джейни, разве стал бы он устраиваться на работу в то место, где работает ее мать? Разве сказал бы: «Я по-прежнему думаю о ней»?

Рейчел открыла глаза и ощутила твердый сгусток ярости, навеки застрявший у нее в горле, как будто она слегка чем-то подавилась. Все дело было в незнании. В долбаном незнании.

Она добавила в ванну холодной воды: было жарковато.

«Все дело в незнании», — сказала миниатюрная женщина изящного вида.

Дело происходило в группе психологической поддержки для пострадавших от насильственной смерти близких, куда они с Эдом пару раз сходили: посидеть на складных стульях в холодном зале общественного центра где-то в Чатсвуде и подержать в дрожащих руках пенопластовые стаканчики с быстрорастворимым кофе. Сына этой женщины убили по дороге домой с крикетной тренировки. Никто ничего не слышал. Никто ничего не видел.

— В долбаном незнании, — сказала она.

По кругу прокатилась рябь — люди беззвучно моргали. У женщины был нежный, безукоризненно чистый голос; вы будто услышали, как выругалась королева.

— Не хочу тебя расстраивать, милочка, но знание не так уж сильно и помогает, — перебил ее коренастый краснолицый тип. Убийцу его дочери приговорили к пожизненному заключению.

Рейчел и Эд прониклись к краснолицему страстной неприязнью и именно из-за него перестали ходить в группу поддержки.

Принято считать, будто горе делает вас мудрее, автоматически поднимает на более высокий уровень духовного развития, но Рейчел казалось, что все как раз наоборот. Горе делает вас мелочными и злобными. Оно не дает вам ни великого знания, ни прозрения. Она вот не поняла о жизни ничего нового, если не считать того, что та непредсказуема и жестока. И еще: некоторые люди выходят сухими из воды, даже совершив убийство, а другие по неосмотрительности допускают единственную крошечную ошибку и платят за нее ужасную цену.

Она подержала мочалку для лица под холодной водой, сложила ее и прижала ко лбу, как будто сбивала жар.

Семь минут. Ее ошибка измерялась в минутах.

Знала об этом одна только Марла. Эд так никогда и не узнал.

Джейни постоянно сетовала на усталость.

— Больше занимайся спортом, — твердила ей Рейчел. — Не ложись спать так поздно. Больше ешь!

Девочка была такой худой и высокой. А затем начала жаловаться на какую-то непонятную боль в пояснице.

— Мам, я всерьез считаю, что у меня моноцитарная ангина.

Рейчел записалась на прием к доктору Бакли: просто чтобы та сказала Джейни, что с ней все в порядке и что ей нужно слушать советы матери.

Обычно Джейни садилась на автобус, а потом шла домой от остановки на Уиком-роуд. Они условились, что Рейчел заберет ее с угла у школы и отвезет до кабинета доктора Бакли в Гордоне. С утра она напомнила Джейни об этой договоренности.

Вот только Рейчел опоздала на семь минут, а когда она подъехала к углу, Джейни там не оказалось. Она забыла, решила Рейчел, барабаня пальцами по рулю. Или ей надоело ждать. Этому ребенку никогда не хватало терпения, она вела себя так, будто Рейчел была удобным видом общественного транспорта, обязанным следовать расписанию. В те дни не было никаких мобильных телефонов. Рейчел ничего не могла предпринять, кроме как подождать в машине еще десять минут (она и сама не слишком-то любила ждать), а затем наконец отправиться домой и позвонить секретарю доктора Бакли, чтобы отменить прием.

Она не волновалась, а скорее сердилась. Рейчел знала, что Джейни ничем особо не больна. Это очень в ее духе — сначала заставить мать договариваться о приеме у врача, а затем не потрудиться прийти. И только гораздо позже, когда Роб с набитым бутербродом ртом спросил: «А где Джейни?», Рейчел взглянула на кухонные часы и ощутила первое ледяное прикосновение ужаса.

Никто не видел, чтобы Джейни ждала на углу, а если и видел, то не признался. Рейчел так и не выяснила, сыграли ли эти семь минут какую-то роль в произошедшем.

В итоге она узнала из полицейского расследования, что Джейни зашла домой к Коннору Уитби примерно в половине четвертого и они вместе посмотрели кино («С девяти до пяти» с Долли Партон). Потом Джейни сказала, что у нее какие-то дела в Чатсвуде, и Коннор проводил ее до железнодорожной станции. После этого никто больше не видел ее живой. Никто не заметил ее в поезде или где-нибудь в Чатсвуде.

Ее тело нашли на следующее утро двое девятилетних мальчишек, катавшихся на велосипедах по парку Уотл-Вэлли. Они остановились на игровой площадке и заметили девушку, лежащую под детской горкой. Ее школьный пиджак был накинут на тело сверху, как одеяло, как будто для того, чтобы она не замерзла, а в руках она держала четки. Ее задушили. Причиной смерти назвали травматическое удушье. Никаких следов борьбы, остатков под ногтями, отчетливых отпечатков пальцев. Ни волос, ни ДНК — Рейчел спросила об этом, когда прочла об убийствах, раскрытых с помощью анализа ДНК, в конце девяностых годов. Никаких подозреваемых.

— Но куда она направлялась? — снова и снова спрашивал Эд, как будто Рейчел могла в конце концов вспомнить ответ, если повторять вопрос достаточно часто. — Зачем она пошла через этот парк?

Иногда, задав этот вопрос много раз подряд, он начинал рыдать от ярости и разочарования. Рейчел не могла этого вынести. Ей не хотелось иметь ничего общего с его горем. Она не хотела знать о нем, ощущать его или разделять. Ей хватало собственного. Как ей справляться, если он взвалит на нее еще и свое?

Теперь она не понимала, почему они не могли обратиться друг к другу и разделить скорбь. Безусловно, их связывала взаимная любовь, но после гибели Джейни ни один из них не выдерживал вида слез другого. Они цеплялись друг за друга, словно незнакомцы во время стихийного бедствия, напрягаясь всем телом, неловко похлопывая по плечу товарища по несчастью. А бедняга Роб оказался посередине — мальчик-подросток, неуклюже пытающийся все исправить, сплошные притворные улыбки и бодрая ложь. Неудивительно, что он подался в торговлю недвижимостью.

Теперь вода чересчур остыла.

Рейчел начала неудержимо дрожать, как от переохлаждения. Она оперлась руками на бортики ванны и собралась встать.

Ничего не вышло. Она застряла здесь на всю ночь. Ее рукам — мертвенно-бледным, тонким, как палочки, — не хватало сил. Разве можно поверить, что это бесполезное, хрупкое тело с синими венами некогда было таким смуглым, крепким и сильным?

— Отличный загар для апреля, — сказал ей в тот день Тоби Мерфи. — Полеживаешь на солнышке, а, Рейчел?

Вот почему она опоздала на семь минут: кокетничала с Тоби Мерфи. Тоби был женат на ее подруге Джеки.

Он работал слесарем-водопроводчиком, и ему нужен был помощник в офис. Рейчел пришла на собеседование и задержалась у него в кабинете на час с лишним, флирта ради. На ней было новое платье, которое уговорила ее купить Марла, и Тоби, неисправимый дамский угодник, все время косился на ее открытые ноги. Рейчел ни за что бы не изменила Эду, и сам Тоби нежно любил жену, так что их брачным клятвам ничто не угрожало, но тем не менее он любовался ее ногами, и ей это нравилось.

Эд вряд ли пришел бы в восторг, если бы она устроилась на работу к Тоби. Он не знал о собеседовании. Рейчел замечала, что он видит в Тоби соперника. Отчасти по причине того, что Тоби был работягой, а Эд занимался не вполне мужским делом — торговлей фармацевтическими препаратами. Эд с Тоби вместе играли в теннис, и, как правило, Эд проигрывал. Он прикидывался, будто ему все равно, но Рейчел-то видела, что его это постоянно мучает.

Так что с ее стороны было особенно низко наслаждаться взглядами, которые Тоби бросал на ее ноги.

Ее грехи в тот день были такими банальными: тщеславие, потакание собственным слабостям, крошечное предательство по отношению к Эду и заодно к Джеки Мерфи. Но может, эти мелкие грешки как раз и хуже всего. Человек, убивший Джейни, возможно, был больным и сумасшедшим, в то время как Рейчел находилась в здравом уме и полном сознании, и она прекрасно представляла, что́ именно делает, когда позволяла подолу платья задраться чуть выше колен.

Средство для мытья, которое она вылила в воду, плавало на поверхности, словно капли масла, скользкие и жирные. Рейчел снова попыталась подняться из ванны, но не преуспела.

Возможно, станет проще, если она сперва спустит воду.

Она вытащила пробку пальцами ноги, и поток, убегающий в сливное отверстие, по обыкновению, зарычал, будто дракон. Роб в детстве боялся этого отверстия. Джейни обычно вопила: «Рры-ы!», делая вид, будто у нее на пальцах когти. Когда вода сошла, Рейчел перевернулась на живот, затем поднялась на четвереньки. Коленные чашечки заныли так, словно вот-вот треснут.

Она привстала, опираясь руками, ухватилась за бортик ванны и осторожно перенесла через край сперва одну, а затем и другую ногу. Вот она и выбралась. Сердце утихомирилось. Слава богу, все кости целы.

Возможно, сегодня вечером она принимала ванну в последний раз.

Рейчел вытерлась насухо и сдернула с крючка у двери халат. Это был отличный халат из чудной мягкой ткани — очередной подарок, заботливо выбранный Лорен. Дом Рейчел был полон подарков, заботливо выбранных Лорен. Например, та толстая свеча с запахом ванили в стеклянной плошке, стоящая на шкафчике в ванной.

«Большая вонючая свечка», — назвал бы ее Эд.

Странное дело, что только не заставляло ее скучать по Эду. Она скучала по спорам с ним, по сексу. Они продолжали заниматься любовью после смерти Джейни. Их обоих это удивляло, и у обоих вызывало отвращение то, как охотно их тела реагировали друг на друга, точно так же, как прежде, но они все равно продолжали.

Она скучала по ним по всем: матери, отцу, мужу, дочери. Каждая потеря ощущалась как незаживающая рана. Ни одна из их смертей не была справедливой. К черту естественные причины, во всех них виновен убийца Джейни.

«Не смей». Именно такая странная мысль пришла в голову Рейчел, когда Эд одним жарким февральским утром рухнул на колени в коридоре. Она имела в виду: «Не смей бросать меня тут наедине с этой болью». Она сразу поняла, что он мертв. Ей сказали, что причиной смерти был инсульт, но и Эд, и ее родители умерли от разбитого сердца. Только сердце самой Рейчел упрямо отказывалось поступать как положено и продолжало биться. Она стыдилась этого так же, как и собственного желания заниматься сексом. Она продолжала дышать, есть, трахаться, жить, а Джейни тем временем гнила в земле.

Рейчел провела ладонью по запотевшему зеркалу и пригляделась к собственному расплывчатому отражению за каплями воды. Она подумала о том, как целует ее Джейкоб, прижав обе пухлые ручки к ее щекам, уставившись огромными и ясными голубыми глазами в ее глаза. И каждый раз она испытывала удивление и благодарность из-за того, что ее морщинистое лицо может внушать кому-то подобное обожание.

Просто ради того, чтобы чем-то себя занять, она принялась легонько подталкивать толстую свечу. И вот наконец та доползла до края шкафчика, опрокинулась и грохнулась на пол в граде пахнущих ванилью осколков стекла.

Глава 14

Сесилия занималась сексом с мужем. Это был хороший секс. Очень хороший секс. Чрезвычайно хороший секс! У них снова был секс. Ура!

— О боже, — произнес над ней Джон Пол, зажмурившись.

— О боже, — охотно согласилась Сесилия.

Как будто им вовсе ничто не мешало. Сегодня вечером они легли в постель и повернулись друг к другу так же естественно, как и в юности, когда только-только стали парой и им казалось немыслимым, что однажды они смогут заснуть рядом, не занявшись сперва любовью.

— Господи. Иисусе. — Джон Пол запрокинул голову в экстазе.

Сесилия застонала, чтобы уведомить его, что она тоже вполне счастлива.

Очень. Хороший. Секс. Очень. Хороший. Секс. Она повторяла эти слова в такт движениям их тел.

Что это было? Она напрягла слух. Кто-то из девочек ее звал? Нет. Ничего. Черт побери! Теперь она утратила сосредоточенность. Отвлекись лишь на мгновение — и всему конец. Она вернулась на первую клетку. По словам Мириам, решением был тантрический секс. Ну вот, теперь она думает о Мириам. Это уж точно конец.

— О боже, о боже.

Джон Пол, судя по всему, не испытывал ни малейших затруднений с сохранением сосредоточенности.

Гей! Какой из него, к черту, гей?

Девочки, которые уже должны были крепко спать, но еще только готовились лечь (мама Сесилии была весьма своенравна, когда речь заходила о расписаниях), пришли в восторг, увидев отца раньше ожидаемого. Они облепили его, перекрикивая друг дружку, чтобы рассказать о «Потерявшем больше всех», о Берлинской стене, о по-настоящему жуткой глупости, которую на днях ляпнула на балете Гарриет, о том, сколько рыбы им скормила мама, и так далее.

Сесилия видела, как Джон Пол попросил Изабель повернуться кругом, чтобы он мог полюбоваться ее новой стрижкой, и не заметила в его взгляде на дочь ничего странного. От усталости после долгого полета под его глазами залегли тени (он проторчал в Окленде большую часть дня, поскольку нашел более ранний рейс через Новую Зеландию), но он выглядел счастливым и весьма довольным тем, как ему удалось всех удивить. Ничего общего с человеком, способным украдкой проливать слезы под душем. А теперь они занялись сексом! Отличным сексом! И все было в порядке. Не о чем беспокоиться. И он ни словом не упомянул письмо. А раз тут не о чем говорить, значит там не может быть ничего важного.

— Ух... клево. — Джон Пол содрогнулся и рухнул на нее.

— Ты только что сказал «клево»? — переспросила Сесилия. — Привет из семидесятых!

— Да, сказал, — подтвердил Джон Пол. — Это подразумевало удовлетворение. И, раз уж об этом зашла речь, мне так показалось?..

— Все хорошо, — заверила его Сесилия. — Это было клево, чувак.

В следующий раз будет обязательно.

Джон Пол рассмеялся, скатился с нее и привлек ее к себе, обняв обеими руками и поцеловав в шею.

— Давненько был последний раз, — сдержанно заметила Сесилия.

— Знаю, — подтвердил Джон Пол. — А все почему? Вот почему я прилетел домой пораньше. Внезапно возбудился до чертиков.

— Я все похороны сестры Урсулы думала о сексе, — призналась Сесилия.

— Так и надо, — сонно одобрил Джон Пол.

— А на днях мне вслед свистнул водитель грузовика. Я еще вполне ничего, просто чтобы ты знал.

— Мне не нужен чертов водитель грузовика, чтобы знать, что моя жена еще вполне ничего. Готов поспорить, на тебе были эти твои спортивные шорты.

— Точно, — подтвердила она и чуть помолчала. — На днях в магазине кто-то свистнул вслед Изабели.

— Мелкий ублюдок, — буркнул Джон Пол, но без особого пыла. — С этой стрижкой она выглядит намного младше.

— Знаю. Только ей не говори.

— Не дурак же.

Голос его звучал так, будто он уже почти спит.

Все было в порядке. Дыхание Сесилии начало замедляться. Она прикрыла глаза.

— Теперь Берлинская стена, да? — уточнил Джон Пол.

— Ага.

— Мне до смерти осточертел «Титаник».

— Мне тоже.

Сесилия начала погружаться в сон.

Все вернулось на круги своя. Все так, как должно быть. Завтра еще столько дел...

— А что ты сделала с тем письмом?

Ее глаза распахнулись, и она уставилась в темноту прямо перед собой.

— Убрала обратно на чердак. В обувную коробку.

Это была ложь. Настоящее, бесстыдное вранье, слетевшее у нее с языка так же легко, как и невинная ложь об удовлетворении от секса. Письмо лежало в шкафу для документов, в кабинете чуть дальше по коридору.

— Ты его вскрыла?

В самом его голосе было нечто особенное. Он явно пребывал в полном сознании, но следил за тем, чтобы говорить сонно и безразлично. Она ощущала напряжение, исходящее от его тела, словно электрический ток.

— Нет, — ответила она, постаравшись, чтобы и ее голос прозвучал сонно. — Ты просил не вскрывать, и я не стала.

Обнимающие ее руки как будто чуть расслабились.

— Спасибо. Мне так неловко.

— Не глупи.

Его дыхание замедлилось. Она позволила расслабиться и себе.

Сесилия солгала, чтобы сохранить возможность прочесть письмо, когда и если она решит с ним ознакомиться. Теперь между ними лежала настоящая ложь. Проклятье! А ей просто хотелось забыть о чертовом конверте.

Она так устала. Она подумает об этом завтра.

* * *

Невозможно было сказать, как долго она проспала, прежде чем снова проснулась — в одиночестве. Сесилия сощурилась на часы с цифровым дисплеем, но без очков разглядеть время не удалось.

— Джон Пол? — окликнула она, приподнявшись на локтях.

Из примыкающей к спальне ванной не доносилось ни звука. Обычно после дальних перелетов он спал как убитый.

Зато над головой раздался шум.

Она села, окончательно проснувшись, и ее сердце загрохотало в груди. Мгновенно все стало ясно. Джон Пол залез на чердак. Он никогда там не бывал! Вспомнилось, как крошечные бисеринки пота выступали у него над губами, когда на него накатывал приступ клаустрофобии. Должно быть, ему позарез понадобилось это письмо, если он был готов ради него карабкаться на чердак.

Когда-то он сказал: «Не полезу туда, разве что это будет вопрос жизни и смерти».

Так письмо было вопросом жизни и смерти?

Сесилия не стала мешкать. Поднявшись с постели, она прошла по темному коридору в кабинет. Включила настольную лампу, приоткрыла верхний ящик шкафа с документами и вытащила красно-коричневую папку с пометкой «Завещания».

Потом села в обитое кожей офисное кресло, развернула его к столу и открыла папку в небольшом пятне желтого света от настольной лампы.

Моей жене, Сесилии Фицпатрик.
Вскрыть только в случае моей смерти.

Она выдвинула верхний ящик стола и достала нож для бумаг.

Над ее головой послышались беспокойные шаги, грохот — что-то опрокинулось. Он вел себя как безумец. Да ведь чтобы вернуться в Австралию к этому времени, он должен был отправиться прямиком в аэропорт сразу после того телефонного разговора с ней!

Ради всего святого, Джон Пол, какого черта вообще происходит?

Одним быстрым решительным движением Сесилия вспорола конверт и вытащила исписанный от руки лист. Еще какой-то миг ее взгляд не мог сосредоточиться. Слова плясали перед глазами.

…нашей новорожденной дочерью Изабель…

…прости, что взваливаю на тебя это бремя…

…подарила мне больше счастья, чем я заслуживал…

Она принудила себя прочесть текст как полагается. Слева направо. Предложение за предложением.

Глава 15

Тесс проснулась внезапно, чувствуя себя непоправимо бодрой. Посмотрела на часы близ кровати и застонала — еще только половина двенадцатого ночи. Она включила лампу у изголовья и откинулась обратно на подушку, уставившись в потолок.

Это была ее старая спальня, но в ней не осталось почти ничего, что напоминало бы о детстве. Стоило Тесс покинуть родительский дом, как мама превратила ее комнату в изящную спальню для гостей с кроватью поистине королевских размеров, соответствующими тумбочками и лампами. Полная противоположность тетушке Мэри, которая благоговейно поддерживала комнату Фелисити точно в том же состоянии, в каком та ее оставила. Комната Фелисити напоминала тщательно оберегаемое место археологических раскопок, и даже плакаты из журнала «ТиВи Вик» по-прежнему висели на стенах.

Лишь потолок в комнате Тесс остался прежним. Она скользнула взглядом вдоль волнистого края белых карнизов. По воскресеньям с утра она часто лежала в постели, глядя в потолок, и беспокоилась о том, что сказала вчера на вечеринке, или чего не сказала, или что ей следовало бы сказать. Тогда вечеринки ее пугали. Они до сих пор ее пугали: отсутствие четкого плана, свободная атмосфера, недоумение, где сесть. Если бы не Фелисити, она ни за что бы на них не ходила, но сестру вечно туда тянуло. Она любила стоять в уголке, тихонько отпуская язвительные замечания в адрес гостей и смеша Тесс.

Фелисити ее просто спасала.

Разве нет?

Накануне вечером они с мамой присели выпить по бокалу бренди и закусить шоколадом. «Именно так я справлялась, когда ушел твой отец, — пояснила Люси. — Это в медицинских целях». И заодно обсудили телефонный звонок Фелисити.

— Вчера вечером, — вспомнила Тесс, — ты угадала, что все дело в ней. Откуда ты знала?

— Фелисити никогда не позволяла тебе иметь что-то только для себя.

— Что? — в ошеломлении, недоверчиво переспросила Тесс. — Неправда.

— Ты захотела научиться играть на фортепьяно. Фелисити научилась играть на фортепьяно. Ты начала играть в нетбол. Фелисити начала играть в нетбол. У тебя стало получаться слишком хорошо, и Фелисити отстала — сразу после этого ты внезапно утратила интерес к нетболу. Ты устроилась на работу в области рекламы. Вот так новость! Фелисити устроилась на работу в области рекламы.

— Ох, мам, — вздохнула Тесс. — Сомневаюсь. Тебя послушать, так это был с ее стороны сплошной расчет. А нам просто нравилось все делать вместе. В любом случае Фелисити — художник-оформитель! А я была менеджером по рекламе. Не слишком-то много общего.

Но не так казалось матери, поджавшей губы, как будто ей виднее.

— Послушай, я не говорю, что она делала это нарочно, — сказала Люси, осушив бокал. — Но она тебя подавляла! Я помню, как благодарила Бога, когда у меня родилась единственная девочка: у тебя не будет близнеца и ты сможешь прожить жизнь на собственных условиях, без всех этих сравнений и соперничества. А затем каким-то образом вы с Фелисити оказались точь-в-точь как мы с Мэри! Даже хуже! Я все гадала, каким человеком ты могла бы стать, если бы она постоянно не дышала тебе в затылок, каких друзей ты могла бы найти...

— Друзей? Я не нашла бы вовсе никаких друзей! Я была слишком застенчивой! Настолько застенчивой, что это можно считать почти инвалидностью. У меня до сих пор не все ладно с общением.

Она вовремя остановилась, едва не признавшись матери, какой диагноз сама себе поставила.

— Фелисити поощряла твою застенчивость. Так ей было удобней. А ты сама по себе была куда смелее.

Тесс повозилась, покрутила шеей, устраивая голову поудобнее. Подушка была слишком жесткой, Тесс скучала по своей родной подушке из мельбурнского дома. Правда ли то, что сказала мать? Неужели она большую часть жизни страдала из-за неправильных отношений с двоюродной сестрой?

Она подумала о том ужасном, удивительно жарком лете, когда распался брак ее родителей. Оно вспоминалось как долгая болезнь. Тесс ни о чем даже не подозревала. Конечно, ее родители раздражали друг друга. Они были такими разными. Но они оставались ее мамой и папой. У всех, кого она знала, были мама и папа, живущие в одном доме. Круг ее друзей и родственников был слишком узким, провинциальным и католическим. Ей было известно слово «развод», но воспринималось оно так же отстраненно, как и «землетрясение». С ней-то такого никогда не случится. Но спустя пять минут после того, как родители неловко, натянуто объявили о своем решении, отец собрал одежду в чемодан, с которым они ездили в отпуск, и перебрался в пахнущую плесенью съемную квартиру, полную старушечьей мебели на тонких ножках. Мать же восемь дней подряд не вылезала из какого-то древнего бесформенного платья и бродила по дому, смеясь, плача и бормоча: «Ну и скатертью дорожка, приятель». Тесс было десять. И именно Фелисити помогла ей пережить то лето: она ходила в бассейн и валялась бок о бок с ней на бетоне под палящим солнцем, так долго, как того хотелось Тесс, хотя Фелисити, с ее прекрасной белой кожей, ненавидела загорать. Она потратила собственные деньги на запись величайших хитов, просто чтобы порадовать Тесс, приносила ей мисочки мороженого с шоколадом всякий раз, когда Тесс плакала, сидя на диване.

И именно ей Тесс звонила, когда лишилась девственности, когда потеряла первую работу, когда ее бросил первый парень, когда Уилл признался ей в любви, когда они с Уиллом впервые всерьез поссорились, когда он сделал ей предложение, когда у нее отошли воды, когда Лиам сделал первый шаг.

Всю жизнь у них все было общим: игрушки, велосипеды, их первый кукольный домик, оставшийся у бабушки. Первая машина. Первое отдельное жилье. Первый отпуск за океаном. Муж Тесс.

Она позволила Фелисити разделить с ней Уилла. Ну конечно же. Она позволила Фелисити тоже быть чем-то вроде матери Лиаму и заодно чем-то вроде жены Уиллу. Она делила с сестрой всю свою жизнь. Уж не потому ли, что считала, будто Фелисити слишком толстая, чтобы найти собственного мужа и завести собственную жизнь? Или ей казалось, что такой толстухе вообще не нужна собственная жизнь?

А потом Фелисити начала жадничать. Она захотела всего Уилла целиком.

Окажись на месте Фелисити любая другая женщина, Тесс ни за что бы не сказала: «Завершай свою интрижку и верни мне мужа». Немыслимо. Но раз уж это Фелисити, все сразу стало... приемлемым? Простительным? Она это имела в виду? Ей случалось одалживать Фелисити зубную щетку, так почему бы не одолжить и мужа? Но в то же время от этого предательство сделалось еще страшнее. В миллион раз.

Тесс перекатилась на живот и вжалась лицом в подушку. Неважно, что она теперь думает о Фелисити. Ей нужно думать о Лиаме. «А как насчет меня? — упорно вопрошала она в десять лет, когда родители разошлись. — Разве меня никто не спросит?» Она считала себя центром их мира, но вдруг выяснила, что не имеет даже права голоса.

Для детей не бывает хороших разводов. Она прочла это где-то несколько недель назад, еще до всего этого. Даже когда расставание происходит полюбовно, даже если оба родителя прикладывают огромные усилия, дети страдают.

«Хуже, чем близнецы», — сказала ее мать.

Возможно, она была права.

Тесс сбросила одеяло и выбралась из постели. Ей нужно куда-нибудь пойти, убраться подальше от этого дома и собственных мыслей.

Уилл. Фелисити. Лиам. Уилл. Фелисити. Лиам.

Она возьмет мамину машину и поедет куда-нибудь. Тесс окинула взглядом свои полосатые пижамные штаны и футболку. Не стоит ли одеться? Ей в любом случае нечего было надеть, она ведь почти ничего с собой не взяла. Неважно. Она не станет выходить из машины. Тесс обулась в туфли без каблуков, вышла из комнаты и прокралась по коридору. Глаза тем временем привыкли к темноте. В доме царила тишина. Тесс включила свет в гостиной и оставила записку для матери на случай, если та проснется.

Тесс подхватила свой бумажник, сняла ключи от маминой машины с крючка у двери и, выскользнув наружу, в мягкий и свежий ночной воздух, глубоко вдохнула.

Она повела мамину «хонду» по Тихоокеанскому шоссе, открыв окна и выключив радио. Северное побережье Сиднея было тихим и пустынным, лишь раз по тротуару торопливо прошагал мужчина с портфелем — должно быть, заработался допоздна и поехал домой на поезде.

Женщина, вероятно, не пошла бы одна пешком домой от станции в столь поздний час. Тесс вспомнила, как Уилл однажды сказал ей, что терпеть не может ночью ходить следом за женщинами, поскольку они могут услышать шаги и принять его за маньяка с топором.

— Мне все время хочется крикнуть: «Не волнуйтесь! Я вовсе не маньяк с топором!» — признался он.

— Я бы бросилась бежать со всех ног, если бы мне кто-нибудь такое крикнул, — сообщила ему Тесс.

— Вот видишь, тут уж ничего не поделаешь.

Всякий раз, когда на северном побережье случалось что-то плохое, в газетах писали: «на зеленом северном побережье Сиднея», чтобы новость прозвучала еще страшнее.

Тесс остановилась на светофоре, опустила взгляд и заметила предупреждающий красный огонек на указателе уровня топлива.

— Черт возьми! — выругалась она.

На следующем углу виднелась ярко освещенная заправочная станция. Туда она и завернет. Тесс остановила машину и вышла. Вокруг не было никого, кроме мужчины на мотоцикле с другой стороны площадки, уже залившего бензин в бак и теперь поправляющего шлем.

Она открыла бензобак и сняла пистолет с колонки.

— Привет, — произнес мужской голос.

Тесс подпрыгнула и обернулась. Мужчина подкатил мотоцикл ближе и остановился по другую сторону от ее машины. Стащил шлем. Яркие огни заправки слепили ей глаза, и она не могла разобрать черты его лица: только жутковатое белое пятно.

Ее взгляд метнулся к пустому прилавку за окошком. Куда делся проклятый кассир? Тесс защитным движением прикрыла свою лишенную лифчика грудь. Вспомнился эпизод из «Шоу Опры Уинфри», который она смотрела вместе с Фелисити: там полицейский советовал женщинам, что делать, если к ним пристанут на улице. Нужно вести себя крайне агрессивно и кричать что-нибудь вроде: «Нет! Проваливай! Мне не нужны неприятности! Прочь! Прочь!» Некоторое время они с Фелисити с огромным удовольствием орали на Уилла всякий раз, когда тот входил в комнату.

Тесс прочистила горло и сжала кулаки, будто на занятии по бодикомбату[1]. Будь на ней бюстгальтер, изобразить агрессивность удалось бы легче.

— Тесс, — окликнул ее мужчина. — Да это же я, Коннор Уитби.

---

[1] *Бодикомбат* — фитнес-программа, использующая элементы техник различных восточных единоборств, сама единоборством не является.

Глава 16

Рейчел проснулась, не успев поймать привидевший-
ся сон. Вспоминалась только паника. Это имело
какое-то отношение к воде, и Джейни была еще
совсем малышкой. Или это был Джейкоб?

Она села в кровати и посмотрела на часы. Полвто-
рого ночи. Дом пропах тошнотворной ванилью.

После коктейлей с вечеринки во рту было сухо. Казалось, с тех пор прошли годы, а не часы. Она выбралась из
постели. Никакого смысла пытаться снова заснуть. Она
не сомкнет глаз, пока бледный свет зари не прокрадется
в дом.

Несколько мгновений спустя она уже установила гла-
дильную доску и стала переключать телевизионные каналы с дистанционного пульта. Ничего стоящего не показывали.

Тогда она направилась к шкафчику под телевизором,
где хранила видеокассеты. Старенький магнитофон все
еще был подключен, позволяя смотреть ее коллекцию
фильмов.

— Мам, все эти твои фильмы уже есть на DVD, —
то и дело обеспокоенно повторял Роб, как будто видео-
магнитофоны вдруг оказались вне закона.

Она провела пальцем по торцам кассет, но решила, что не в настроении смотреть на Грейс Келли, Одри Хепберн или даже Кэри Гранта.

Рейчел принялась бесцельно вытаскивать кассеты и наткнулась на чистый футляр, покрытый надписями от руки: ее, Эда, Джейни и Роба. Они вычеркивали заголовки, когда записывали что-то новое поверх прошлой передачи. Нынешние дети, вероятно, сочли бы эту кассету реликтом: сейчас ведь все нужное просто скачивают из Интернета. Она собралась уже отбросить кассету, но взгляд зацепился за названия сериалов, которые они смотрели в восьмидесятых годах: «Семья Салливан», «Сельская практика», «Сыновья и дочери». Похоже, Джейни последняя пользовалась этой кассетой: слова «Сыновья и дочери» были выведены ее небрежным, неразборчивым почерком.

Забавно. Именно благодаря «Сыновьям и дочерям» Рейчел победила во вчерашней викторине. Вспомнилось, как Джейни когда-то лежала на полу в гостиной, зачарованная дурацким сериалом, и подпевала слащавой музыкальной теме. Как там было? Рейчел почти услышала эту мелодию у себя в голове.

Повинуясь порыву, она вставила кассету в магнитофон и нажала кнопку воспроизведения.

Она присела на корточки и просмотрела конец ролика про маргарин, с этим курьезным, устаревшим видом и звуком старых телереклам. Затем начались «Сыновья и дочери». Рейчел мысленно подпела заставке, с удивлением обнаружив, что может извлечь из глубин памяти все слова. Там обнаружилась Крыса Пат, моложе и привлекательнее, чем запомнилось Рейчел. Вот в кадре появилось измученное лицо исполнителя главной мужской роли и сурово нахмурилось. Этот актер все еще мелькал в телевизоре, блистая в каком-то сериале про полицейских-спасателей. Все продолжали жить своей жизнью, даже звезды «Сыновей и дочерей». Только бедная Джейни навеки застряла в 1984 году.

Рейчел уже собиралась извлечь кассету, как вдруг услышала голос Джейни:

— Ну что, работает?

Сердце Рейчел замерло, рука застыла в воздухе.

А потом экран заполнило лицо Джейни: она весело и дерзко глядела прямо в камеру. Ее глаза были подведены зеленым, и она использовала слишком много туши. На носу сбоку виднелся небольшой прыщик. Рейчел казалось, она отлично помнит лицо дочери, но она забыла то, о чем даже не подозревала, что забыла, — вроде точного вида зубов или носа Джейни. Ни в зубах, ни в носу Джейни не было ничего особенно примечательного, не считая того, что они принадлежали Джейни, и Рейчел снова их видела. Левый глазной зуб был самую малость скошен внутрь. Нос казался чуть-чуть длинноватым. Несмотря на это — а может, и благодаря этому, — она была красива, красивее даже, чем помнилось Рейчел.

У них дома никогда не было видеокамеры. Эд считал, что на эту ерунду не стоит тратить деньги. Единственная запись дочери, которая у них сохранилась, была сделана на свадьбе друзей, где Джейни была «девочкой с букетом».

— Джейни, — выдохнула Рейчел и прижала ладонь к экрану телевизора.

— Ты стоишь слишком близко к камере, — произнес мальчишеский голос.

Рейчел уронила руку.

Джейни отступила назад. На ней были голубые джинсы с высокой талией, металлический серебристый пояс и фиолетовая блуза с длинным рукавом. Рейчел помнила, как она гладила эту блузу. С рукавами приходилось повозиться из-за сложного расположения складок.

Ее дочь была по-настоящему красива, словно изящная птица — может быть, цапля, но, боже правый, неужели этот ребенок и впрямь был настолько тощим? Ее руки и ноги выглядели такими тонкими. Может, с ней что-то было не так? Может, она страдала анорексией? Как Рейчел могла этого не заметить?

Джейни присела на край узкой кровати. Этой комнаты Рейчел никогда не видела. Красно-синее полосатое покрывало на постели, темно-коричневые деревянные панели на стенах позади. Джейни опустила подбородок и взглянула в камеру с напускной серьезностью, а затем поднесла к губам карандаш на манер микрофона.

Рейчел громко рассмеялась и сомкнула ладони, словно в молитве. Это она тоже забыла. Как она могла это забыть? Джейни любила прикинуться репортером. Она заходила на кухню, подхватывала морковку и спрашивала: «Скажите, миссис Рейчел Кроули, каким был ваш сегодняшний день? Заурядным? Незаурядным?» А затем она протягивала морковку Рейчел, и та подавалась ближе и отвечала в морковку: «Заурядным».

Конечно, она говорила «заурядным». Все ее дни были исключительно заурядными.

— Добрый вечер, я Джейни Кроули, в прямом эфире из Туррамурры, где со мной согласился побеседовать молодой затворник, известный под именем Коннора Уитби.

Рейчел затаила дыхание. Она повернулась, и слово «Эд» застряло у нее в горле.

«Эд. Подойди-ка. Ты должен это увидеть».

Она уже много лет так не делала.

— Не соизволите ли подползти чуть ближе, мистер Уитби, чтобы мои зрители могли посмотреть на вас? — произнесла Джейни в карандаш.

— Джейни.

— Коннор, — передразнила его тон Джейни.

Широкоплечий темноволосый юноша в шортах и желто-синей полосатой фуфайке от формы для регби сдвинулся по кровати и сел рядом с Джейни. Он посмотрел в камеру и снова отвел глаза, смущенный, как будто разглядел мать девушки, наблюдающую за ними из будущего тридцать лет спустя.

У Коннора было тело мужчины и лицо мальчишки. На лбу у него Рейчел разглядела россыпь прыщей. Его отличал тот истощенный, испуганный, угрюмый вид, что и у многих мальчиков-подростков. Словно им одновременно хочется врезать кулаком по стене и чтобы их обняли и приласкали. Коннор тридцатилетней давности не обитал в своем теле так же уютно, как сейчас, и явно не знал, что делать с конечностями. В итоге он вытянул ноги перед собой и принялся легонько похлопывать ладонью одной руки по сжатому кулаку другой.

Рейчел заметила, что дышит прерывистыми всхлипами. Ей хотелось нырнуть в экран и выволочь оттуда Джейни. Что она там делает? Это же явно комната Коннора. Ей никто не разрешал заходить к мальчикам в спальни. Эда удар бы хватил.

«Джейни Кроули, а ну-ка немедленно ступай домой, юная леди».

— Зачем я тебе нужен в самом кадре? — спросил Коннор, снова глянув в камеру. — Я не могу просто посидеть в сторонке?

— Нельзя брать интервью у человека за кадром, — возразила Джейни. — Может, мне еще пригодится эта пленка, когда я пойду устраиваться репортером в «Шестьдесят минут».

Она улыбнулась Коннору, и тот улыбнулся в ответ: непроизвольной, безумной улыбкой.

«Безумной» было правильным словом. Мальчик явно был от Джейни без ума.

«Мы просто дружили, — сообщил он полиции. — Она не была моей девушкой».

«Но я знаю всех ее друзей, — сказала тогда Рейчел. — И всех их матерей».

Лица служителей закона остались вежливо-сдержанными. Несколько лет спустя, решив наконец-то избавиться от кровати Джейни, Рейчел обнаружила под матрасом упаковку противозачаточных таблеток. Она ничего не знала о собственной дочери.

— Итак, Коннор, расскажи о себе, — потребовала Джейни, протянув ему карандаш.

— Что ты хочешь узнать?

— Ну, например, есть ли у тебя девушка?

— Не знаю, — ответил Коннор, пристально глядя на Джейни, и внезапно показался куда взрослее на вид. Затем подался вперед и произнес в карандаш: — А у меня есть девушка?

— Так сразу и не скажешь, — протянула Джейни, накручивая на палец волосы. — А что ты можешь предложить? Каковы твои сильные стороны? А слабости? То есть тебе же нужно хоть как-то себя подать, сам знаешь.

Теперь его голос звучал глупо, резко и даже ноюще. Рейчел поморщилась.

«Ох, Джейни, милая, перестань! Смени тон. Ты не можешь так с ним разговаривать».

Только в кино подростки кокетничают с красивой чувственностью. В жизни мучительно наблюдать, как они барахтаются.

— Черт побери, Джейни, если ты все еще не можешь ответить мне прямо, то есть... твою мать!

Коннор вскочил с кровати, а Джейни издала пренебрежительный смешок. Лицо у нее по-детски сморщилось, но Коннор этого не видел — только слышал смешок. Он направился прямиком к камере. Его рука протянулась к ней, заполнив весь экран.

Рейчел захотелось его остановить. Нет, не выключай. Не отнимай ее у меня.

Экран разом заполнили помехи, и голова Рейчел качнулась назад, как будто ей дали пощечину.

Ублюдок. Убийца.

Ее переполнял адреналин, воодушевляла ненависть. Ну что ж, это улика! Новая улика после стольких лет!

«Звоните мне в любое время, миссис Кроули, если вам что-нибудь придет в голову. Пусть даже это случится глухой ночью», — столько раз повторил ей сержант Беллах, что это навязло у нее в ушах.

Она еще ни разу этого не делала. Теперь, по крайней мере, у нее что-то для него появилось. Убийцу схватят. Она сможет прийти в зал суда и услышать, как судья объявляет Коннора Уитби виновным.

Нетерпеливо покачиваясь на пятках, Рейчел набирала номер сержанта Беллаха. Перед глазами у нее стояло сморщенное лицо Джейни.

Глава 17

Коннор, — повторила Тесс. — А я тут просто заправляюсь.

— Да ты шутишь, — отозвался Коннор.

Тесс не сразу удалось собраться с мыслями.

— Ты меня напугал, — сварливо сообщила она, поскольку это смутило ее. — Я приняла тебя за маньяка с топором.

Она взялась за заправочный пистолет. Коннор так и остался стоять рядом, держа шлем под мышкой и выжидательно глядя на нее. Да ладно, разве они мало поболтали? Садись уже на свой мотоцикл и кати отсюда. Тесс предпочитала, чтобы люди из ее прошлого там и оставались. Бывшие парни, школьные друзья, коллеги по прошлым работам — в самом деле, какой в них смысл? Жизнь продолжается. Она с удовольствием вспоминала о людях, которых когда-то знала, но только не вместе с ними.

Тесс потянула за рычаг на колонке, настороженно улыбаясь и пытаясь припомнить, как именно закончились их отношения с Коннором. Не тогда ли они с Фелисити переехали в Мельбурн? Он ухаживал за ней в цепи других ребят. Обычно она рвала с ними первой. Чаще всего — после того, как их высмеивала Фелисити.

На освободившееся место всегда находился новый желающий. Она считала, что причиной тому был подходящий уровень ее привлекательности — не слишком устрашающий. Она говорила «да» каждому, кто приглашал ее на свидание. Ей и в голову не приходило отказаться.

Тесс вспомнилось, что Коннор был сильнее привязан к ней, чем она к нему. Он казался слишком взрослым и серьезным. Тесс училась на первом курсе в университете, ей было всего девятнадцать, и отчасти ее озадачивал пылкий интерес этого тихого человека намного старше, чем она.

Вполне возможно, что она дурно с ним обошлась. В подростковом возрасте Тесс страшно недоставало уверенности, она постоянно беспокоилась о том, что думают о ней другие и не могут ли они причинить ей боль, но даже не задавалась вопросом, как ее действия скажутся на чужих чувствах.

— Сказать по правде, я о тебе думал, — заговорил Коннор. — После того, как утром увидел тебя в школе. Даже гадал, не захочешь ли ты... э-э-э... поболтать? Скажем, за чашечкой кофе?

— О! — отозвалась Тесс.

Кофе с Коннором Уитби. Это казалось до нелепости неуместным, как бывало, когда Лиам предлагал поиграть в головоломку-мозаику, пока Тесс пыталась разобраться с каким-нибудь компьютерным или водопроводным кризисом. Вся ее жизнь только что взорвалась! Она не собиралась распивать кофе с этим милым, но чрезвычайно скучным пережитком юности.

Может, Коннор не в курсе, что она замужем? Тесс повернула руки на бензиновом насосе так, чтобы обручальное кольцо стало хорошо видно. Она по-прежнему ощущала себя безоговорочно замужней.

Очевидно, вернуться в родные края — это все равно что зарегистрироваться на «Фейсбуке». И вот бывшие поклонники средних лет уже выползают из всех щелей, словно тараканы, и предлагают «что-нибудь выпить», шевеля усиками в предвкушении возможной интрижки. А сам Коннор женат? Она покосилась на его руки, пытаясь разглядеть кольцо.

— Я не имел в виду свидание, если ты об этом подумала, — пояснил Коннор.

— Я ни о чем таком не думала.

— Не беспокойся, я в курсе, что ты замужем. Не знаю, помнишь ли ты сына моей сестры, Бенджамина? В общем, он только что окончил университет и хочет податься в рекламщики. Это же твоя сфера? Собственно, я как раз думал использовать твои профессиональные знания. — Он чуть помолчал, пожевав собственную щеку, и уточнил: — Хотя это я неудачно выразился.

— Бенджамин окончил университет? — озадачилась Тесс. — Не может быть, он же еще в школу не ходил!

Воспоминания нахлынули на нее. Минуту назад она не сумела бы ответить, как звали племянника Коннора, и даже не вспомнила бы о его существовании. А теперь она вдруг ясно представила бледно-зеленый оттенок стен в комнате Бенджамина.

— Он был дошкольником шестнадцать лет назад, — напомнил Коннор. — Теперь он шести футов трех дюймов роста, крайне волосат и обзавелся татуировкой в виде штрихкода на шее. Я не шучу. У него там штрихкод.

— Мы ходили с ним в зоопарк, — изумилась Тесс.

— Вполне возможно.

— Твоя сестра крепко спала, — добавила Тесс, вспомнив темноволосую женщину, свернувшуюся в клубочек на диване. — Она тогда приболела.

Не была ли она, случаем, матерью-одиночкой? Не то чтобы Тесс принимала это тогда во внимание. Ей следовало бы вызваться сходить в магазин за продуктами.

— Как поживает твоя сестра?

— О, ну, на самом деле она умерла несколько лет назад, — извиняющимся тоном ответил Коннор. — Сердечный приступ. Ей было всего пятьдесят. Она была в отличной форме и вполне здорова, так что это... всех потрясло. Мне досталась опека над Бенджамином.

— Боже, прости, Коннор. — От неожиданности голос Тесс надломился.

Мир был отчаянно грустным местом. Не был ли он особенно близок с сестрой? Как же ее звали? Лиза! Ее звали Лизой.

— Я охотно выпью кофе, — внезапно поддавшись порыву, заявила Тесс. — Поговорим о рекламном деле. Не знаю уж, насколько это тебе поможет.

Она не единственная страдает. Люди теряют близких. Мужья влюбляются в других. Кроме того, кофе с человеком, не имеющим ни малейшего отношения к ее нынешней жизни, превосходно ее отвлечет. И вовсе в Конноре Уитби не было ничего зловещего.

— Отлично, — улыбнулся он.

И откуда у него взялась такая обаятельная улыбка? Он приподнял шлем.

— Я позвоню или пришлю электронное письмо.

— Ладно, тогда тебе нужен мой...

Бензиновый насос щелкнул, сообщая, что бак полон, и Тесс вытащила пистолет и пристроила его обратно на колонку.

— Ты теперь мама в школе Святой Анджелы, — напомнил Коннор. — Я знаю, как тебя найти.

— О-о... Хорошо.

Мама в школе Святой Анджелы. Чувствуя себя непривычно уязвимой, Тесс повернулась к Коннору с ключами от машины и бумажником в руках.

— Кстати, мне нравится твоя пижама, — заявил он, смерив ее взглядом с ног до головы и усмехнувшись.

— Спасибо, — отозвалась Тесс. — Мне нравится твой мотоцикл. Не помню, чтобы ты на таком ездил.

Разве у него не было скучного маленького седана или чего-то в этом роде?

— У меня кризис среднего возраста.

— По-моему, мой муж как раз страдает от него же.

— Надеюсь, это не слишком дорого тебе обходится.

Тесс пожала плечами. Ха-ха.

— Когда мне было семнадцать, — добавила она, еще раз взглянув на мотоцикл, — мама пообещала мне пятьсот долларов, если я подпишу обязательство никогда не кататься на мотоциклах с мальчишками.

— И ты подписала?

— Да.

— И ни разу не нарушила?

— Не-а.

— Мне сорок пять, — заметил Коннор. — Я уже не принадлежу к мальчишкам.

Их взгляды встретились. Не сделался ли этот разговор... игривым? Ей вспомнилось, как она проснулась с ним рядом, в светлой комнате с окном, выходящим на оживленное шоссе. Это не у него был на кровати водяной матрас? И они с Фелисити еще долго над этим ухохатывались? Он носил подвеску со святым Христофором, и та качалась над ее лицом, когда они занимались любовью. Внезапно ее замутило. Она почувствовала себя жалкой. Это было ошибкой.

Коннор, похоже, уловил перемену в ее настроении.

— Ладно, Тесс, я как-нибудь тебе позвоню насчет кофе.

Он снова надел шлем, завел мотоцикл, вскинул руку в черной перчатке и с ревом укатил прочь.

Тесс проводила его взглядом и вздрогнула. Да ведь первый в своей жизни оргазм она испытала именно на том смехотворном водяном матрасе. Собственно, если об этом подумать, на него же пришлось и несколько других первых опытов. «Плюх-плюх», — хлюпал матрас. Секс в те времена, тем более для хорошей девочки-католички вроде Тесс, казался чем-то разнузданным, грязным и новым.

Зайдя в ярко освещенный павильон заправки, чтобы расплатиться за бензин, она подняла взгляд: в зеркале безопасности отражалось ее собственное лицо, ярко-красное от смущения.

Глава 18

Значит, ты его прочла, — заключил Джон Пол.

Сесилия посмотрела на него так, будто никогда прежде не видела. Мужчина средних лет, некогда весьма привлекательный — да и сейчас тоже, по крайней мере на ее вкус. У Джона Пола было одно из пресловутых честных, заслуживающих доверия лиц. Вы бы купили подержанную машину у Джона Пола. И эта знаменитая фицпатриковская челюсть. У всех сыновей Фицпатриков были решительные подбородки. Его волосы поседели, но оставались густыми, и он неприкрыто этим гордился. Ему нравилось сушить свою шевелюру феном, из-за чего братья вечно его изводили. Он стоял в дверях кабинета в синих с белым полосатых трусах-боксерах и красной футболке. Его лицо было бледным и потным, как будто он чем-то отравился.

Она не слышала, как он спускался с чердака и шел по коридору. И не знала, как долго он уже стоит там, пока она сидит, невидяще уставившись на собственные руки, примерно сложенные на коленях, словно у маленькой девочки в церкви.

— Я его прочла, — подтвердила она.

Сесилия подтянула лист поближе к себе и перечитала текст заново, медленно, как будто на этот раз, когда

Джон Пол стоит прямо перед ней, там обязательно обнаружится какое-то другое содержание.

Письмо было написано синей шариковой ручкой на линованном листке бумаги. На ощупь буквы казались неровными, словно шрифт Брайля. Должно быть, пишущий сильно нажимал на ручку, будто пытался выгравировать каждое слово на бумаге. В тексте не было ни абзацев, ни просветов, слова плотно жались друг к дружке.

Моя дорогая Сесилия, если ты читаешь это письмо, значит я уже мертв, — и хотя это выглядит чересчур манерно, но ведь все когда-нибудь умирают. Сейчас ты в больнице, с нашей новорожденной дочерью Изабель. Она родилась сегодня, рано утром. Она такая красивая, и крошечная, и беспомощная. Когда я впервые взял ее на руки, то понял, что никогда не испытывал ничего подобного. Я уже с ужасом думаю о том, что с ней может что-то произойти. И именно поэтому я должен это записать. Просто на случай, если что-то произойдет со мной, — по крайней мере, это я сделал. Я хотя бы попытался сделать все правильно. Я выпил пива. Возможно, я непонятно выражаюсь. Вероятно, я порву это письмо. Сесилия, я должен тебе признаться, что в семнадцать лет я убил Джейни Кроули. Если ее родители все еще живы, пожалуйста, передай им, что я сожалею и что это был несчастный случай. Это произошло неумышленно. Я вышел из себя. Мне было семнадцать, чертову идиоту. Не могу поверить, что это был я. Это кажется каким-то кошмаром. Кажется, такое можно совершить только под кайфом или пьяным, но нет. Я был абсолютно трезв. Я просто сорвался. У меня в мозгах что-то щелкнуло, как говорят эти тупые регбисты. Звучит так, будто я пытаюсь оправдаться, но я не ищу отговорок. Я совершил этот невообразимый поступок и не могу его объяснить. Я знаю, что ты думаешь, Сесилия, ведь для тебя все так четко делится на черное и белое. Ты думаешь: почему он не признался? Но ты же знаешь, почему я не мог пойти в тюрьму. Ты знаешь, что я не могу сидеть взаперти. Я понимаю, что трус. Именно поэтому я пытался покончить с собой, когда мне было восемнадцать, но мне не хватило духа довести дело до конца. Пожалуйста, передай Эду и Рейчел Кроули, что я не прожил ни дня, не вспомнив об их дочери. Скажи им, что все произошло быстро. Всего лишь за секунду до того Джейни смеялась. Она была счастлива до самого конца. Возможно, это звучит ужасно. Это и впрямь звучит ужасно. Не говори им этого. Это был несчастный случай, Сесилия. Джейни сказала мне, что влюблена в другого, а потом посмеялась надо мной. Вот и все, что она сделала. Я обезумел. Пожалуйста, передай Кроули, что я страшно сожалею, дальше некуда. Пожалуйста, скажи Эду Кроули: теперь, когда я сам стал отцом, я понимаю, что именно сделал. До сих пор эта вина грызла меня, словно опухоль, а теперь стало еще хуже. Прости, что взваливаю на тебя это бремя, но я знаю, ты достаточно сильная, чтобы выдержать. Я так люблю тебя и нашу дочь, ты подарила мне больше счастья, чем я заслуживал. Я не заслуживал ничего, а получил все.

Мне так жаль.

С любовью, Джон Пол

Прежде Сесилии казалось, ей уже случалось злиться, и не раз, но теперь она поняла, что даже не подозревала, как ощущается подлинный гнев. Раскаленная добела обжигающая чистота. Это было неистовое, безумное, чудесное чувство. Ей казалось, она может взлететь. Она могла перелететь через комнату, словно демон, и расцарапать лицо Джона Пола в кровь.

— Это правда? — спросила она.

Ее разочаровал звук собственного голоса. Он был слабым. Не было заметно, что он исходит от человека, озверевшего от гнева.

— Это правда? — повторила она тверже.

Сесилия в этом не сомневалась, но всепоглощающее нежелание признавать правду вынудило ее задать вопрос. Ей хотелось умолять, чтобы суровую истину кто-нибудь отменил.

— Прости, — отозвался он.

Его глаза налились кровью и вращались, как у испуганной лошади.

— Но ты бы никогда, — выговорила Сесилия. — Ты бы не стал. Ты бы не смог.

— Я не могу это объяснить.

— Ты даже не знал Джейни Кроули, — выпалила она, но исправилась: — Я даже не догадывалась, что ты ее знал. Ты никогда о ней не говорил.

При упоминании Джейни Джона Пола заметно затрясло. Он вцепился в края дверной рамы. Вид его дрожи поразил ее даже сильнее, чем написанные им слова.

— Если бы ты умер, — начала она. — Если бы ты умер и я нашла это письмо...

Она осеклась. Гнев мешал ей дышать.

— Как ты мог попросту взвалить это на меня? Поручить мне такое? Ожидать, что я объявлюсь на пороге у Рейчел Кроули и расскажу ей о... об... этом?

Сесилия встала, закрыла лицо ладонями и закружила по комнате. Без особого интереса она отметила, что обнажена: ее футболка осталась где-то в ногах постели после того, как они занимались сексом, и она не потрудилась ее найти.

— Я сегодня подвозила Рейчел домой! Я подвозила ее домой! И разговаривала с ней о Джейни! Я так гордилась тем, что поделилась с ней воспоминанием, которое у меня осталось о Джейни, а все это время здесь лежало это письмо. — Она убрала руки от лица и посмотрела на мужа. — Джон Пол, а что, если бы его нашел кто-то из девочек? — Эта мысль только сейчас пришла ей в голову. И оказалась такой весомой, такой чудовищной, что Сесилия не смогла не повторить этих слов. — Что, если бы его нашел кто-то из девочек?

— Я понимаю, — прошептал Джон Пол, зашел в кабинет, встал спиной к стене и поднял на жену такой взгляд, словно видел перед собой расстрельную команду. — Прости.

На ее глазах его ноги подкосились, он соскользнул по стене и сел на ковер.

— Зачем тебе понадобилось это писать? — спросила она, приподняв письмо за уголок и снова уронив его. — Как ты мог перенести нечто подобное на бумагу?

— Я слишком много выпил, а потом на следующий день пытался его найти, чтобы порвать, — объяснил он, взглянув на нее полными слез глазами. — Но я потерял его. Я едва не рехнулся, пока искал. Должно быть, как раз заполнял налоговую декларацию и оно затесалось среди документов. Мне казалось, я посмотрел...

— Хватит! — крикнула Сесилия.

Она не могла вынести звучавшего в его голосе привычного безысходного удивления из-за того, как вещи склонны теряться, а потом находиться снова. Как будто это письмо было чем-то совершенно обыденным, вроде неоплаченного счета за автомобильную страховку.

Джон Пол прижал палец к губам.

— Ты разбудишь девочек, — робко напомнил он.

Ее мутило от его волнения.

«Будь мужиком! — хотелось завизжать ей. — Прогони это. Избавь меня от этой пакости!»

Это была омерзительная, уродливая, жуткая тварь, которую он должен был уничтожить. Невероятно тяжелый ящик, который он должен был забрать из ее рук. А он не делал ничегошеньки.

— Папочка! — разнесся по коридору тоненький голосок.

Это была Полли, ей всегда спалось хуже всех в семье. И она постоянно звала отца. Сесилия ей не годилась. Только отец мог прогнать чудовищ. Только ее отец. Ее отец, убивший семнадцатилетнюю девочку. Ее отец, который сам был чудовищем. Ее отец, который все эти годы хранил в душе гибельный, неописуемый секрет. Сесилия как будто не вполне осознавала все это до самого нынешнего мгновения.

От потрясения у нее перехватило дыхание. Она рухнула в черное кожаное кресло.

— Папочка!

— Иду, Полли!

Джон Пол медленно поднялся на ноги, тяжело опираясь на стену. Бросил на Сесилию отчаянный взгляд и направился по коридору к комнате дочери.

Сесилия сосредоточилась на дыхании. Вдох через нос. Она видела лицо двенадцатилетней Джейни Кроули. «Это всего лишь дурацкая маршировка». Выдох через рот. Она видела зернистую черно-белую фотографию Джейни, появившуюся на первых полосах газет, с длинным хвостом белокурых волос, переброшенным через плечо. Все жертвы убийств выглядели точь-в-точь как жертвы убийств: красивыми, невинными и обреченными, как будто все было предопределено заранее. Вдох через нос. Она видела Рейчел Кроули, которая стукалась лбом в окно машины. Выдох через рот. Что же делать, Сесилия? Что делать? Как это исправить? Как все уладить? Она все исправляла. Все улаживала. Все упорядочивала. Только-то и нужно: взять трубку телефона, выйти в Интернет, заполнить нужные бланки, поговорить с нужными людьми, договориться о возмещении, о замене, о лучшей модели.

Вот только ничто на свете не вернет Джейни. Мысли Сесилии упорно возвращались к единственному холодному, неколебимому, ужасному факту, словно к огромной стене, которую невозможно преодолеть.

Она принялась рвать письмо на мелкие клочки.

Признаться. Джон Пол должен признаться. Это очевидно. Он должен сказать правду. Очистить все до блеска. Соскрести грязь. Подчиниться правилам. Закону. Ему придется сесть в тюрьму. Его приговорят. Приговор. Отправят за решетку. Но он не может сидеть взаперти. Он сойдет с ума. Значит, медикаменты, лечение. Она поговорит с людьми. Проведет исследование. Не станет же он первым заключенным, страдающим клаустрофобией. И разве эти камеры на самом деле не достаточно просторны? И у них есть прогулочные дворы, ведь так же?

Клаустрофобия не убивает по-настоящему. Ты просто чувствуешь себя так, будто не можешь дышать.

А вот две руки, сжатые на горле, могут убить на самом деле.

Он задушил Джейни Кроули. Он действительно взялся руками за ее тонкую девичью шею и сжал. Не делает ли это его злодеем? Да. Ответ должен быть «да». Джон Пол — злодей.

Сесилия продолжала рвать письмо на все более и более мелкие клочки, которые можно было пальцами скатать в комочки.

Ее муж — злодей. И следовательно, он должен отправиться в тюрьму. Сесилия станет женой заключенного. Есть ли какой-нибудь клуб для таких жен? Если нет, она его учредит. Она истерически захихикала, словно сумасшедшая. Ну разумеется, учредит! Она же Сесилия. Она станет председателем Общества жен заключенных и организует сбор средств на установку кондиционеров в камеры их несчастных мужей. В тюрьмах вообще есть кондиционеры? Или их только в начальных школах не хватает? Она представила, как будет болтать с другими женами в очереди к металлоискателю. «За что сидит ваш муж? О, ограбление банка? Правда? А мой за убийство. Ну да, задушил девушку. Сходим потом в спортзал, как вам эта идея?»

— Она уснула, — сообщил Джон Пол, вернувшись в кабинет. Он стоял перед ней, круговыми движениями потирая щеки под скулами так, как обычно делал в минуты крайней усталости.

Он не выглядел злодеем. Он выглядел совсем как ее муж: небритый, взлохмаченный, с кругами под глазами. Ее муж. Отец ее детей.

Если он однажды кого-то убил, что помешает ему поступить так снова? Она только что позволила ему зайти в комнату к Полли. Она только что позволила убийце зайти в комнату ее дочери.

Но это же Джон Пол! Их отец. Папочка.

Как они расскажут девочкам о том, что сделал Джон Пол?

«Папочка сядет в тюрьму».

На миг ее мысли полностью замерли.

Они никогда не смогут рассказать это девочкам.

— Прости, — пробормотал Джон Пол.

Он бестолково протянул вперед руки, как будто хотел ее обнять, но их разделяло слишком большое расстояние. Непреодолимое.

— Милая, я так сожалею.

Сесилия обхватила руками собственное нагое тело. Она отчаянно дрожала. Ее зубы стучали.

«У меня нервный срыв, — с облегчением подумала она. — Я вот-вот сойду с ума, и тем лучше, поскольку исправить это невозможно. Это попросту непоправимо».

Глава 19

Вот! Видите!

Рейчел нажала кнопку паузы, так что сердитое лицо Коннора Уитби замерло на экране. Это было лицо чудовища: глаза — злобные черные дыры, губы растягивал бешеный оскал. Рейчел просмотрела эту пленку уже четырежды, и с каждым разом ее уверенность крепла. Это же потрясающе убедительно! Покажите любому судье, и он сразу вынесет приговор.

Она оглянулась на отставного сержанта Родни Беллаха: тот сидел у нее на диване, подавшись вперед и опираясь локтями на колени, и как раз в этот момент прикрывал рот ладонью в попытке подавить зевок.

Что ж, была середина ночи. Сержант Беллах, который всегда говорил ей: «Могли бы уже попросту звать меня Родни», — очевидно, крепко спал, когда она позвонила. Трубку взяла его жена, и Рейчел слышала, как она пыталась его добудиться.

— Родни. Ро-од-ни. Это тебя!

Когда он наконец-то подошел к телефону, его голос со сна звучал сипло и невнятно.

— Я сейчас же подъеду, миссис Кроули, — наконец пообещал он, когда она все ему объяснила.

214

— Куда, Родни? — расслышала Рейчел вопрос его жены, пока он еще не повесил трубку. — Куда подъедешь? Почему это не может подождать до утра?

Голос у нее был как у настоящей старой карги.

Вероятно, это вполне могло подождать до утра, подумала Рейчел, увидев, как Родни доблестно пытается подавить очередной мощный зевок и трет костяшками пальцев затуманенные глаза. По крайней мере тогда бы он был повнимательнее. Он и впрямь не слишком хорошо выглядел. Как выяснилось, недавно у него выявили диабет второго типа. Ему пришлось сесть на серьезную диету. Он упомянул об этом, пока они готовились смотреть запись. «Совершенно исключен весь сахар, — печально заметил он. — Больше никакого мороженого на десерт».

— Миссис Кроули, — наконец заключил он, — я, само собой, вижу, почему вы считаете, что эта запись доказывает наличие у Коннора определенного мотива, но буду с вами честен: вряд ли ее хватит, чтобы убедить ребят приглядеться к нему повнимательнее.

— Но он был в нее влюблен! — возразила Рейчел. — Он был в нее влюблен, а она его отвергла.

— Ваша дочь была очень хороша собой. Вероятно, множество мальчишек в нее влюблялись.

Рейчел была ошеломлена. Как же она проглядела, что Родни настолько туп? Настолько бестолков? Или это диабет сказался на его интеллекте? Может ли мозг усохнуть от недостатка мороженого?

— Но Коннор не просто мальчишка, — выговорила она медленно и внятно, чтобы сержант наверняка понял. — Он последний, кто видел ее перед смертью.

— У него алиби.

— Алиби обеспечила его мать! — возмутилась Рейчел. — Ясное дело, она солгала!

— И сожитель его матери подтвердил, — уточнил Родни. — Но, что важнее, сосед в пять часов вечера видел, как Коннор выносил мусор. И этот сосед — весьма надежный свидетель, адвокат и отец троих детей. Я помню дело Джейни во всех подробностях, миссис Кроули. Уверяю вас, если бы я решил, что у нас есть хоть что-нибудь...

— Лживые глаза! — перебила его Рейчел. — Вы сами сказали, что у Коннора Уитби лживые глаза. Что ж, вы были правы! Абсолютно правы!

— Но, видите ли, — возразил Родни, — это видео доказывает лишь то, что у них вышла небольшая размолвка.

— Небольшая размолвка! — повысила голос Рейчел. — Взгляните на лицо этого типа! Он убил ее! Я знаю, что он убил ее. Я знаю это всем сердцем, всем...

Она собиралась сказать «телом», но побоялась, что покажется полоумной. Тем не менее это было так. Ее тело подсказывало ей, что́ именно совершил Коннор. Оно все пылало, будто в лихорадке. Даже кончики пальцев казались горячими.

— Знаете, миссис Кроули, я посмотрю, можно ли что-то сделать, — предложил Родни. — Не стану ничего обещать насчет того, даст ли это результаты, но уверяю вас, данная запись попадет в нужные руки.

— Спасибо. О большем я не могла бы и просить.

Неправда. Она могла бы попросить о куда большем. Ей хотелось, чтобы полицейская машина с мигалкой и визжащей сиреной сию же секунду подкатила к дому Коннора Уитби. Ей хотелось, чтобы на Коннора надели наручники, а суровый дородный полицейский зачитал ему права. И ей вовсе не хотелось, чтобы этот полицейский бережно придержал голову Коннора, усаживая его на заднее сиденье полицейской машины. Пусть лучше по голове Коннора бьют снова и снова, пока она не превратится в кровавую кашу!

— Как поживает ваш маленький внучок? Растст?

Родни взял с каминной полки фотографию Джейкоба в рамочке, пока Рейчел извлекала из магнитофона кассету.

— Он уезжает в Нью-Йорк, — сообщила Рейчсл, протянув сержанту пленку.

— Серьезно? — переспросил Родни, взяв кассету и аккуратно поставив фотографию на место. — Моя старшая внучка тоже улетела в Нью-Йорк. Ей уже восемнадцать. Малышка Эмили. Получила стипендию в одном из их лучших университетов. Его еще называют Большим яблоком, верно? Интересно, с чего бы это?

— Понятия не имею, Родни. — Рейчел натянуто улыбнулась ему и проводила до дверей. — Ни малейшего понятия.

6 апреля 1984 года

Утром последнего дня своей жизни Джейни Кроули села в автобусе рядом с Коннором Уитби.

Она как будто задыхалась без особой причины и попыталась успокоиться, делая медленные глубокие вдохи от диафрагмы. Не слишком-то они помогли.

«Успокойся», — велела она себе.

— Я должна тебе кое-что сказать, — сообщила она.

Он промолчал. Он всегда мало разговаривал, подумала Джейни. Она заметила, как он разглядывает собственные ладони, лежащие на коленях, и пригляделась к ним сама. У него очень крупные кисти, решила она с трепетом — страха, или предвкушения, или того и другого сразу. Ее собственные руки были ледяными. Они всегда оставались холодными. Она засунула их себе под свитер, чтобы согреть.

— Я приняла решение, — заявила Джейни.

Коннор внезапно повернул голову и взглянул на нее. Автобус покачнулся, сворачивая за угол, и их тела скользнули ближе друг к другу, так что глаза теперь разделяло лишь несколько дюймов.

Она дышала так часто, что даже задумалась, все ли с ней в порядке.

— Какое? — отозвался он.

Среда

Глава 20

В полседьмого утра будильник жестоким рывком вернул Сесилию в реальность. Она спала на боку, лицом к Джону Полу, и их глаза открылись одновременно. Они лежали так близко друг к другу, что их носы едва не соприкасались.

Тонкие росчерки красных вен на белках голубых глаз Джона Пола, поры на носу, седая щетина на сильном, решительном, честном подбородке... Кто этот человек?

Прошлой ночью они вернулись в постель и вместе лежали в темноте, слепо уставившись в потолок, пока Джон Пол говорил. Как же ему хотелось выговориться. Не было никакой нужды что-то выпытывать. Она не задала ни единого вопроса: ему хотелось рассказать ей все. Его голос был тихим и напряженным, без интонаций, монотонным почти до нудности — вот только в том, что он ей рассказывал, не было ничего нудного. Чем дольше он говорил, тем более хриплым становился его голос. Это походило на кошмар — лежать в темноте и слушать его надсаженный, бесконечный шепот. Ей пришлось прикусить губу, чтобы не завопить: «Заткнись, заткнись, заткнись!»

Он был влюблен в Джейни Кроули — по уши, до одержимости. Так, как подростки представляют себе любовь. Однажды он встретил ее в «Макдоналдсе» в Хорнсби, где они оба заполняли заявления, надеясь устроиться на подработку. Джейни вспомнила его по временам совместной учебы, перед тем как он перевелся в престижную мужскую школу. Они были одногодками, но занимались в разных классах. Он, по большому счету, не помнил ее вовсе, хотя вроде бы узнал имя Кроули. Ни один из них так и не поступил в «Макдоналдс»: Джейни устроилась в химчистку, а Джон Пол нашел себе место в молочном баре, но у них завязалась эта поразительно насыщенная беседа бог весть о чем, и она оставила ему телефон, а он позвонил ей на следующий день.

Он считал ее своей девушкой и думал, что с ней лишится девственности. Все это следовало хранить в секрете, потому что отец Джейни был одним из двинутых папаш-католиков и запретил ей до восемнадцатилетия встречаться с мальчиками. Их отношения, какими бы они ни были, следовало тщательно скрывать, но это лишь прибавляло им увлекательности, делая чем-то вроде игры в тайных агентов. У них были правила: например, если он звонил ей домой и к телефону подходил кто-то, кроме Джейни, он вешал трубку. Они никогда не держались за руки на людях. Никто из их друзей не знал, Джейни на этом настаивала. Как-то они пошли в кино и держались за руки в темноте. Они целовались в поезде, когда оказались одни в пустом вагоне. Сидели в беседке в парке Уотл-Вэлли, курили и говорили о том, что хотели бы съездить в Европу до учебы в университете. И на этом, собственно говоря, все. Не считая того, что он думал о ней днем и ночью. Он писал ей стихи, которые стеснялся показывать.

«Мне он никогда не писал стихов», — некстати подумала Сесилия.

В тот вечер Джейни пригласила его встретиться в парке. Они частенько гуляли там и прежде. В парке всегда бывало пусто, а еще стояла беседка, где они могли сидеть и целоваться. Она сказала, что должна кое о чем ему сообщить. Он-то думал, она скажет, что сходила в центр планирования семьи и взяла там таблетки, как они и собирались. Но вместо этого она заявила, что сожалеет, но влюблена в другого. Джон Пол был ошеломлен. Растерян. Он даже не знал, что у него есть соперники! Он сказал: «Но я думал, ты моя девушка!» А она рассмеялась. По словам Джона Пола, она выглядела такой счастливой, так радовалась тому, что она не его девушка. Его это попросту сокрушило, и унизило, и переполнило невероятной яростью. Прежде всего им двигала уязвленная гордость. Он почувствовал себя дураком и за это захотел ее убить.

Похоже, Джону Полу было отчаянно важно, чтобы Сесилия это узнала. Он сказал, что не хочет оправдываться, или смягчать произошедшее, или притворяться, будто это был несчастный случай, потому что на несколько секунд его всецело обуяла жажда убийства.

Он не помнил, с чего вдруг решил схватить ее за горло. Но помнил то мгновение, когда внезапно ощутил тонкую девичью шею в своих ладонях и осознал, что держит в удушающем захвате вовсе не одного из братьев. Он причинил боль девочке. Он помнил, как подумал: «Какого черта я делаю?» — и поспешно уронил руки, и даже почувствовал облегчение, поскольку был уверен, что остановился вовремя. Вот только она обмякла у него на руках, уставившись вдаль ему за плечо, и он подумал: нет, это невозможно. Ему казалось, прошла секунда, от силы две секунды безумной ярости — определенно слишком мало, чтобы убить.

Он не мог в это поверить. Даже теперь, спустя столько лет. Его по-прежнему потрясал и ужасал собственный поступок.

Она была еще теплой, но он знал, не имел и тени сомнения: она мертва.

Хотя позже он задумался, не мог ли ошибиться. Почему он даже не попытался оказать ей помощь? Он задавал себе этот вопрос, должно быть, миллион раз. Но тогда он был твердо уверен: она была мертва по всем ощущениям.

Поэтому он лишь бережно уложил ее под горкой. И он помнил, как подумал, что на улице холодает, и накрыл тело ее же школьным пиджаком. У него в кармане лежали мамины четки, потому что в тот день он сдавал экзамен и, как всегда, взял их с собой на удачу. Так что он осторожно вложил их в руки Джейни. Так он пытался извиниться перед Джейни и перед Богом. А затем он побежал. Бежал и бежал, пока не выбился из сил.

Он был твердо уверен, что его поймают. Ждал, когда же тяжелая ладонь полицейского ляжет ему на плечо.

Но его даже никто не допрашивал. Они с Джейни учились в разных школах, вращались в разных компаниях. Ни их родители, ни друзья об их отношениях не знали. Казалось, никто и никогда даже не видел их вместе. Как будто ничего вовсе не было.

Он сказал, что немедленно сознался бы, если бы полиция его допросила. Если бы кого-то другого обвинили в этом убийстве, он бы пошел и сдался. Не допустил бы, чтобы кто-то еще пострадал из-за него. Он не был настолько дурным человеком.

Просто никто ни о чем его не спрашивал, вот он и молчал.

В девяностые годы в новостях зазвучали рассказы о преступлениях, раскрытых с помощью анализа ДНК, и задумался, не оставил ли там крошечную частицу себя — скажем, единственный волос. Но даже если и так, они слишком недолго пробыли вместе и слишком успешно играли в секретность. Его никогда бы не попросили предоставить образец ДНК, поскольку никто и не подозревал, что они с Джейни были знакомы. Ему почти удалось убедить самого себя, что они не были знакомы и ничего подобного не произошло.

А затем миновали годы, время слой за слоем громоздилось поверх воспоминания о том, что он сделал. Порой, шептал он, ему удавалось месяцами чувствовать себя почти нормально, но временами он не мог думать ни о чем, кроме совершенного им убийства, и был уверен, что сходит с ума.

— Это как чудовище, запертое у меня в голове, — хрипел он. — И порой оно вырывается на свободу и неистовствует, а затем я снова его усмиряю. Сажаю на цепь. Понимаешь, что я имею в виду?

«Нет, — подумала Сесилия. — Честно говоря, не понимаю».

— А затем я встретил тебя, — продолжил Джон Пол. — И ощутил в тебе нечто особенное. Глубинную добродетель. Я влюбился в твою добродетель. Как будто я любовался на прекрасное озеро. Как будто ты каким-то образом очищала меня.

Сесилия пришла в ужас.

«Я не добродетельна, — подумала она. — Я однажды курила марихуану! Нам случалось вместе напиваться! Я-то думала, ты полюбил мою фигуру, мое приятное общество, мое чувство юмора, но не мою же добродетель, ради всего святого!»

Он продолжал говорить — судя по всему, ему отчаянно хотелось, чтобы она узнала все до малейшей подробности.

Когда родилась Изабель и Джон Пол стал отцом, он внезапно обрел новое, ужасное понимание того, что́ именно сделал с Рейчел и Эдом Кроули.

— Когда мы еще жили на Белл-авеню, я по дороге на работу проезжал мимо отца Джейни, когда тот выгуливал собаку. И его лицо... Оно выглядело... Не знаю, как это описать. Как будто его терзает ужасная боль и он должен бы кататься по земле, вот только вместо этого выгуливает собаку. И я думал: это сделал с ним я. Я виноват в этой боли. Я пытался выходить из дома в разное время или ездить разными дорогами, но все равно его встречал.

Они жили в доме на Белл-авеню, когда Изабель была грудным младенцем. Воспоминания Сесилии об этом месте пахли детским шампунем и кремом, размятыми грушами и бананами. Они с Джоном Полом были одержимы своей малышкой. Иногда он опаздывал на работу, чтобы побольше времени провести, лежа на кровати с Изабель, уткнувшись носом в ее выпуклый плотный животик, обтянутый белым костюмчиком от «Бондс». Но только и это не было правдой. Он пытался избежать встречи с отцом девушки, которую убил.

— Я видел Эда Кроули и думал: «Ну все, я должен признаться», — продолжал он. — Но потом вспоминал о тебе и малышке. Как я мог так поступить с вами? Как я мог тебе рассказать? Бросить тебя растить ребенка в одиночестве? Я подумывал, не переехать ли нам всей семьей из Сиднея, но знал, что ты не захочешь расстаться с родителями, да и в любом случае это казалось неправильным. Это стало бы бегством. Я должен был оставаться здесь, где в любую минуту мог наткнуться на родителей Джейни, и помнить о том, что сделал. Я должен был страдать. Именно тогда мне и пришла в голову мысль: надо найти новый способ наказать себя, чтобы страдать, не причиняя страданий никому другому. Я нуждался в покаянии.

Если что-либо дарило ему слишком много удовольствия — удовольствия, предназначенного исключительно для него, — он отказывался от этого. Вот почему он бросил греблю. Ему понравилось, и он был вынужден перестать, ведь Джейни никогда уже не сможет грести. Он продал любимую машину, «альфа-ромео», потому что Джейни никогда уже не сможет водить автомобиль.

Он посвятил себя местной общине, как будто судья назначил ему сколько-то часов общественных работ.

Сесилия считала, что его искренне заботят общественные нужды и они с ним в этом сходятся. А на самом деле того Джона Пола, которого она знала, не существовало вовсе. Он был выдумкой. Вся его жизнь была спектаклем: представлением для Господа, чтобы избежать кары.

Он сказал, что с общинными делами все оказалось не так-то просто. Как тут быть, когда ему самому это нравилось? Например, он любил вызываться добровольцем на тушение лесных пожаров: чувство товарищества, шутки, адреналин — так не перевешивало ли полученное им удовольствие его пользы для общества? Он все время это подсчитывал, гадал, чего еще может ждать от него Бог, сколько еще ему придется заплатить. Конечно, он знал, что полностью не расплатится никогда и после смерти, вероятно, отправится в ад.

«Он серьезно, — подумала Сесилия. — Он действительно считает, что попадет в ад, как будто ад — это реально существующее место, а не абстрактное представление».

Он поминал Господа пугающе привычно. Они же были не из таких верующих. Нет, конечно, они были христианами и посещали церковь, но, видит Бог, они же не были религиозными фанатиками. Господь не фигурировал в их повседневных разговорах.

Вот только, разумеется, этот разговор и не был повседневным.

Джон Пол продолжал говорить, и конца этому не предвиделось. Сесилии вспомнилась городская легенда о редком черве, который поселяется в твоем теле. Единственный способ вылечиться состоит в том, чтобы долго голодать, а потом поставить перед ртом горячий обед и подождать, пока червь не учует пищу и медленно, развернув кольца, не всползет вверх по твоей глотке. Голос Джона Пола напоминал этого червя: бесконечная протяженность ужаса, выскальзывающая из его рта.

Он рассказал, что, когда девочки подросли, его вина и сожаления стали почти невыносимыми. Причиной кошмаров, головных болей, приступов депрессии, которые он так отчаянно пытался от нее скрывать, было все то же его преступление.

— Чуть раньше в этом году Изабель начала напоминать мне Джейни, — не унимался Джон Пол. — Что-то в том, как она носила волосы. Я все время на нее смотрел. Это было ужасно. Я представлял, что кто-то причиняет боль Изабель, как я... как я обошелся с Джейни. С невинной девочкой. Мне казалось, я должен был испытать то же горе, на которое обрек ее родителей. Я должен был представлять ее мертвой. Я плакал. В ванной. В машине. Рыдал.

— Эстер видела, как ты плакал — где-то перед твоей поездкой в Чикаго, — заметила Сесилия. — В ванной.

— Правда? — моргнул Джон Пол.

На миг, пока он переваривал это известие, повисла блаженная тишина.

«Ладно, — подумала Сесилия, — мы закончили. Он перестал говорить».

Слава богу. Ее охватило физическое и душевное изнеможение, какого она не испытывала со времени последних родов.

— Я отказался от секса, — снова заговорил Джон Пол.

Ради бога.

Он хотел рассказать ей, что в прошлом ноябре изобретал новый способ себя наказать и решил отказаться от секса на шесть месяцев. Он стыдился, что это не пришло ему в голову раньше. Секс был одним из величайших наслаждений его жизни. Воздержание давалось ему очень тяжело. Он беспокоился, что она заподозрит его в романе на стороне, — ведь он же, ясное дело, не мог сообщить ей настоящую причину.

— Ох, Джон Пол, — вздохнула в темноте Сесилия.

Эта бесконечная погоня за искуплением, которой он предавался все эти годы, казалась глупой, ребяческой, крайне бессмысленной и характерно непоследовательной.

— Я пригласила Рейчел Кроули на пиратскую вечеринку Полли, — добавила Сесилия и поразилась тому, какой невинной дурочкой была лишь несколько часов назад. — Сегодня вечером я подвозила ее домой. Я говорила с ней о Джейни. Мне казалось, я так хорошо...

Ее голос сорвался.

Джон Пол глубоко, судорожно вздохнул:

— Прости меня. Знаю, я уже не в первый раз это говорю. Я понимаю, что это бесполезно.

— Все хорошо, — отозвалась она и едва не рассмеялась над тем, настолько явной была эта ложь.

А потом они внезапно провалились в глубокий сон, будто накачались снотворным.

— Ты в порядке? — спросил Джон Пол теперь. — Ты хорошо себя чувствуешь?

До нее донеслось его несвежее утреннее дыхание. У нее самой пересохло во рту, голова гудела. Она чувствовала себя слабой и пристыженной, словно с похмелья, как будто они вдвоем устроили прошлой ночью отвратительный кутеж.

Сесилия прижала ко лбу два пальца и прикрыла глаза, не в состоянии больше на него смотреть. Шея ныла. Должно быть, она спала в неудобной позе.

— Как ты думаешь, ты все еще... — Он осекся и судорожно прокашлялся, а затем наконец продолжил шепотом: — Ты сможешь остаться со мной?

В его глазах отражался чистый, первобытный ужас.

Может ли один поступок навсегда определить, кто ты есть? Может ли одно злодеяние в подростковом возрасте списать двадцать лет брака, счастливого брака, и то, что двадцать лет он был хорошим мужем и отцом? Совершив убийство, ты становишься убийцей — вот как это работает для других. Для посторонних, для людей, о которых ты читаешь в газетах. В этом Сесилия была уверена, но применимы ли к Джону Полу правила других? И если да, то почему?

Послышался стремительный топоток по коридору, и внезапно в их постель влетело маленькое теплое тельце.

— Добр-утро, мам, — объявила Полли, беззаботно втиснувшись между ними.

Голову она пристроила на мамину подушку, и пряди ее иссиня-черных волос щекотали нос Сесилии.

— Привет, папочка.

Сесилия взглянула на младшую дочь так, будто никогда прежде не видела: безупречная кожа, разлет длинных ресниц, сверкающая синева глаз. Все в ней было совершенным и чистым.

Они с Джоном Полом встретились глазами, читая во взгляде друг друга отчетливое взаимопонимание. Вот почему.

— Привет, Полли, — ответили они хором.

Глава 21

Лиам произнес что-то, но Тесс не расслышала, выпустил ее руку и остановился прямо в школьных дверях. Поток родителей с детьми сменил русло, чтобы обогнуть внезапное препятствие на пути, обтекая их с боков. Тесс наклонилась к нему, и чей-то локоть врезался ей в затылок.

— В чем дело? — спросила она, потирая голову.

Она чувствовала себя задерганной и перегруженной впечатлениями. Провожать ребенка в школу здесь оказалось не легче, чем в Мельбурне: совершенно особый вид ада для человека вроде нее. Люди, повсюду люди.

— Я хочу домой, — сообщил Лиам куда-то в землю. — Хочу к папе.

— Что-что? — переспросила Тесс, хотя все расслышала, и попыталась взять его за руку. — Давай-ка сперва отойдем с дороги.

Она знала, что это неизбежно. Все проходило с подозрительной легкостью. И Лиам как будто отнесся к этой внезапной смене школ с необъяснимым оптимизмом. «Как он легко приспосабливается», — изумилась мама, но сама Тесс сочла, что это объясняется скорее неприятностями в прежней школе, чем искренней готовностью пойти в новую.

Лиам потянул ее за руку, так что ей пришлось нагнуться обратно к нему.

— Тебе, папе и Фелисити нужно перестать ссориться, — заявил он, приложив ладошку рупором к уху Тесс. Его дыхание было теплым и пахло зубной пастой. — Просто извинитесь друг перед другом. Скажите, что вы не хотели. И мы сможем вернуться домой.

Сердце Тесс замерло.

Боже, как она была глупа! Неужели она и впрямь верила, что ей удастся скрыть все от Лиама? Он всегда поражал ее тем, как много улавливал в происходящем вокруг.

— Бабушка может приехать и пожить с нами в Мельбурне, — предложил Лиам. — Мы и там будем присматривать за ней, пока ее нога не заживет.

Занятно. Этот вариант Тесс даже не приходил в голову, как будто жизнь в Мельбурне и в Сиднее происходит в каких-то разных пластах реальности.

— В аэропорту есть коляски, — торжественно объявил Лиам.

И тут же край рюкзачка какой-то девочки мазнул его по лицу, задев угол глаза. Он скривился, и слезы хлынули из чудных золотистых глаз.

— Солнышко, — беспомощно произнесла Тесс, сама едва удерживаясь от слез. — Послушай. Тебе вовсе не обязательно идти в школу. Это была безумная мысль...

— Лиам, с добрым утром! Я как раз гадала, успел ли ты прийти!

Это была та чудаковатая дама, директор школы. Она присела на корточки рядом с Лиамом легко, как ребенок. Должно быть, занимается йогой, решила Тесс. Мальчик примерно одних лет с Лиамом, проходя мимо, ласково погладил ее по седой кудрявой голове, как будто она была школьной собакой, а не директором:

— Привет, мисс Эпплби!

— Доброе утро, Гаррисон! — Труди помахала рукой, и ее шаль соскользнула с плеч.

— Простите, — начала было Тесс. — Мы устроили тут пробку...

Но Труди лишь чуть улыбнулась в ее сторону, одной рукой поправила шаль и вернула все свое внимание Лиаму:

— Знаешь, что мы с твоей учительницей, миссис Джефферс, сделали вчера вечером?

Лиам пожал плечами и небрежно утер слезы.

— Мы перенесли твой класс на другую планету, — сверкнула она глазами. — Наша охота за пасхальными яйцами пройдет в открытом космосе.

Лиам шмыгнул носом и принял донельзя циничный вид.

— Как? — спросил он. — Как вы это сделали?

— Пойдем, и сам увидишь, — предложила Труди, встала и взяла Лиама за руку. — Скажи «пока» своей маме. Вечером ты сможешь рассказать ей, сколько яиц нашел в космосе.

— Ну ладно. — Тесс поцеловала его макушку. — Хорошо там повеселись и не забудь, что я...

— Разумеется, есть и космический корабль, — продолжала Труди, уводя его прочь. — Угадай, кто на нем полетит?

Тесс еще увидела, как Лиам поднял взгляд на директора школы и его лицо внезапно озарила опасливая надежда. А затем мальчика поглотила толпа синих с белым клетчатых школьных костюмов.

Она повернулась и направилась обратно на улицу. Ее охватило странное чувство неприкаянности, как и всякий раз, когда она оставляла Лиама на чьем-то попечении, словно гравитация вдруг исчезла. Что ей теперь делать с собой? И что она скажет ему сегодня после школы? Она не могла солгать, будто ничего не происходит, но как же сказать правду?

«Папа и Фелисити любят друг друга. Предполагалось, что папа должен любить меня сильнее. Так что я на них сержусь. И мне очень обидно».

Считается, что всегда нужно говорить правду.

Тесс ввязалась во все это, не подумав. Она притворилась перед собой, будто все делает ради Лиама. Она выдернула своего ребенка из его дома, школы и жизни, потому что, по правде сказать, ей самой захотелось так поступить. Хотелось оказаться как можно дальше от Уилла и Фелисити, и вот теперь счастье Лиама зависит от экстравагантной кудрявой дамы по имени Труди Эпплби.

Возможно, ей следовало бы заниматься с ним дома самой, пока все не утрясется. С большей частью программы она справилась бы. С английским, с географией. Это даже могло бы оказаться забавным! Но вот математика — ее погибель. Пока они учились в школе, Фелисити не давала Тесс завалить математику, а теперь взяла на буксир и Лиама. Как раз на днях Фелисити заметила, что даже предвкушает новую встречу с квадратными уравнениями, когда Лиам окажется в старших классах, а Тесс с Уиллом переглянулись, содрогнулись и расхохотались. Фелисити с Уиллом вели себя так обычно! Все это время. Пряча за спиной свой маленький секрет.

Она шла по улице вдоль здания школы, возвращаясь к маминому дому, когда ее окликнули из-за спины:

— Доброе утро, Тесс.

Как выяснилось, Сесилия Фицпатрик шла куда-то в том же направлении. В руке у нее болтались ключи от машины. В ее походке чувствовалось нечто странное, как будто она вдруг начала хромать.

Тесс глубоко вздохнула, собираясь с духом.

— Доброе утро! — откликнулась она.

— В первый раз отвели Лиама в новую школу? — уточнила Сесилия.

На ней были солнцезащитные очки, избавившие Тесс от пугающего зрительного контакта. Голос звучал так, будто Сесилия вот-вот сляжет с простудой.

— И как он, в порядке? Это всегда бывает непросто.

— О, ну, не совсем, но Труди...

Тесс обратила внимание на ноги Сесилии и осеклась. На той была обувь от разных пар: на одной ноге — черная балетка, на второй — золотистая босоножка с каблуком. Неудивительно, что у нее была странная походка. Тесс отвела взгляд и вспомнила, что не закончила фразу.

— Но Труди чудесно с ним управилась.

— О да, Труди такая одна на миллион, это уж точно, — подтвердила Сесилия. — Ну ладно, вот и моя машина.

Она кивнула на крайне блестящий, белый полноприводный автомобиль с эмблемой «Таппервера» на боку.

— Мы забыли, что у Полли сегодня физкультура. Я никогда... Впрочем, неважно, мы забыли, поэтому мне нужно заехать домой за ее тапочками. Полли влюблена в физрука, так что у меня будут жуткие неприятности, если я опоздаю.

— Коннор, — произнесла Тесс. — Коннор Уитби. Он ведет у нее физкультуру.

Она вспомнила встречу ночью на заправочной станции и его фигуру со шлемом под мышкой.

— Да, верно. Все ученицы в него влюблены. Собственно, половина матерей тоже.

— Что вы говорите!

«Плюх-плюх», — хлюпал водяной матрас.

— Доброе утро, Тесс. Привет, Сесилия.

Рейчел Кроули, школьный секретарь, подошла с другой стороны, в белых кроссовках, надетых в дополнение к деловой юбке и шелковой блузке. Тесс задумалась, удавалось ли кому-нибудь при виде Рейчел не вспоминать о Джейни Кроули и о том, что случилось с ней в том парке. Невозможно было представить, что Рейчел когда-то была обычной женщиной и никто не мог бы почувствовать ожидающей ее беды.

Рейчел остановилась перед ними. Еще разговоры! Это никогда не закончится. Она выглядела усталой и бледной, а ее седые волосы были уложены не так красиво, как вчера.

— Еще раз спасибо, что подвезли меня домой, — обратилась Рейчел к Сесилии и улыбнулась Тесс. — Вчера я побывала на вечеринке с «Таппервером» и слегка перебрала. Поэтому сегодня на своих двоих, — пояснила она, показав на кроссовки. — Вот ведь позор.

Повисла неловкая тишина. Тесс ждала, что следующей заговорит Сесилия, но ту как будто отвлекло что-то вдали, и она странно, почти неестественно молчала.

— Судя по всему, вы вчера неплохо повеселились, — наконец высказалась Тесс.

Ее голос прозвучал слишком громко и сердечно. И почему она не может разговаривать, как все нормальные люди?

— Так и было, — подтвердила Рейчел, чуть нахмурилась в сторону Сесилии, которая так и не произнесла ни слова, и вновь сосредоточилась на Тесс. — Лиам благополучно ушел в класс?

— Мисс Эпплби взяла его под крыло.

— Это хорошо, — одобрила Рейчел. — С ним все будет в порядке. Труди всегда особо заботится о новеньких. А мне пора бы приниматься за дело. И выбраться из этих нелепых колодок. Пока, девочки.

— Хорошего вам... — сипловато начала Сесилия и прочистила горло. — Хорошего вам дня, Рейчел.

— И вам того же.

Рейчел направилась к школе.

— Что ж, — произнесла Тесс.

— О боже! — охнула Сесилия и прижала пальцы ко рту. — Кажется, меня сейчас... — Она взволнованно огляделась по сторонам, как будто что-то искала. — Черт!

И внезапно она согнулась пополам над сточной канавой в безудержном приступе тошноты.

«О господи», — подумала Тесс под ужасные звуки продолжительной рвоты.

Ей не хотелось видеть, как Сесилию Фицпатрик тошнит в канаве. Что это — похмелье с прошлого вечера? Пищевое отравление? Следует ли ей присесть рядом на корточки и придержать ее волосы, как помогают друг другу подружки в туалетах ночных клубов, перебрав текилы? У них с Фелисити такое бывало. Или уместнее будет бережно гладить Сесилию по спине круговыми движениями, как Лиама, когда его тошнит? Или хотя бы, раз уж она стоит тут и смотрит, издавать какие-нибудь успокаивающие, сочувственные звуки, чтобы показать, что ей не все равно? А не торчать столбом, морщиться и отводить взгляд? Но она едва знакома с этой женщиной.

Когда Тесс была беременна Лиамом, она страдала от постоянной тошноты, которая начиналась с утра и продолжалась весь день. Ее множество раз рвало на людях, и хотелось тогда только одного — чтобы ее оставили в покое. Возможно, следует тихонько ускользнуть прочь? Но она не могла попросту бросить несчастную женщину. Тесс отчаянно огляделась по сторонам в поисках другой матери школьника, какой-нибудь из тех сноровистых особ, которые всегда знают, что делать. У Сесилии наверняка множество подруг среди родителей. Но улица внезапно оказалась пустынной и тихой.

Затем Тесс осенила замечательная идея: салфетки. Одна мысль о том, что она может предложить Сесилии нечто полезное и уместное, наполнила ее чувством, смехотворно напоминающим радость. Порывшись в сумочке, она извлекла маленькую нераспечатанную упаковку бумажных салфеток и бутылку с водой.

— Ты как бойскаут, — заметил Уилл где-то в начале их отношений.

Он тогда выронил ключи от машины на темной улице по дороге домой из кино, и она тут же выудила из сумки фонарик.

— Если мы окажемся на необитаемом острове, то сумеем выжить благодаря дамской сумочке Тесс, — подхватила Фелисити.

Конечно же, Фелисити тоже была там в тот вечер, как теперь припоминала Тесс. А когда вообще Фелисити с ними не было?

— Ну и дела, — выговорила Сесилия.

Она выпрямилась, присела на край тротуара и утерла рот тыльной стороной ладони.

— Как же нсловко-то.

— Вот, возьмите, — предложила Тесс, протягивая салфетки. — Вы в порядке? Может... съели что-нибудь не то?

Руки Сесилии, как отметила Тесс, отчаянно тряслись, а лицо выглядело болезненно-бледным.

— Не знаю.

Сесилия высморкалась и подняла взгляд на Тесс. Под ее слезящимися глазами набухли лиловые полумесяцы мешков, на веках остались хлопья туши. Выглядела она ужасно.

— Я так извиняюсь. Вам, наверное, нужно идти. У вас, должно быть, еще много дел.

— На самом деле мне нечего делать, — заверила Тесс. — Совершенно нечего. — И, открутив крышечку, предложила: — Попейте воды.

— Спасибо.

Сесилия взяла бутылку и отпила. Начала вставать, пошатнулась. Тесс едва успела подхватить ее под руку, не дав упасть.

— Простите, простите. — Сесилия едва не рыдала.

— Все в порядке, — заверила Тесс, поддерживая ее на ногах. — Все хорошо. Думаю, мне стоит подвезти вас домой.

— О, нет-нет, это очень мило с вашей стороны, но со мной и правда все нормально.

— Нет, не все, — возразила Тесс. — Я вас подвезу. Вы ляжете в постель, а я заброшу тапочки вашей дочери в школу.

— Не могу поверить, что я опять едва не забыла о чертовых тапочках Полли! — охнула Сесилия.

Казалось, ее до глубины души потрясла собственная промашка, как будто она поставила жизнь Полли под угрозу.

— Идемте, — позвала Тесс.

Она взяла из вялой руки Сесилии ключи от машины, направила брелок на автомобиль с эмблемой «Таппервера» и нажала кнопку. Ее переполняло непривычное чувство целеустремленности и уверенности в себе.

— Спасибо вам за все.

Сесилия тяжело оперлась на руку Тесс, пока та помогала ей разместиться на пассажирском сиденье машины.

— Совершенно не за что, — отрезала Тесс отрывистым, не допускающим споров тоном, ничуть не похожим на ее собственный, закрыла дверцу и направилась вокруг автомобиля на водительское место.

«Какая доброта и гражданская сознательность с твоей стороны! — восхитилась у нее в голове Фелисити. — Надо думать, ты вот-вот вступишь в родительский комитет!»

«Отвали!» — велела ей Тесс и ловким движением повернула ключи Сесилии в зажигании.

Глава 22

«Что, интересно, сегодня не так с Сесилией? — размышляла Рейчел, входя в школу Святой Анджелы. — С утра она была определенно не в себе».

С каким-то особым вниманием она прислушивалась к себе: плоские подошвы кроссовок пружинили, что было непривычно для нее, обычно носившей каблуки. Под мышками и на лбу под волосами кожа взмокла, но по большому счету прогулка вместо поездки на работу изрядно придала ей сил. Утром, прежде чем выйти из дома, она на миг задумалась, не вызвать ли такси, поскольку прошлая ночь совершенно ее измотала. После ухода Родни Беллаха она еще несколько часов оставалась на ногах, мысленно проигрывая снова и снова запись с Джейни и Коннором. И с каждым разом лицо Коннора в воспоминаниях представлялось ей все более злобным. Родни просто поосторожничал, не желая чересчур ее обнадеживать. Он уже постарел и несколько размяк. Стоит эту пленку увидеть бойкому и толковому молодому полицейскому, как он (или она!) мгновенно разглядит весь подтекст и примется решительно действовать.

Что же ей делать, если она наткнется сегодня в школе на Коннора Уитби? Припереть его к стенке? Предъявить обвинения? От одной мысли об этом закружилась голова. Ее эмоции взывали к небу: скорбь, ярость, ненависть.

Она глубоко вздохнула. Нет-нет, она не станет припирать его к стенке. Рейчел хотелось, чтобы все было сделано надлежащим образом, поэтому не стоит предупреждать его или говорить что-то, что может стоить ей вердикта о виновности. Вообразите только: он прибегает к какой-то юридической уловке и уходит от ответа только потому, что она не удержала язык за зубами. Ее накрыл неожиданный прилив не то чтобы счастья, но чего-то похожего. Надежды? Удовлетворения? Да, это было удовлетворение — ведь она что-то делала для Джейни. Вот оно. Как же давно она могла в последний раз хоть как-то — как угодно — позаботиться о дочери: зайти к ней в спальню холодной ночью и накрыть костлявые плечи своей вечно мерзнувшей дочки лишним одеялом, приготовить ее любимый бутерброд с сыром и маринованными огурцами (и побольше масла — Рейчел постоянно украдкой пыталась ее откормить), бережно отстирать вручную ее нарядную одежду, дать десятидолларовую купюру просто так. Годами ее мучило желание снова что-нибудь сделать для Джейни, побыть ее матерью, похлопотать для нее о какой-нибудь мелочи. И теперь наконец-то ей выпала такая возможность.

«Я вот-вот до него доберусь, милая. Уже недолго осталось».

В сумочке зазвонил мобильный, и она принялась его искать. Хорошо бы успеть ответить, прежде чем глупая вещица заткнется и переведет звонок на голосовую почту. Это наверняка Родни! Кто еще будет звонить ей с утра в такую рань? Уже есть новости? Но конечно же, еще слишком рано, это не может быть он.

— Алло?

Перед тем как ответить, она успела заметить имя. Роб, не Родни, однако начальный слог «Ро» подарил ей мгновение надежды.

— Мам? Все в порядке?

Она постаралась не огорчаться тому, что Роб оказался не Родни.

— Все хорошо, милый. Как раз иду на работу. Что-то случилось?

Роб пустился в долгие объяснения, а Рейчел двинулась дальше к школьной канцелярии. Из-за двери первого класса доносился детский смех. Заглянув внутрь, она увидела, как ее начальница, Труди Эпплби, мчится через кабинет, вскинув руку, словно супергерой, а учительница первоклашек беспомощно хихикает, прикрыв глаза ладонью. И это, случаем, не стробоскоп с дискотеки разбрызгивает по стенам проблески белого света? Сынишка Тесс О'Лири определенно не заскучает в первый школьный день. Что же до того отчета, который Труди должна была подготовить для министерства образования... Рейчел вздохнула. Что ж, она даст ей порезвиться до десяти утра, а затем силком усадит за рабочий стол.

— Так что, договорились? — уточнил Роб. — Ты придешь в воскресенье к родителям Лорен?

— Что-что? — переспросила Рейчел.

Она зашла к себе в кабинет и поставила сумочку на стол.

— Я тут подумал: может, ты могла бы принести торт со взбитыми сливками. Если хочешь.

— Принести торт куда? — Она никак не могла сообразить, о чем это говорит Роб. — И когда?

— В пасхальное воскресенье. — Тот глубоко вздохнул. — На обед. С семьей Лорен. Я знаю, что мы обещали прийти на обед к тебе, но все уместить в один день просто невозможно. Мы сейчас страшно заняты подготовкой к переезду в Нью-Йорк. Так что мы решили, если ты сможешь прийти к ним, то мы повидаемся сразу со всеми.

Семья Лорен. Мать Лорен всякий раз накануне бывала в опере, на балете или спектакле, и постановка, чем бы она ни была на этот раз, обязательно оказывалась исключительной или изысканной. Отец Лорен до выхода на пенсию был адвокатом высшего разряда. Он непременно обменивался с Рейчел парой любезностей, а затем внезапно отворачивался с вежливо-озадаченным выражением лица, как будто не вполне понял, с кем вообще разговаривал. За столом всегда присутствовал кто-то посторонний, блистательный и диковинный на вид, и в итоге беседа сводилась к бесконечным рассказам этой персоны о недавнем увлекательнейшем путешествии в Индию или Иран, а все, за исключением Рейчел и Джейкоба, завороженно ему внимали. Судя по всему, где-то скрывался бездонный источник этих ярких птиц, поскольку Рейчел ни одного из них не встречала дважды. Как будто их нанимали по случаю на должность гостя-рассказчика.

— Ладно, — безропотно согласилась Рейчел. Она возьмет Джейкоба и выйдет поиграть с ним в сад. Если с ней Джейкоб, все кажется вполне сносным. — Договорились. Я принесу торт со взбитыми сливками.

Роб обожал ее торты. Дурачок. Похоже, он в упор не замечал, что неказистая выпечка Рейчел не слишком здорово смотрелась на роскошном столе.

— Кстати, Лорен спрашивала, не прикупить ли для тебя еще этих печенюшек, как их там, которые мы приносили на днях.

— Очень мило с ее стороны, но, на мой вкус, они чересчур сладкие, — отказалась Рейчел.

— Еще она велела спросить, хорошо ли ты повеселилась на вечеринке с «Таппервером»?

Должно быть, Лорен заметила на холодильнике приглашение Марлы, когда в понедельник забирала Джейкоба. И теперь рисуется: «Посмотрите, как меня интересует безыскусная жизнь моей старенькой свекрови!»

— Все прошло просто отлично.

Рассказать ему о пленке? Расстроит его это или обрадует? Он вправе знать. Порой Рейчел с неловкостью осознавала, как мало внимания уделяла горю Роба, как ей хотелось, чтобы он не путался под ногами, шел спать или смотреть телевизор и не мешал ей плакать в одиночестве.

— Малость скучновато, а, мам?

— Вполне приятно. И кстати, когда я вернулась домой...

— Слушай, я вчера перед работой забрал фотографию Джейкоба на паспорт. Обязательно тебе покажу. Он на ней такой милый.

У Джейни никогда не было паспорта. А вот Джейкоб, всего двух лет от роду, обзавелся паспортом, который позволит ему покинуть страну без малейшего промедления.

— Не могу дождаться, когда его увижу, — отрезала Рейчел.

Нет, она не расскажет Робу о пленке. Он слишком занят собственной важной, успешной жизнью, чтобы беспокоиться о расследовании убийства сестры.

Повисло молчание. Глупцом Роб не был.

— Мы не забыли о пятнице, — сообщил он. — Я знаю, это время года всегда тяжело тебе дается. Собственно, раз уж речь зашла о пятнице...

Похоже, он ждал, что она скажет. Не потому ли он и позвонил, в самом-то деле?

— Да? — нетерпеливо уточнила она. — Что там насчет пятницы?

— Лорен на днях пыталась поговорить с тобой об этом. Это она придумала. Ну, то есть нет. Вовсе нет. Это я придумал. Просто она кое-что сказала и навела меня на мысль... Ну, в любом случае я знаю, что ты всегда ходишь в парк. В тот парк. Я знаю, что ты обычно ходишь одна. Но я тут подумал, может, мне тоже стоит прийти. С Лорен и Джейкобом, если ты не против.

— Мне не нужно...

— Я знаю, что мы тебе там не нужны, — перебил ее Роб, непривычно немногословный. — Но я бы хотел на этот раз там побывать. Ради Джейни. Чтобы показать ей, что... — Он запнулся, прочистил горло и заговорил снова, уже ниже. — А затем, после этого, около станции есть уютное кафе. Лорен говорит, оно работает в Страстную пятницу. Можно там позавтракать. — Он закашлялся и торопливо добавил: — Или, по крайней мере, выпить кофе.

Рейчел представила себе, как Лорен стоит в парке, серьезная и стильная. На ней будет бежевый плащ, туго стянутый пояском, волосы она соберет в блестящий низкий хвост, который не станет легкомысленно болтаться, а помаду выберет спокойную, не слишком яркую. И она будет говорить и делать все положенные вещи в правильное время и каким-то образом превратит «годовщину убийства сестры ее мужа» в очередное безупречно проведенное мероприятие из своего распорядка встреч.

— Думаю, я бы предпочла... — начала было Рейчел, но тут же вспомнила, как надломился голос Роба.

Срежиссировала все, конечно, Лорен, но, возможно, Робу это действительно нужно. Возможно, ему нужно это больше, чем Рейчел — побыть в одиночестве.

— Хорошо, — заключила она. — Я не возражаю. Обычно я приезжаю туда очень рано, около шести утра, но Джейкоб сейчас поднимается с рассветом, ведь так?

— Да! Точно! Значит. Мы приедем. Спасибо. Это очень...

— Честно говоря, у меня на сегодня много дел, так что, если у тебя все...

Они достаточно долго занимали телефон. Вполне вероятно, Родни уже пытался с ней связаться и не смог дозвониться.

— Пока, мам, — грустно попрощался Роб.

Глава 23

Дом Сесилии оказался красивым, гостеприимным и полным света благодаря большим окнам, выходящим на безукоризненно ухоженный задний двор и бассейн. На стенах висели очаровательные и забавные семейные фотографии и детские рисунки в рамочках. Все сияло чистотой, но при этом не казалось чрезмерно формальным и неприступным. Диваны выглядели уютными и мягкими, на полках теснились книги и занятные безделушки. Повсюду виднелись следы дочерей Сесилии: спортивное снаряжение, виолончель, пара балетных туфелек, — но все лежало на собственном, специально отведенном месте. Как будто дом подготовили к продаже и агент по торговле недвижимостью пометил его как «идеальное жилье для семьи».

— Мне нравится ваш дом, — заметила Тесс, пока Сесилия вела ее на кухню.

— Спасибо, это... Ох! — Сесилия резко остановилась в дверях. — Я страшно извиняюсь за беспорядок!

— Вы же шутите? — уточнила вошедшая следом за ней Тесс.

На стойке остались с завтрака несколько тарелок, недопитый стакан яблочного сока стоял на микроволновке, на кухонном столе обнаружилась одинокая коробка хлопьев и небольшая стопка книг. Все остальное пребывало в безупречном, сияющем порядке.

На глазах у ошеломленной Тесс Сесилия закружилась по кухне. В считаные секунды она составила посуду в посудомоечную машину, убрала хлопья в огромную кладовую и принялась полировать раковину бумажным полотенцем.

— Мы непривычно задержались сегодня с утра, — пояснила Сесилия, оттирая раковину с таким усердием, будто от этого зависела ее жизнь. — Обычно я не могу выйти из дома, пока не приведу все в порядок. Я знаю, что это нелепо. Моя сестра говорит, что у меня какое-то расстройство. Как там его? Обсессивно-компульсивное. Вот оно. ОКР.

Тесс подумала, что сестра Сесилии, возможно, в чем-то права.

— Вам стоит отдохнуть, — напомнила она.

— Присядьте. Хотите чашечку чая? Кофе? — отчаянно предложила Сесилия. — У меня есть кексы, печенье... — Она осеклась, прижала ладонь ко лбу и на миг закрыла глаза. — Боже мой. То есть э-э... Что я говорила?

— Думаю, это мне стоит приготовить чашку горячего чая для вас.

— Возможно, мне действительно нужно...

Сесилия выдвинула стул и замерла, оцепенев при виде собственной обуви.

— На мне туфли из разных пар, — с благоговейным ужасом произнесла она.

— Никто бы и не заметил, — заверила ее Тесс.

Сесилия села и поставила локти на стол. Затем одарила Тесс удрученной, едва ли не застенчивой улыбкой.

— Это не совсем идет к моей репутации в школе Святой Анджелы.

— О, ну что ж, — отозвалась Тесс и наполнила водой крайне блестящий чайник, отметив, что уронила пару капель в безукоризненную раковину. — Я ваш секрет не выдам.

Обеспокоившись, нет ли в этих словах намека, будто поведение Сесилии в чем-то постыдно, она поспешила сменить тему.

— Вашим дочерям задали работу о Берлинской стене? — спросила она, кивнув на стопку книг на столе.

— Моя дочь Эстер изучает ее по собственной инициативе. Время от времени она увлекается самыми разными вещами. В итоге мы все становимся специалистами. Бывает несколько утомительно. Тем не менее... — Сесилия глубоко вздохнула и внезапно развернулась на стуле так, чтобы оказаться лицом к Тесс, как будто они присутствовали на званом обеде и пришла пора уделить внимание ей, а не гостю с другой стороны. — А вы были ли в Берлине?

Ее голос звучал неестественно. Ее сейчас опять вырвет? Уж не употребляет ли дама наркотики? Или страдает душевным расстройством?

— Вообще-то, нет.

Тесс открыла кладовую, чтобы найти чайные пакетики, и вытаращила глаза: будто на рекламном плакате, там выстроились снабженные ярлычками контейнеры «Тапервер» всех форм и размеров.

— Я была несколько раз в Европе, но мою двоюродную сестру Фелисити...

Она осеклась. А ведь собиралась сказать, что Фелисити не интересовала Германия и поэтому там она не была, — и ее впервые ошеломила странность этого утверждения. А у нее самой-то было мнение насчет Германии? И каково же оно? А, вот и поднос, заставленный рядами чайных пакетиков.

— Боже. Да у вас тут все есть. Какой чай вы предпочитаете?

— «Эрл грей», без молока и сахара. В самом деле, пожалуйста, позвольте мне! — Сесилия начала вставать.

— Сидите, сидите, — едва ли не командирским тоном успокоила ее Тесс, как будто они были знакомы целую вечность.

Если Сесилия вела себя нехарактерно, то и Тесс не отставала. Хозяйка дома села обратно.

— Полли нужны ее спортивные тапочки прямо сейчас? — Тесс пришла в голову новая мысль. — Наверное, мне стоит поспешить забросить их в школу?

— Я опять забыла про тапочки Полли! — Сесилия вздрогнула. — Совсем из головы вон!

Тесс улыбнулась тому, какой ужас отразился на лице Сесилии. Казалось, она забывает что-то впервые в жизни.

— Они не пойдут на стадион до десяти, — медленно припомнила Сесилия.

— В таком случае я выпью с вами чашку чая, — решила Тесс.

Она прихватила из выдающейся кладовой Сесилии запечатанную пачку дорогого с виду шоколадного печенья и сама пришла в восторг от собственной безрассудной смелости. О, вот она, жизнь на краю, полный порядок.

— Печенья?

Глава 24

Кружки Тесс взяла неправильные — Сесилия никогда не подавала их гостям. Вот Тесс подносит ко рту кружку с чаем и улыбается поверх ободка, не имея представления о жутком монологе, беззвучно длящемся в голове у Сесилии.

«Хочешь, расскажу, что я выяснила вчера ночью? Мой муж убил Джейни Кроули. Знаю-знаю! Ух ты, ну! Да, дочку Рейчел Кроули, верно, милой седой дамы с грустным взглядом, той самой, которая прошла мимо нас сегодня утром, посмотрела мне прямо в глаза и улыбнулась. Вот! Честно говоря, Тесс, я тут попала как кур в ощип, как сказала бы моя мать. В тот еще ощип».

Что бы сказала Тесс, если бы Сесилия и впрямь произнесла это вслух? Поначалу Сесилия решила было, что Тесс — одна из тех загадочных, уверенных в себе особ, которым не нужно заглушать тишину болтовней. Но теперь ей пришло в голову, что та, возможно, просто застенчива. Было что-то отважное в том, как она встречала взгляд Сесилии и сидела, выпрямив спину, словно ребенок, примерно ведущий себя в гостях.

Она оказала Сесилии по-настоящему большую услугу, когда подвезла ее домой после унизительного происшествия возле канавы. Интересно, отныне Сесилию всегда будет тошнить при встрече с Рейчел Кроули? Это может изрядно осложнить ей жизнь.

Тесс склонила голову набок, разглядывая книги о Берлинской стене.

— Мне всегда нравилось читать о попытках побега.

— Мне тоже, — согласилась Сесилия. — В смысле, об успешных. — Она открыла одну из книг посередине, на вклейке с фотографиями. — Видите эту семью? — Она указала на черно-белый групповой портрет молодой пары и их четырех маленьких, обтрепанного вида детей. — Этот человек угнал поезд. Его прозвали Гарри Пушечное Ядро. Он на полной скорости провел поезд сквозь заграждения. Проводник спрашивал его: «Ты рехнулся, приятель?» Им всем пришлось забраться под сиденья, чтобы их не застрелили. Можете себе представить? Не то, каково пришлось ему, а каково пришлось ей. Матери. Я все время об этом думаю. Четверо детей лежат на полу вагона, а над ними свистят пули. Она сочиняла сказку, чтобы их отвлечь. По ее словам, она никогда прежде не придумывала им сказок. На самом деле я тоже никогда не сочиняла сказок для своих детей. У меня не очень хорошо с воображением. Готова поспорить, вы придумываете сказки для своих детей, верно?

— Бывает, наверное. — Тесс прикусила ноготь на большом пальце.

«Я слишком много болтаю», — подумала Сесилия.

Затем она сообразила, что сказала «для своих детей», в то время как у Тесс был только один сын, и задумалась, не следует ли ей исправиться. А вдруг Тесс отчаянно хочет завести еще детей, но по какой-то причине не может?

— Думаю, это показывает, на что человек готов пойти ради свободы. — Тесс развернула книгу к себе и посмотрела на фотографию. — Мы просто принимаем ее как данность.

— Но мне кажется, на месте его жены я бы отказалась, — заметила Сесилия. Голос ее прозвучал слишком взволнованно, как будто ей и впрямь предстоял этот выбор. Усилием воли она взяла себя в руки. — Не думаю, что мне хватило бы смелости. Я бы сказала: «Оно того не стоит. Какая разница, даже если мы застряли за этой стеной — по крайней мере, мы живы. По крайней мере наши дети живы. Смерть — слишком высокая цена за свободу».

Какова цена свободы для Джона Пола? Душевное спокойствие Рейчел Кроули, которое она обрела бы, наконец-то узнав, что́ именно произошло с ее дочерью и почему и что виновный понес наказание? Сесилия до сих пор с гневом думала об учителе приготовительного класса, однажды доведшем Изабель до слез. Хотя сама Изабель этого даже не помнила. Так каково же приходится Рейчел? У Сесилии скрутило живот, пока она ставила чай на стол.

— Вы совсем побледнели, — заметила Тесс.

— Наверное, подхватила вирус.

«Мой муж заразил меня вирусом. По-настоящему мерзким вирусом. Ха!»

— Или что-то вроде. — К собственному ужасу, Сесилия рассмеялась вслух. — Что-то я подхватила, это уж точно.

Глава 25

Пока Тесс на машине Сесилии ехала к школе, чтобы оставить там спортивные тапочки для Полли, ей пришло в голову, что если у Полли сегодня физкультура, то и у Лиама тоже, раз они в одном классе. И у него, разумеется, не было с собой спортивной обуви. Никто не сказал Тесс, что у них сегодня физкультура. Или, возможно, кто-то и сказал, но она прослушала. Тесс заколебалась: не завернуть ли домой к матери, чтобы прихватить и кроссовки Лиама. Никто тебя не предупреждает, что материнство все состоит из необходимости ежеминутно принимать решения. Тесс всегда считала себя достаточно решительным человеком, пока у нее не появился Лиам.

Что ж, уже одиннадцатый час. Не стоит задерживаться с тапочками Полли. Этот вопрос, похоже, был крайне важен, а Тесс не хотелось подводить Сесилию: несчастной женщине и так плохо.

Сесилия просила занести обувь либо к Полли в класс, либо прямо к учителю физкультуры.

— Вы, скорее всего, увидите Коннора Уитби на стадионе, — предположила она. — Так, наверное, выйдет проще всего.

— Я знаю Коннора, — к собственному изумлению, сообщила Тесс. — На самом деле мы некоторое время с ним встречались. Много лет назад. Теперь это уже древняя история, конечно.

Она тут же съежилась, вспомнив слова «древняя история». Зачем она это сказала? Бессмысленно и занудно.

Сесилию это, похоже, несколько впечатлило.

— Ну, сейчас он самый завидный холостяк в нашей школе. Я не скажу Полли, что вы когда-то встречались, иначе ей захочется вас убить.

Но затем она издала очередной пугающе высокий смешок и сказала, что очень извиняется, но ей немедленно нужно пойти и прилечь.

Коннор, когда Тесс его нашла, аккуратно раскладывал баскетбольные мячи в середину каждого из цветных секторов огромного пестрого игрового парашюта, расстеленного на стадионе. На нем была белоснежная футболка и черные спортивные штаны, и выглядел он куда менее устрашающим, чем накануне на заправочной станции. Солнце высвечивало глубокие морщины вокруг его глаз.

— Привет еще раз, — улыбнулся он, когда она протянула ему тапочки. — Для Лиама, я так понимаю.

«В первый раз ты поцеловал меня на пляже», — подумала Тесс.

— Нет, это для Полли Фицпатрик. Сесилии нездоровится, и я предложила завезти их вместо нее. У Лиама вообще нет с собой спортивной формы. Ты же не оставишь его после уроков, правда?

Вот опять. Опять этот проблеск флирта. Почему она с ним кокетничает? Потому что вдруг вспомнила их первый поцелуй? Потому что этот человек никогда не нравился Фелисити? Потому что ее брак развалился и ей потребовалось срочно доказать себе, что она по-прежнему привлекательна? Потому что она злится? Потому что ей грустно? Потому что... а почему бы и нет, черт возьми!

— Я не буду к нему слишком строг.

Коннор аккуратно поставил тапочки Полли в стороне от парашюта.

— Лиаму нравится спорт?

— Он любит бегать. Бегать просто так, без причины.

А вот Уилл был страстным фанатом Австралийской футбольной лиги и сразу после рождения сына восторженно всем рассказывал, как будет ходить с ним на матчи, но пока что Лиам не проявил ни малейшего интереса к отцовскому увлечению. Тесс знала, что Уилл должен испытывать горькое разочарование, но тот только смеялся, переводя все в шутку. Однажды они вместе смотрели игру по телевизору, и Лиам вдруг попросил: «Пап, а пойдем побегаем на улице!» И Уилл, который на самом деле вовсе не любил бегать, вздохнул с преувеличенным смирением, выключил телевизор, и через минуту они уже носились кругами по заднему двору.

Она не позволит Фелисити разрушить эти отношения. Не допустит, чтобы Лиаму когда-нибудь пришлось поддерживать неловкие разговоры с отцом, который толком его не знает.

— И как он, спокойно отнесся к переходу в новую школу? — спросил Коннор.

— Мне казалось, что да, — ответила Тесс и покрутила в руках ключи от машины Сесилии. — Но этим утром он расстроился. Скучает по папе. Мы с его отцом... Как бы там ни было, глупо было считать, будто Лиам и не заметил, что происходит вокруг него.

— Дети порой проявляют удивительную сообразительность, — подтвердил Коннор. Он вынул из полотняного мешка еще два баскетбольных мяча и прижал к груди. — А сразу после этого — столь же удивительную бестолковость. Но, если тебе от этого станет легче, это славная школа. Я никогда еще не вел занятий в таком уютном месте. А все из-за директора. Она малость чокнутая, но дети для нее на первом месте.

— Должно быть, здесь совсем не то, что в бухгалтерии.

Тесс залюбовалась тем, как парашют, раскрашенный в яркие основные цвета, идет на ветру легкой зыбью.

— Ха! Мы же познакомились, когда я был бухгалтером, — вспомнил Коннор.

Он одарил ее дружеской, ласковой улыбкой, как будто относился к ней с куда большей теплотой, чем можно было ожидать после стольких лет.

— Почему-то совершенно вылетело из головы.

«Клонтарф-Бич, — внезапно подумала Тесс. — Вот где ты впервые поцеловал меня. Это был отличный первый поцелуй».

— Все это было так давно, — отозвалась она, не обращая внимания на участившееся сердцебиение. — Я и это-то с трудом припоминаю.

Что за чушь она несет?

— В самом деле? — переспросил Коннор. Он присел на корточки и положил мяч на красный сектор парашюта. А выпрямившись, бросил взгляд в ее сторону. — Я вот, пожалуй, многое помню.

О чем он многое помнил — об их отношениях или о девяностых годах вообще?

— Пожалуй, я пойду, — спохватилась она, встретилась с ним взглядом и поспешно отвернулась, как будто сделала что-то крайне неподобающее. — Не буду путаться под ногами.

— Ладно, — откликнулся Коннор, перебрасывая из руки в руку баскетбольный мяч. — Насчет кофе уговор в силе?

— Конечно, — подтвердила Тесс, улыбнувшись примерно в его сторону. — Хорошо тебе провести время — за парашютным спортом или чем ты там занимаешься.

— Спасибо. Непременно. И обещаю, что пригляжу за Лиамом.

Она собралась уходить, но на полушаге вспомнила, как охотно Фелисити смотрела футбол вместе с Уиллом. Тут они были заодно, имели общее увлечение. Тесс обычно сидела и читала книжку, пока они хором орали на телевизор. Она обернулась.

— Лучше пусть это будет что-нибудь покрепче, — предложила она, на этот раз встретившись с ним взглядом и ощутив это почти как прикосновение. — В смысле, вместо кофе.

Коннор ребром ступни сдвинул один из мячей на парашюте:

— Может, сегодня вечером?

Глава 26

Вся в слезах, Сесилия сидела на полу в кладовой, обняв колени. Протянула руку к рулону бумажных полотенец на нижней полке, оторвала одно и яростно высморкалась.

Она никак не могла вспомнить, зачем вообще зашла в кладовую. Возможно, исключительно для того, чтобы немного успокоиться, посмотрев на свои контейнеры от «Таппервера». На приятную, продуманную геометрию из дополняющих друг друга форм. Синие герметичные крышки сохраняли содержимое свежим и хрустящим. В кладовой Сесилии не было места гниющим тайнам.

Донесся легкий запашок кунжутного масла. Она всегда тщательно протирала бутылку, но запах все равно оставался. Возможно, стоило бы его выбросить, но Джон Пол любит ее курицу в кунжуте.

Да кого волнует, что там любит Джон Пол? Стрелка весов их супружества уже никогда не встанет ровно. Последнее слово и право решать навсегда остались за ней.

В дверь позвонили, и Сесилия ахнула. Это полиция!

Но у полиции не было причин объявляться теперь, после стольких лет, только потому, что Сесилия узнала правду.

«Ненавижу тебя за это, Джон Пол Фицпатрик», — подумала она, поднимаясь на ноги.

Шея ныла. Она взяла бутылку кунжутного масла и по дороге к входной двери швырнула в мусорное ведро.

Это оказалась не полиция, а мать Джона Пола. Сесилия ошарашенно моргнула.

— Ты в уборной была? — спросила Вирджиния. — Я уже подумывала, не присесть ли на ступеньку. Ноги начали подкашиваться.

Вирджиния обожала заставлять окружающих чувствовать себя виноватыми — по любому поводу, хоть чуточку. У нее было шестеро сыновей и столько же невесток, и Сесилия оставалась единственной, кого Вирджиния еще ни разу не довела до истерики. А все благодаря неколебимой уверенности Сесилии в собственных способностях как жены, матери и домохозяйки.

«Ну, давай, начинай», — думала она временами, когда взгляд свекрови охватывал все до последней мелочи, от рубашек Джона Пола без единой морщинки до плинтусов без единой пылинки.

Вирджиния заглядывала на огонек к Сесилии каждую среду после занятия тайцзи, чтобы выпить чашечку кофе с какой-нибудь свежей выпечкой. «Как ты это выносишь?» — стенали остальные невестки, но сама Сесилия не особенно возражала. Это напоминало еженедельные сражения с неопределенными целями, которые, по мнению Сесилии, она обычно выигрывала.

Но не сегодня. Сегодня у нее не хватало на это сил.

— Что это за запах? — спросила Вирджиния, подставив щеку для поцелуя. — Кунжутное масло, что ли?

— Да, — призналась Сесилия и понюхала собственные руки. — Заходите и присаживайтесь. Я поставлю чайник.

— Я вот не в восторге от кунжута, — сообщила Вирджиния. — Очень уж он азиатский, не находишь? —

Она устроилась за столом и огляделась в поисках грязи или каких-либо просчетов. — Как вчера себя чувствовал Джон Пол? Он звонил с утра. Как это мило, что он прилетел домой пораньше. Девочки, должно быть, в восторге. Они у вас все три такие папочкины дочки. Но я не поверила ушам, когда услышала, что ему пришлось отправиться на работу этим же утром, хотя он прилетел только накануне! У него, бедняжки, должно быть, все суточные ритмы сбиты.

Джон Пол думал сегодня остаться дома.

— Не хочу бросать тебя с этим наедине, — сказал он. — Не поеду на работу, и мы сможем поговорить, все обсудить.

Но Сесилия не могла представить себе ничего худшего, чем новые разговоры, и настояла на том, чтобы он поехал на работу, буквально вытолкала за дверь. Ей нужно побыть от него подальше и подумать. Он звонил ей все утро, оставлял совершенно отчаянные сообщения. Он что, беспокоился, не собирается ли она выложить все полиции?

— Джон Пол — очень дисциплинированный работник, — сообщила она свекрови, заваривая чай.

«А вот знали бы вы, что натворил ваш драгоценный сыночек. Представить страшно».

Взгляд Вирджинии скользил по ней въедливо-изучающе. Нет, дурой свекровь не была. Именно эту ошибку и допускали остальные невестки: они недооценивали противника.

— Ты неважно выглядишь, — заметила Вирджиния. — Очень бледная. Должно быть, совсем вымоталась? Ты слишком много на себя взваливаешь. Я слышала, ты вчера устраивала вечеринку. Я беседовала с Марлой Эванс на тайцзи, она сказала, что успех был просто сногсшибательный. По всей видимости, все наклюкались. Она упоминала, что ты подвозила домой Рейчел Кроули.

— Рейчел — очень милая женщина.

Сесилия поставила перед гостьей чай с разнообразной выпечкой. Плюшки были слабостью Вирджинии, и это давало невестке преимущество. Но сможет ли она говорить о Рейчел без приступов тошноты?

— Я заодно пригласила ее на пиратскую вечеринку Полли в следующие выходные.

И это попросту чудесно.

— В самом деле? — переспросила Вирджиния. Повисла пауза. — А Джон Пол в курсе?

— Да, — подтвердила Сесилия. — Вообще-то, в курсе.

К чему вдруг такой вопрос? Вирджиния прекрасно знала, что Джон Пол не принимает участия в планировании вечеринок.

— А почему вы спрашиваете? — Сесилия убрала молоко в холодильник и, снова повернувшись, посмотрела на свекровь.

— И он не возражал? — Вирджиния угостилась ломтиком кокосово-лимонного пирожного.

— А почему он должен возражать?

Сесилия аккуратно выдвинула стул и села. Казалось, кто-то ввинчивает палец в середину ее лба, как если бы ее голова была из теста. Они встретились взглядом: у Вирджинии были глаза Джона Пола. Некогда она считалась красавицей и так и не простила одну из своих злополучных невесток, которая не узнала ее на фотографии, висящей в общей комнате.

Вирджиния отвела взгляд первой.

— Я просто подумала, что он, возможно, предпочел бы на празднике его дочери видеть поменьше случайных гостей.

Ее голос звучал фальшиво. Она откусила кусочек пирожного и принялась жевать, неловко, словно только притворялась, будто ест.

Она знает! Эта мысль обрушилась в голову Сесилии с оглушающим грохотом.

Джон Пол сказал, что никто не знает. Он был твердо уверен, что никто не знает.

Обе помолчали. Сесилия слышала, как гудит холодильник. Ее сердце зачастило. Вирджиния ведь не может знать? Она сглотнула, подавляя внезапный непроизвольный вздох.

— Я разговаривала с Рейчел о ее дочери, — начала Сесилия, слегка задыхаясь. — О Джейни. По пути домой.

Она помедлила, еще раз вздохнула в попытке успокоиться. Вирджиния отложила пирожное и теперь рылась в сумочке.

— Вы много помните о том... когда это случилось?

— Я отлично это помню. — Вирджиния выудила из сумки бумажную салфетку и высморкалась. — Газеты были в восторге. Они печатали целые страницы фотографий. Даже фотографию... — Она смяла салфетку в руке и прокашлялась. — Четок. С перламутровым распятием.

Вот оно. Джон Пол сказал, что мать одолжила ему четки, поскольку в тот день он сдавал экзамен. Она наверняка узнала их и не сказала ни слова. Не задавала вопросов, чтобы не услышать ответов, но она все знала. Безусловно. Вверх по ногам Сесилии пополз липкий озноб, похожий на симптом подступающего гриппа.

— Но это все было так давно, — заключила Вирджиния.

— Да. Хотя для Рейчел это, должно быть, крайне мучительно, — заметила Сесилия. — Не знать, что произошло.

Их взгляды встретились над столом. На этот раз Вирджиния не стала отворачиваться. Сесилия видела крошечные крупицы оранжевой пудры в морщинках вокруг рта свекрови — как будто его стянули шнурком. Откуда-то с улицы доносились тихие звуки их квартала в середине недели: щебет какаду, чириканье воробьев, отдаленный гул чьей-то воздуходувки, хлопанье машинной дверцы.

— Но ведь на самом деле это ничего бы не изменило, не так ли? — заявила Вирджиния и похлопала Сесилию по руке. — Джейни этим не вернешь. У тебя достаточно забот и без того. Собственная семья на первом месте. Твой муж и дочери. Они прежде всего.

— Да, конечно, — начала Сесилия и осеклась.

Сообщение прозвучало громко и отчетливо. Пятно греха лежало на всем ее доме. Оно воняло, словно кунжутное масло.

Вирджиния ласково улыбнулась и снова взяла кончиками пальцев кокосово-лимонное пирожное.

— Мне ведь не нужно тебе об этом напоминать, правда? Ты мать. Ради своих детей ты сделаешь что угодно. Точно так же, как я что угодно сделаю ради моих.

Глава 27

Учебный день близился к концу, и Рейчел взялась печатать школьный бюллетень. Пальцы ее торопливо летали над клавиатурой.

Теперь в школьном магазинчике появились суши. Полезно и вкусно! Нужны еще добровольцы, чтобы переплетать библиотечные книги. Не забудьте про завтрашний «отличный» парад пасхальных шляп! Коннор Уитби обвинен в убийстве дочери Рейчел Кроули. Ура! Наши наилучшие пожелания Рейчел. Рассматриваются кандидаты на место учителя физкультуры.

Ее мизинец стукнул по кнопке удаления. Стереть это все.

Зазвонил и задрожал мобильный телефон, лежащий на столе рядом с компьютером, и она тут же схватила его.

— Миссис Кроули, это Родни Беллах.

— Родни! — отозвалась Рейчел. — Есть хорошие новости?

— Ну. Не... хм, я просто хотел сообщить, что отдал кассету своему знакомому в отделе нераскрытых убийств, — отрапортовал Родни. Голос его звучал натянуто, как будто он заранее записал свою речь на бумажку и теперь читал. — Так что она определенно в нужных руках.

— Это хорошо, — обрадовалась Рейчел. — Надо же с чего-то начать! Теперь они заново откроют дело!

— Э-э-э... миссис Кроули, суть в том, что дело Джейни и не закрывалось. Оно все еще открыто. Когда коронер выносит заключение о том, что причина смерти не установлена, а именно это, как вам известно, произошло с Джейни, — дело остается открытым. Я хотел сказать, что ребята взглянут на пленку. Они обязательно ее посмотрят.

— И снова допросят Коннора? — уточнила Рейчел, с силой прижав к уху телефонную трубку.

— Полагаю, это не исключено, — осторожно ответил Родни. — Но, пожалуйста, не стоит слишком на это рассчитывать, миссис Кроули. Прошу вас, не надо.

Разочарование имело какой-то очень личный оттенок, как будто ей сообщили, что она провалила испытание. Оказалась недостаточно хороша. Не сумела помочь дочери, снова ее подвела.

— Но, послушайте, это всего лишь мое мнение. Новые ребята моложе и толковее меня. Кто-нибудь из отдела нераскрытых убийств обязательно позвонит вам на неделе и сообщит, что они об этом думают.

Когда Рейчел повесила трубку и вернулась за компьютер, в ее глазах стояли слезы. Весь день ее согревало теплое предвкушение, как будто найденная пленка должна была запустить цепочку событий, которые привели бы к чему-то чудесному, — почти как если бы ей казалось, что с помощью кассеты можно вернуть Джейни. Какая-то часть ее сознания так и не смирилась с тем, что дочь убили. Наверняка однажды некая почтенная, авторитетная фигура возьмет дело в свои руки и все исправит. Возможно, тем благоразумным, уважаемым лицом, чьего вмешательства она ждала, являлся Бог. Да как она вообще могла так обманываться? Даже подсознательно?

Богу все равно. Ему совершенно безразлично, что тут происходит. Бог наделил Коннора Уитби свободой воли, и тот воспользовался сю, чтобы задушить Джейни.

Рейчел отодвинула кресло от стола и выглянула в окно. Отсюда с высоты птичьего полета ей был виден школьный двор и все, что на нем происходит. Близилась пора забирать детей с занятий, и родители рассыпались по всему двору: небольшие компании мам, поглощенных разговором, немногочисленные отцы, затаившиеся на заднем плане и проверяющие с мобильного электронную почту. Один из них поспешно отступил в сторону, пропуская инвалидную коляску, в которой сидела Люси О'Лири. Катила коляску ее дочь Тесс. На глазах у Рейчел Тесс наклонилась выслушать какое-то замечание матери, запрокинула голову и рассмеялась. В этих двух женщинах было нечто, спокойно ниспровергающее устоявшийся порядок.

Можно сдружиться со взрослой дочерью так, как никогда не удастся со взрослым сыном. Вот что отнял у Рейчел Коннор: все будущие отношения, которые она могла построить с Джейни.

«Я не первая мать, потерявшая ребенка, — повторяла себе Рейчел весь следующий год. — Я не первая. И последней не стану».

Разумеется, это ничего не меняло.

Прозвенел звонок, объявляя об окончании учебного дня, и спустя считаные секунды из классов хлынули дети. Слышался знакомый вечерний гомон ребяческих голосов: смех, крики, плач. Рейчел увидела, как внук О'Лири подбежал к бабушкиной инвалидной коляске. Он едва не упал, поскольку обеими руками неловко держал огромное картонное сооружение, покрытое алюминиевой фольгой. Тесс склонилась рядом с коляской, и они втроем принялись рассматривать эту штуковину, чем бы она ни была — может, космическим кораблем? Несомненно, дело рук Труди Эпплби. Забудьте об учебной программе. Если Труди решила, что первоклассникам следует строить космические корабли, так оно и будет. Лорен и Роб в итоге останутся в Нью-Йорке. Джейкоб обзаведется американским выговором. Он будет есть на завтрак блинчики. Рейчел никогда не увидит, как он выбегает из школы с чем-то, покрытым алюминиевой фольгой. Полиция ничего не предпримет в связи с пленкой. Они просто подошьют ее к делу. У них, вероятно, даже не найдется видеомагнитофона, чтобы ее просмотреть.

Рейчел повернулась обратно к монитору и безвольно уронила руки на клавиатуру. Она двадцать лет жила в ожидании того, чего не произойдет никогда.

Глава 28

З ря она предложила ему выпить. И о чем она только думала? Бар был полон молодых и красивых людей навеселе. Тесс невольно их разглядывала. Все они казались ей старшеклассниками, которым посреди учебной недели стоило бы делать уроки дома, а не визжать и вопить в баре. Коннор нашел столик, что уже было удачей, но располагался он рядом со сверкающими и гудящими игровыми автоматами. По тревожной сосредоточенности, появлявшейся на лице Коннора всякий раз, когда она открывала рот, было понятно, что ему с трудом удается ее расслышать. Тесс прихлебывала из бокала не особо хорошее вино, голова ее начинала болеть. Ноги ныли после долгой пешей прогулки вверх по склону от дома Сесилии. По вторникам вечером они с Фелисити занимались вместе бодикомбатом, но больше времени на упражнения ей никак не удавалось выкроить между работой, школой и всеми дополнительными занятиями Лиама. Черт, она ведь заплатила сто девяносто долларов за уроки боевых искусств, к которым Лиам должен был приступить в Мельбурне как раз сегодня!

И вообще, что она здесь делает? Она и забыла, насколько Сидней уступает Мельбурну по части баров. Вот почему вокруг нет никого старше тридцати. Если ты взрослый человек, живущий на северном побережье, тебе приходится пить дома и укладываться в постель к десяти вечера.

Она скучала по Мельбурну, по Уиллу, по Фелисити. По всей своей жизни.

Коннор подался вперед.

— У Лиама неплохая зрительно-моторная координация! — крикнул он.

Ради всего святого, это теперь что, родительское собрание?

Когда Тесс днем забирала Лиама из школы, настроение его казалось приподнятым. Он ни словом не упомянул покинутых домашних, зато без умолку рассказывал, как на голову превзошел всех на охоте за пасхальными яйцами. И как поделился добычей с Полли Фицпатрик, у которой состоится замечательная пиратская вечеринка, куда приглашен весь класс. И как они играли в действительно веселую игру с парашютом на стадионе. А на следующий день будет парад пасхальных шляп, и их учительница собирается нарядиться пасхальным яйцом! Тесс не знала, что́ именно — новизна обстановки или шоколадная эйфория — настолько его осчастливило, но, по крайней мере, пока Лиам определенно не тосковал по прежней жизни.

— Ты скучаешь по Маркусу? — спросила она.

— Не особо, — ответил Лиам. — Маркус — тот еще вредина.

Он отказался от помощи в изготовлении пасхальной шляпы и сотворил нечто потрясающее из старой соломенной шляпы Люси, использовав искусственные цветы и игрушечного кролика. Затем он съел весь свой ужин до крошки, распевая песни, искупался в ванне и к половине восьмого уже крепко спал. Что бы ни случилось, в ту школу в Мельбурне он не вернется.

— Ему она досталась от отца, — вздохнула Тесс. — Неплохая зрительно-моторная координация.

Она отпила большой глоток дрянного вина. Уилл никогда не водил ее в подобные места. Он знал все лучшие бары в Мельбурне: крошечные, стильные, неярко освещенные, где он сидел за столом напротив нее и они разговаривали. Их беседы никогда не спотыкались. Им по-прежнему легко удавалось рассмешить друг друга. Они выбирались отдохнуть каждую пару месяцев — только вдвоем, посмотреть представление или поужинать. Разве не так полагается делать — время от времени поддерживать свой брак приятными «свиданиями»? Правда, она терпеть не могла это слово.

Пока они выходили в свет, Фелисити приглядывала за Лиамом. Вернувшись домой, они обязательно садились выпить с ней и рассказывали о прошедшем вечере. Иногда, если было уже слишком поздно, она оставалась на ночь, и утром они завтракали все вместе. Да, Фелисити была неотъемлемой частью их свиданий.

Может, она лежала в гостевой спальне, мечтая оказаться на месте Тесс? Может, поведение Тесс было невыразимо жестоким по отношению к Фелисити, хоть и непреднамеренно?

— Что-что? — переспросил Коннор, подавшись вперед и прищурившись.

— Ему она досталась...

— Ура-а! — взорвалась толпа вокруг игрового автомата. — Ну ты даешь, сукин сын, ну даешь!

Симпатичная девочка (Фелисити назвала бы ее страшненькой) хлопнула друга по спине, глядя, как автомат извергает поток монет.

— Ура, ура, урра-а!

Широкоплечий юнец, лупя себя кулаками по груди на манер самца гориллы, качнулся вбок и едва не рухнул на Тесс.

— Поосторожней, приятель! — воскликнул Коннор.

— Прости, мужик! Мы только что выиграли... — Паренек обернулся, и его лицо озарилось радостью. — Мистер Уитби! Эй, ребята, это мой физрук из начальной школы! Он был вроде как лучшим физруком на свете. — Он протянул руку, и Коннор встал, чтобы ее пожать, виновато покосившись на Тесс. — Как у вас, на хрен, дела, мистер Уитби?

Паренек засунул руки в карманы джинсов и замотал головой, глядя на Коннора, явно охваченный сентиментальными чувствами.

— У меня все хорошо, Дэниел, — ответил Коннор. — А у тебя?

— Знаете что? — Внезапно молодого человека озарила потрясающая идея. — Я сейчас поставлю вам выпивку, мистер Уитби. С гребаным удовольствием. Серьезно. Простите, что я выражаюсь. Наверное, я пьян. Что вы пьете, мистер Уитби?

— Знаешь что, Дэниел, это было бы просто замечательно, но мы, вообще-то, уже собирались уходить.

Коннор подал руку Тесс, и она оперлась на нее так естественно, как будто они годами состояли в близких отношениях.

— Это что, миссис Уитби? — Паренек окинул Тесс завороженным взглядом с головы до ног. Оглянулся на Коннора, широко, с хитринкой ему ухмыльнулся и показал оттопыренный большой палец. А затем снова повернулся к Тесс: — Миссис Уитби. Ваш муж — легенда. Настоящая легенда. Он учил меня, как это, прыгать в длину, и играть в хоккей, и в крикет, и... Ну, вроде как каждому спорту на всем гребаном свете. И, видите ли, я выгляжу крепким, знаю, и вас это, возможно, удивит, но я не особо ловкий. А вот мистер Уитби, он...

— Нам пора, приятель, — вмешался Коннор, хлопнув парнишку по плечу. — Рад был с тобой повидаться.

— О, взаимно, мужик. Взаимно.

Коннор вывел Тесс из бара на замечательно тихий вечерний воздух.

— Прости, — спохватился он. — Я там едва с ума не сошел. Мне казалось, я вот-вот оглохну. А тут еще наклюкавшийся бывший ученик предлагает поставить мне выпивку... Черт! Но похоже, я все еще держу тебя за руку.

— Похоже на то.

«Что ты творишь, Тесс О'Лири?» — подумала она, но руку не отняла. Если Уилл может влюбиться в Фелисити, если Фелисити может влюбиться в Уилла, то она может на пару минут подать руку бывшему парню. Почему бы и нет?

— Помнится, мне всегда нравились твои руки, — заметил Коннор и закашлялся. — Кажется, это прозвучало на грани неподобающего.

— Да ладно, — отозвалась Тесс.

Он так нежно погладил большим пальцем костяшки ее кисти, что она едва это ощутила.

Тесс совсем забыла, как это бывает — как взрываются твои чувства и ускоряется пульс, словно ты вдруг очнулся после долгого сна. Она забыла трепет, вожделение, негу. Они попросту недостижимы после десяти лет брака, все это знают. Это входит в условия сделки, она их приняла и никогда не беспокоилась по этому поводу. Даже не догадывалась, что ей чего-то не хватает. Если она и думала об этом, то мысли казались ребяческими и глупыми — смятение чувств, боже ты мой! Неважно, кому какое дело, ей нужно заботиться о ребенке и вести дела. Но, господи, она забыла мощь этих вот смятенных чувств. И то, как все остальное теряет значение. Вот что испытывал Уилл с Фелисити, пока Тесс была поглощена рутинной жизнью замужней женщины.

Коннор самую малость увеличил нажим, и Тесс обожгло вожделением.

Возможно, Тесс никогда не изменяла Уиллу только потому, что не выпадало возможности. Собственно говоря, она ни разу не изменила никому из тех, с кем встречалась. История ее сексуальных отношений оставалась безукоризненной. Она не заводила связей на одну ночь с неподобающими молодыми людьми. Никогда спьяну не целовалась с чужим возлюбленным. Ни разу не просыпалась, сожалея о случившемся. Она всегда поступала правильно. Почему? Ради чего? Кого это вообще волновало?

Тесс не отрывала взгляда от большого пальца Коннора и в завороженном изумлении наблюдала за тем, как он легонько ласкает костяшки ее руки.

* * *

Июнь 1987 года, Берлин. Президент США Рональд Рейган, произнося речь в Западном Берлине, сказал: «Генеральный секретарь Горбачев, если вы ищете мира, если вы ищете процветания для Советского Союза и Восточной Европы, если вы ищете либерализации — приезжайте сюда! Господин Горбачев, откройте эти ворота! Господин Горбачев, разрушьте эту стену!»

В июне 1987 года в Сиднее Эндрю и Люси О'Лири тихонько разговаривали за кухонным столом, пока их десятилетняя дочь спала наверху.

— Дело не в том, что я не могу тебя простить, — сказал Эндрю. — Дело в том, что мне все равно. Мне совершенно все равно.

— Я сделала это только ради того, чтобы ты на меня взглянул, — сказала Люси.

Но глаза Эндрю уже смотрели мимо нее, на дверь.

Глава 29

— А почему у нас сегодня не баранина? — спросила Полли. — Мы всегда едим жаркое из ягненка, когда папочка возвращается домой.

Она с досадой потыкала вилкой в кусок пережаренной рыбы на своей тарелке.

— Почему ты приготовила на ужин рыбу? — обратилась Изабель к Сесилии. — Папа ненавидит рыбу.

— Я вовсе не ненавижу рыбу, — вмешался Джон Пол.

— Еще как ненавидишь, — возразила Эстер.

— Что ж, да, это не мое любимое блюдо, — признал Джон Пол. — Но, вообще-то, эта рыба вполне удалась.

— Вообще-то, она ни капельки не удалась. — Полли отложила вилку и вздохнула.

— Полли Фицпатрик, где твои манеры? — спросил Джон Пол. — Твоя мать старалась, чтобы это приготовить...

— Не надо, — вскинула руку Сесилия.

На миг за столом повисла тишина, поскольку все ждали, что она скажет еще. Она отложила вилку и отпила большой глоток вина.

— Мне помнится, ты отказалась от вина на время поста, — удивилась Изабель.

— Я передумала.

— Нельзя вот так просто взять и передумать! — возмутилась Полли.

— Все ли хорошо провели сегодняшний день? — спросил Джон Пол.

— Наш дом пропах кунжутным маслом, — заметила Эстер, принюхиваясь.

— Да, я еще подумала, что у нас будет курица в кунжуте, — подтвердила Изабель.

— Рыба полезна для мозгов, — заявил Джон Пол. — Она делает нас умнее.

— Тогда почему эскимосы не самые умные люди в мире? — спросила Эстер.

— А может, так оно и есть, — не уступил Джон Пол.

— Эта рыба какая-то гадкая, — сообщила Полли.

— А хоть один эскимос получил Нобелевскую премию? — настаивала Эстер.

— Она и впрямь странноватая на вкус, мам, — поддержала сестру Изабель.

Сесилия встала и принялась убирать их полные тарелки. Ее дочери застыли в ошеломлении.

— Можете поесть тостов.

— Все в порядке! — запротестовал Джон Пол, придерживая тарелку за край. — Мне она вполне понравилась.

— Ничего подобного. — Сесилия выдернула ужин из его рук.

С тех пор как он пришел домой, она старалась не встречаться с ним взглядом. Если она станет вести себя как обычно, если она позволит жизни идти своим чередом, не будет ли это означать, что она ему потворствует? Смирилась? Предала дочь Рейчел Кроули?

Но не это ли она как раз и решила сделать? Ничего не предпринимать? Так что изменит ее холодность по отношению к Джону Полу? Она что, искренне считает, будто это имеет значение?

Не беспокойся, Рейчел, я так жестока с убийцей твоей дочери. Никакого ему жаркого из ягненка! Ни за что!

Ее бокал опять опустел. Черт возьми. Быстро оно закончилось. Сесилия достала из холодильника бутылку вина и наполнила бокал до краев.

* * *

Тесс и Коннор лежали навзничь, прерывисто дыша.

— Что ж, — наконец заговорил Коннор.

— В самом деле, что ж, — подтвердила Тесс.

— Кажется, мы в коридоре, — заметил Коннор.

— Похоже на то.

— Я пытался дотянуть хотя бы до гостиной, — сообщил Коннор.

— Этот коридор выглядит довольно мило, — отозвалась Тесс. — Хотя мне не так много удалось разглядеть.

Они лежали на полу в коридоре в темной квартире Коннора. Тесс ощущала спиной тонкий ковер и, возможно, половицы. В квартире приятно пахло чесноком и стиральным порошком.

Тесс поехала к нему домой на маминой машине, он показывал дорогу. Он поцеловал ее у входной двери. Потом еще раз, на лестнице. Довольно долго они целовались перед входом в квартиру. А затем, стоило ему лишь попасть ключом в замок, как они принялись неистово сдирать друг с друга одежду, врезаясь в стены. Так никогда не делают при длительных отношениях: это кажется чересчур наигранным и, вообще-то, не стоящим трудов, особенно если по телевизору показывают что-нибудь приличное.

— Мне, пожалуй, стоит взять презерватив, — шепнул ей на ухо Коннор на пике происходящего.

— Я принимаю таблетки, — отозвалась Тесс. — Ты как будто ничем не болен, так что просто, пожалуйста, о боже, пожалуйста, просто продолжай.

— Будет сделано, — ответил он.

Теперь Тесс привела в порядок одежду и принялась ждать, когда же ей станет стыдно. Она замужняя женщина. Она не влюблена в этого человека. И вообще оказалась здесь только потому, что ее муж влюбился в другую. Всего лишь несколько дней назад этот сценарий показался бы ей смехотворным, немыслимым. Ее должно переполнять отвращение к себе. Ей следовало бы сокрушаться о том, какая она жалкая, распутная и грешная, но на самом деле сейчас ею владела... радость. Настоящая радость, почти нелепая, если честно. Вспомнились Уилл с Фелисити, их грустные, искренне огорченные лица, в которые она выплеснула остывший кофе. На Фелисити была новая белая шелковая блузка. Пятно от кофе с нее не отстирается никогда.

Глаза привыкли к сумраку, но Коннор по-прежнему оставался темным силуэтом рядом. Всем правым боком она ощущала тепло его тела. Он был больше, сильнее и поддерживал куда лучшую форму, чем Уилл. Она подумала о невысоком, коренастом, волосатом теле Уилла — таком знакомом и любимом. Это было тело члена семьи, хотя и неизменно привлекательное для нее. Она считала Уилла последним пунктом в истории своей сексуальной жизни. Думала, что до конца дней уже не переспит ни с кем другим. Эта мысль впервые пришла ей в голову наутро после того, как они с Уиллом обручились. Тогда ее посетило великолепное чувство облегчения. Больше никаких новых незнакомых тел, неловких разговоров о предохранении. Только Уилл. Только он был ей нужен, только его она хотела.

И вот теперь она валяется в коридоре у бывшего парня.

«Жизнь, безусловно, полна сюрпризов», — говаривала ее бабушка. Правда, относила это к не слишком серьезным, по большей части, случаям вроде простуды, колебания цен на бананы и тому подобного.

— Почему мы расстались? — спросила она Коннора.

— Вы с Фелисити решили перебраться в Мельбурн. И ты не спросила, хочу ли я к вам присоединиться. Так что я решил: «Ясно. Похоже, меня только что бросили».

— Я вела себя гадко? — Тесс поморщилась. — Звучит именно так.

— Ты разбила мне сердце, — горестно подтвердил Коннор.

— Правда?

— Возможно, — уступил Коннор. — Либо ты, либо та другая девушка, с которой я довольно долго встречался примерно в ту же пору, по имени Тереза[1]. Я все время путаю вас.

Тесс ткнула его локтем в бок.

— Ты оставила о себе хорошие воспоминания, — уже серьезнее добавил Коннор. — Я обрадовался, когда снова встретился с тобой.

— Я тоже, — отозвалась Тесс. — Я была рада тебя видеть.

— Врешь. Ты выглядела так, будто в ужас пришла.

— Я просто удивилась. — Она сменила тему: — А у тебя по-прежнему есть водяной матрас?

— Как ни жаль, но водяной матрас не дожил до нового тысячелетия. Думаю, Терезу на нем укачивало.

— Перестань говорить о Терезе, — потребовала Тесс.

---

1 *Тесс* — сокращенная форма имени Тереза.

— Ладно. Не хочешь перебраться куда-нибудь в более уютное место?

— Мне и так хорошо.

Несколько мгновений они лежали в дружелюбном молчании.

— Хм, — нарушила его Тесс. — Что это ты делаешь?

— Просто проверяю, по-прежнему ли я помню, что тут к чему.

— Это было несколько, я не знаю, грубо? Сексистски? О-о! О, ладно.

— Тебе приятно, Тереза? Погоди-ка, как там тебя звали?

— Замолчи, пожалуйста.

Глава 30

Сесилия сидела на диване рядом с Эстер, смотревшей в Интернете видеозаписи холодного и ясного ноябрьского вечера в 1989 году, когда рухнула Берлинская стена. Она сама начала заражаться ее одержимостью. Когда мать Джона Пола ушла, Сесилия осталась сидеть за кухонным столом, читая книгу из коллекции Эстер, пока не настало время забирать девочек из школы. Ей следовало бы заниматься множеством дел: доставками «Таппервера», подготовкой к пасхальному воскресенью, пиратской вечеринкой, но чтение о стене было хорошим способом притвориться, будто она не думает о том, о чем на самом деле думает.

Эстер пила теплое молоко. Сесилия пила трстий — или четвертый? — бокал «Совиньон блан». Джон Пол слушал, как Полли читает вслух заданный на дом текст. Изабель сидела за компьютером в общей комнате, скачивая музыку к себе на айпод. Их дом был уютным, светлым островком семейной жизни. Сесилия принюхалась. Запах кунжутного масла, похоже, пропитал его насквозь.

— Гляди, мам, — подтолкнула ее локтем Эстер.

— Я смотрю, — заверила ее Сесилия.

Выпуски новостей, которые запомнились ей по 1989 году, производили более буйное впечатление. Ей вспоминались толпы людей, приплясывающих на самой стене и вскидывающих в воздух кулаки. Кажется, там как-то даже пел Дэвид Хассельхофф. Но в роликах, найденных Эстер, царил странный, жутковатый покой. Люди, выходящие из Восточного Берлина, казались тихо ошеломленными, радостными, но спокойными, и двигались они, соблюдая строгий порядок. В конце концов, они же были немцами. Людьми, близкими Сесилии по духу. Мужчины и женщины с прическами восьмидесятых годов пили шампанское прямо из бутылок, запрокидывая головы и улыбаясь камерам. Они кричали, обнимались и рыдали, они жали на гудки автомобилей, но в целом казались вполне благовоспитанными и держались до крайности вежливо. Даже люди, колотящие по стене кувалдами, как будто делали это со сдержанным ликованием, а не с торжествующей яростью. Сесилия засмотрелась на женщину примерно ее лет, танцующую кругами с бородатым мужчиной в кожаной куртке.

— Мам, почему ты плачешь? — спросила Эстер.

— Потому что они так счастливы, — объяснила Сесилия.

Потому что они выдержали это испытание. Потому что эта женщина, вероятно, как и многие другие, думала, что стена когда-нибудь падет, но не ждала, что сама доживет до этого дня. Однако все же дожила и теперь танцевала.

— Так странно, что ты всегда плачешь из-за радостных вещей, — заметила Эстер.

— Знаю, — согласилась Сесилия.

Счастливые концовки всегда вызывали у нее слезы. От облегчения.

— Хочешь чая?

Джон Пол встал из-за обеденного стола, а Полли убрала книжку. Он с тревогой смотрел на жену. Весь вечер она ловила на себе его робкие, полные заботы взгляды. Они сводили ее с ума.

— Нет, — резко ответила Сесилия, не глядя на него. Теперь на нее ошеломленно уставились дочери. — Я не хочу чая.

Глава 31

Я помню Фелисити, — сообщил Коннор. — Она была забавной. Остроумной и чуточку пугающей.

Они перебрались на его кровать. Теперь здесь был обычный двуспальный матрас, застеленный белыми простынями из египетского хлопка. А Тесс и забыла, что он любил хорошие простыни, словно в отеле. Коннор подогрел оставшиеся со вчерашнего вечера макароны с соусом, и теперь они ужинали в постели.

— Хочешь, сядем за стол, как цивилизованные люди, — предложил Коннор. — Я могу приготовить салат и положить салфетки.

— Давай останемся тут, — отказалась Тесс. — А то вдруг я вспомню, что мне должно быть стыдно из-за всего этого.

— Резонно, — признал Коннор.

Макароны оказались превосходны, Тесс накинулась на них с жадностью. Она жутко проголодалась — так бывало, когда Лиам был еще младенцем и она всю ночь не смыкала глаз, кормя его грудью.

Правда, вместо ночи невинного кормления сына, она только что пережила два неистовых, доставивших ей немало удовлетворения соития с мужчиной, который не был ее супругом. Ей следовало бы потерять аппетит, а не нагулять его.

— Значит, у нее интрижка с твоим мужем, — уточнил Коннор.

— Нет, — поправила его Тесс. — Они просто влюбились друг в друга. Это все донельзя целомудренно и романтично.

— Жуть какая.

— Уж это точно. Я узнала только в понедельник, и вот она я...

Широким взмахом вилки она обвела и комнату, и саму себя в нынешнем полураздетом состоянии. На ней была только футболка Коннора, которую тот достал из ящика комода и без единого слова протянул ей, а сам ушел греть макароны. Судя по запаху, футболка была совершенно чистая.

— Ешь макароны, — закончил за нее Коннор.

— Ем восхитительные макароны, — согласилась Тесс.

— Мне помнится, Фелисити была несколько... — Коннор замешкался, подыскивая подходящее слово. — Как бы это сказать, чтобы не слишком... Довольно плотной девушкой?

— Она страдала ожирением, — поправила его Тесс. — Это важно, потому что в этом году она скинула сорок килограммов и превратилась в сногсшибательную красавицу.

— А-а-а, — протянул Коннор и чуть помолчал. — И что, по-твоему, будет теперь?

— Понятия не имею. На прошлой неделе я думала, что состою в счастливом браке. Настолько счастливом, насколько это вообще возможно. А затем они взяли и признались. Я была потрясена. Я до сих пор потрясена. Однако же — посмотри на меня, прошло-то всего три дня. Точнее, два, а я уже со своим бывшим... ем макароны.

— Иногда что-то просто происходит. Не переживай из-за этого.

Тесс доела макароны и обвела пальцем край тарелки.

— Почему ты холост? Ты умеешь готовить, и не только готовить, — добавила она, неопределенно кивнув на постель. — Просто отлично.

— Все эти годы я сох по тебе, — с непроницаемым лицом заявил он.

— Неправда, — отмахнулась Тесс и нахмурилась. — То есть это же неправда, так?

Коннор забрал у нее пустую тарелку, поставил в свою и убрал на прикроватную тумбочку. Затем откинулся обратно на подушку.

— Я и впрямь некоторое время по тебе сох, — признался он.

Радость начала ускользать от Тесс.

— Прости, я понятия не имела...

— Тесс, — перебил ее Коннор. — Расслабься. С тех пор прошло много лет, а мы не так уж долго встречались. Все дело было в разнице в возрасте. Я скучный бухгалтер, ты молода и готова к приключениям. Но я действительно порой задумывался, что могло из этого выйти.

Тесс никогда об этом не думала. Ни разу. Она почти не вспоминала о Конноре.

— И ты так и не женился? — уточнила она.

— Я прожил несколько лет с женщиной, она была юристом. Мы оба искали партнера и, наверное, супруга. Но потом умерла моя сестра, и все изменилось. Я стал присматривать за Беном. Утратил интерес к бухгалтерскому делу, и примерно тогда же Антония утратила интерес ко мне. А затем я решил получить новое образование и стать учителем физкультуры.

— Но я по-прежнему не понимаю. В школе Лиама в Мельбурне есть отец-одиночка, и женщины вокруг него так и роятся. Даже смотреть стыдно.

— Ну, — заметил Коннор, — я и не говорил, что они не роятся.

— Так что ты все эти годы резвился на свободе? — заключила Тесс.

— Вроде того, — подтвердил Коннор, собрался продолжить, но умолк.

— Что?

— Нет. Ничего.

— Выкладывай.

— Я просто собирался кое в чем признаться.

— В чем-то скабрезном? — предположила Тесс. — Не волнуйся, я тут получила урок широких взглядов, когда мой муж предложил мне жить в одном доме с ним и его любовницей.

— Ну, так далеко дело не зайдет. — Коннор сочувственно ей улыбнулся. — Я собирался сказать, что уже год посещаю психотерапевта. Я, как это обычно называют, «прорабатываю» кое-что.

— О, — осторожно отозвалась Тесс.

— У тебя такое напряженное выражение лица, — заметил Коннор. — Я не сумасшедший. У меня просто было несколько проблем, которые мне нужно было... закрыть.

— Серьезных проблем? — уточнила Тесс, не уверенная, хочет ли она на самом деле это знать.

Предполагалось, что этот вечер будет передышкой среди тягостных переживаний, маленьким безумством. Она просто спускала пар. Ну вот, она уже пытается дать происходящему определение, представить его приемлемым. Возможно, отвращение к себе уже готовится нанести удар.

— Когда мы встречались, — принялся объяснять Коннор, — я когда-нибудь упоминал, что оказался последним человеком, видевшим Джейни Кроули живой? Дочь Рейчел Кроули?

— Я знаю, кто это. И твердо уверена, что ты ни о чем подобном не упоминал.

— Честно говоря, я знаю, что не стал бы тебе рассказывать, — признался Коннор. — Потому что об этом я не рассказывал никогда. Почти никто и не знал. Кроме полиции. И матери Джейни. Мне иногда кажется, что Рейчел Кроули считает, будто это сделал я. Она так выразительно на меня смотрит.

Тесс охватил озноб. Он убил Джейни Кроули и теперь собирается убить ее — и тогда все узнают, что она воспользовалась романтическим затруднением мужа как поводом, чтобы прыгнуть в постель бывшего.

— А ты это сделал? — спросила она.

— Тесс! — Голова Коннора отдернулась, как будто она закатила ему пощечину. — Нет! Конечно нет!

— Прости.

Тесс расслабилась, откинувшись обратно на подушку. Конечно, он этого не делал.

— Черт возьми, я не в силах поверить, что ты могла подумать...

— Прости, прости. Так Джейни была твоей подругой? Или девушкой?

— Я хотел, чтобы она стала моей девушкой. Был изрядно ею увлечен. Она приходила ко мне домой после школы, и мы целовались у меня на кровати, а затем я, весь такой серьезный и сердитый, спрашивал: «Ну ладно, это ведь означает, что ты теперь моя девушка?» Я отчаянно нуждался в каких-то обязательствах, хотел, чтобы все было заверено подписью и скреплено печатью. Моя первая девушка. Вот только она все колебалась и отвечала что-нибудь вроде: «Ну, я не знаю, я еще не решила». Я сходил из-за этого с ума, но вдруг, утром того дня, когда она погибла, она сообщила мне, что определилась. Я, так сказать, был принят на работу. Я пришел в восторг. Мне казалось, я выиграл в лотерею.

— Коннор, — окликнула его Тесс. — Мне так жаль.

— Днем она зашла ко мне, и мы ели рыбу с картошкой у меня в комнате, и целовались, наверное, часов тридцать или около того, а потом я проводил ее до станции, а на следующее утро услышал по радио, что в парке Уотл-Вэлли обнаружили тело задушенной девушки.

— Боже мой, — бестолково пробормотала Тесс.

Она ощущала себя не в своей тарелке, примерно так же, как на днях, когда они с матерью сидели через стол от Рейчел Кроули, заполняя бумаги на Лиама, и она никак не могла отделаться от мысли: «У этой женщины убили дочь». В ее собственной жизни не было ничего хотя бы отдаленно похожего на то, что пережил Коннор, и из-за этого она как будто утратила возможность нормально с ним общаться.

— Не могу поверить, что ты этого мне не рассказывал, пока мы были вместе, — наконец произнесла она.

Хотя на самом деле с чего бы ему? Они встречались всего полгода. Даже женатые пары не делятся всем до конца. Она сама никогда не говорила Уиллу о поставленном самой себе диагнозе «социофобия». От одной мысли о том, чтобы ему сказать, пальцы ее ног поджимались от смущения.

— Антонии я рассказал об этом лишь после нескольких лет совместной жизни. Она обиделась. Казалось, мы больше обсуждали ее обиду, чем то, что произошло на самом деле. Думаю, именно из-за этого мы в итоге и расстались. Мне не стоило с ней делиться.

— Думаю, девушки предпочитают знать подобные вещи, — заметила Тесс.

— Было в этой истории кое-что, о чем я так и не рассказал даже ей, — продолжил Коннор. — Я вообще никому не рассказывал, пока не признался... этой даме-психотерапевту. Моему мозгоправу. — Он умолк.

— Тебе необязательно мне рассказывать, — великодушно предложила Тесс.

— Ладно, давай поговорим о чем-нибудь другом, — отозвался Коннор. Тесс его стукнула. — Моя мать солгала ради меня, — признался Коннор.

— Что ты имеешь в виду?

— Ты ведь не имела удовольствия знать мою мать. Она умерла еще до нашей первой встречи.

Еще одно воспоминание времен романа с Коннором всплыло на поверхность. Она спросила его о родителях, и он ответил: «Отец бросил нас, когда я был совсем маленьким. Мать умерла, когда мне было двадцать с небольшим. Она пила. Вот и все, что я могу о ней сказать». «Неблагополучная семья, — заключила Фелисити, когда Тесс пересказала ей этот разговор. — Спасайся бегством».

— Моя мать и ее сожитель сказали полиции, что в тот день, начиная с пяти часов вечера, я был дома вместе с ними. Они соврали. Я был дома один. Они напивались где-то в другом месте. Я вовсе не просил их лгать ради меня, мать сделала это по собственному желанию. Машинально. И ей это понравилось — то, что она солгала полиции. Когда полицейские уходили, она подмигнула мне, придерживая перед ними дверь. Подмигнула! Как будто мы с ней были в сговоре. Из-за этого я чувствовал себя так, словно и впрямь виноват. Но что я мог изменить? Не мог же я сказать им, что мама солгала, — это бы выглядело так, будто она считает меня виноватым.

— Но ты же не говоришь, что она действительно думала, будто ты это сделал, — уточнила Тесс.

— После того как полицейские ушли, она вот так подняла палец и сказала: «Коннор, детка, я не хочу этого знать», как будто в кино, а я сказал: «Мам, я этого не делал», а она только и ответила: «Плесни-ка мне вина, милый». И потом всякий раз, когда она всерьез напивалась, то говорила: «За тобой должок, ты, неблагодарный мелкий ублюдок». Это обеспечило мне постоянное чувство вины. Почти как если бы я и впрямь это сделал, — содрогнулся он. — Ну, неважно. Я вырос. Мама умерла. Я никогда ни с кем не говорил о Джейни. Даже не позволял себе о ней думать. Потом умерла моя сестра, и мне достался Бен. А когда я получил учительский диплом, мне сразу предложили место в школе Святой Анджелы. Я вообще узнал, что мать Джейни там работает, только на второй день.

— Странно, должно быть, вышло.

— Мы не так уж часто сталкиваемся. В самом начале я пытался поговорить с ней о Джейни, но она ясно дала понять, что не настроена на болтовню. Так вот. Я начал тебе все это рассказывать, поскольку ты спросила, почему я холост. Мой весьма недешевый психотерапевт считает, будто я подсознательно разрушаю собственные отношения, поскольку уверен, что не заслуживаю счастья из-за вины, которую чувствую за то, чего в действительности не делал с Джейни, — пересказал он, виновато улыбнувшись Тесс. — Так что вот. Я перенес тяжелую душевную травму. Не какой-нибудь там заурядный бухгалтер, переучившийся на учителя физкультуры.

Тесс взяла его за руку и переплела свои пальцы с его. Посмотрела на сцепленные ладони и изумилась тому, что держит за руку другого мужчину, хотя совсем недавно они занимались вещами, которые большинство людей сочли бы куда более интимными.

— Мне жаль, — сказала она.

— Чего тебе жаль?

— Насчет Джейни. И того, что твоя сестра умерла. — Она чуть помешкала. — И мне действительно жаль, что я порвала с тобой так, как порвала.

— Отпускаю тебе грехи, дитя мое. — Коннор перекрестил воздух над ее головой. — Или как там обычно говорят. Давненько я не был на исповеди.

— Я тоже, — призналась Тесс. — По-моему, предполагалось, что ты наложишь на меня епитимью, прежде чем отпускать грехи.

— О-о, я могу придумать тебе епитимью, детка.

— Мне пора идти. — Тесс хихикнула и выпустила его руку.

— Я отпугнул тебя всеми своими пунктиками, — пришел к выводу Коннор.

— Ничего подобного. Просто не хочу беспокоить маму. Она не ляжет спать, пока я не вернусь, и вряд ли ожидает меня так поздно. Кстати, мы так и не поговорили о твоем племяннике. — Внезапно ей вспомнилось, зачем они вообще собирались встретиться. — Ты хотел попросить у меня какого-то профессионального совета или как?

— Бен уже нашел работу. — Коннор улыбнулся. — Мне просто нужен был повод увидеться с тобой.

— Правда?

Тесс ощутила вспышку счастья. Есть ли на свете что-то лучше, чем быть кому-то нужной? И не в этом ли на самом деле все и нуждаются?

— Ага.

Они посмотрели друг на друга.

— Коннор... — начала она.

— Не беспокойся, — перебил ее он. — Я ни на что не рассчитываю. Я точно знаю, что происходит.

— И что происходит? — с любопытством спросила Тесс.

— Я не уверен. — Он помешкал. — Справлюсь у своего психотерапевта и дам тебе знать.

Тесс фыркнула.

— Мне действительно пора, — снова вспомнила она.

Но прошло еще полчаса, прежде чем она все-таки оделась.

Глава 32

Джон Пол чистил зубы в ванной, что примыкала к спальне. Сесилия взяла собственную зубную щетку, выдавила на нее пасту и присоединилась к мужу, стараясь не встречаться с ним взглядом в зеркале.

— Твоя мать знает, — сообщила она через некоторое время, сделав паузу.

— Что ты имеешь в виду? — Джон Пол склонился над раковиной и сплюнул.

Потом выпрямился, промокнул рот полотенцем и отбросил его на сушилку настолько небрежным движением, как будто сознательно избегал того, чтобы оно повисло ровно.

— Она знает, — снова произнесла Сесилия.

— Ты ей сказала? — Он развернулся кругом.

— Нет, я...

— Зачем ты это сделала?

Краска отхлынула от его лица. Он выглядел не столько сердитым, сколько ошеломленным до глубины души.

— Джон Пол, я ей ничего не говорила. Я упомянула, что Рейчел придет на вечеринку к Полли, и она спросила, как к этому относишься ты. Мне сразу стало понятно.

— Должно быть, тебе показалось. — Плечи Джона Пола расслабились.

Он говорил так уверенно. В любом споре он бывал твердо убежден, что прав, а она нет. Он никогда даже в шутку не рассматривал возможность того, что ошибся сам. Это сводило Сесилию с ума и порождало почти непреодолимое желание влепить ему пощечину.

Это ее и тревожило. Все его изъяны казались теперь более значимыми. Одно дело, когда добронравный, законопослушный муж и отец имеет свои недостатки: определенную негибкость, проявляющуюся в самое неподходящее время, редкие (такие же неудобные) перепады настроения, досадную непримиримость в спорах, неопрятность, безалаберность в обращении с собственными вещами. Все это выглядело вполне безобидно и даже заурядно. Но теперь, когда эти пороки принадлежали убийце, они как будто приобрели куда большее значение, начали его определять. Положительные его качества отныне казались несущественными и, вероятно, напускными — частью легенды прикрытия. Разве она сможет когда-нибудь посмотреть на него прежним взглядом? Сможет по-прежнему его любить? Она вовсе его не знала. Она влюбилась в оптическую иллюзию. Голубые глаза, смотревшие на нее с нежностью, страстью и весельем, оставались теми же глазами, в которые смотрела Джейни в жуткие мгновения перед самой смертью. Эти чудные сильные руки, поддерживавшие хрупкие, уязвимые головки крошечных дочерей Сесилии, оставались теми же руками, которые он сомкнул на горле жертвы.

— Твоя мать знает, — повторила Сесилия. — Она узнала свои четки по фотографиям в газетах. По сути, она сказала мне, что мать пойдет на все ради своих детей и что мне следует поступить так же ради собственных детей и притвориться, будто ничего не произошло. Это было жутковато. Твоя мать меня пугает.

Она как будто пересекла черту, произнеся это вслух. Джон Пол плохо воспринимал критику в адрес матери.

Обычно Сесилия пыталась это учитывать, хотя это ее и раздражало.

Джон Пол бессильно опустился на край ванны, случайно задев коленями и уронив с сушилки полотенце.

— Ты действительно думаешь, что она знает?

— Да, — подтвердила Сесилия. — Так что сам видишь. Драгоценному маминому сыночку может сойти с рук даже убийство.

Джон Пол заморгал, и Сесилия подумала, не извиниться ли, но вспомнила, что это не обычная их размолвка из-за неудачно составленных в посудомоечную машину тарелок. Правила изменились, и теперь она может не бояться быть язвительной.

Она снова взялась за щетку и принялась чистить зубы резкими механическими движениями. Только на прошлой неделе дантист сказал, что она слишком сильно нажимает на щетку, стирая эмаль. «Держите щетку самыми кончиками пальцев, как будто скрипичный смычок», — посоветовал он, показывая движение. Она спросила, не завести ли ей электрическую щетку. Он ответил, что сам не сторонник этого изобретения, кроме как для стариков и страдающих артритом. А Сесилия заметила, что ей нравится приятное ощущение чистоты, которое та оставляет. И да, это все действительно имело значение, ее так увлек этот разговор об уходе за зубами — тогда, на прошлой неделе.

Сесилия прополоскала рот, сплюнула, убрала щетку, подняла полотенце, которое Джон Пол сбросил на пол, и повесила на место.

Потом она посмотрела на мужа. Тот вздрогнул.

— То, как ты на меня теперь смотришь, — выдавил он. — Это... — Он осекся и прерывисто вздохнул.

— А чего ты ждал? — изумленно спросила Сесилия.

— Мне так жаль, — в очередной раз сообщил Джон Пол. — Прости, что я вынудил тебя через это пройти.

Что вовлек тебя в эту историю. Какой же я идиот, что вообще написал то письмо. Но я по-прежнему остаюсь собой, Сесилия. Клянусь тебе. Пожалуйста, не думай, что я какое-то злобное чудовище. Мне было семнадцать. Я совершил одну ужасную ошибку.

— За которую не расплатился.

— Я знаю, что не расплатился, — признал он, решительно встретив ее взгляд. — Знаю.

Несколько мгновений они стояли в тишине.

— Дерьмо! — Сесилия ударила себя кулаком по лбу. — Твою же мать!

— В чем дело? — отшатнулся Джон Пол.

Она никогда не сквернословила. Все эти годы где-то у нее в голове хранился тапперверовский контейнер с бранью, и теперь она открыла его, и все эти вкусные, хрусткие слова оказались приятными и свежими, готовыми к употреблению.

— Пасхальные шляпы, — пояснила она. — Полли и Эстер к завтрашнему утру нужны гребаные пасхальные шляпы.

6 апреля 1984 года

Выглянув в окно вагона и увидев Джона Пола, ждущего ее на платформе, Джейни едва не передумала. Он читал, вытянув перед собой длинные ноги, а когда увидел, что поезд подъезжает, встал, убрал книгу в задний карман и суматошно пригладил волосы. Выглядел он шикарно.

Она встала, придержавшись за поручень, и закинула на плечо сумку.

То, как он пригладил волосы, казалось забавным — такой неуверенный жест для юноши вроде Джона Пола. Можно было почти поверить, что он волнуется перед встречей с Джейни, беспокоится о впечатлении, которое на нее произведет.

— Следующая станция — Аскит, далее поезд следует в Берору со всеми остановками.

Состав с лязгом затормозил.

Итак, вот оно. Она собиралась сказать ему, что с их встречами покончено. Джейни могла бы и не приезжать сегодня, оставив его ждать впустую, но она была не из таких девушек. Она могла бы ему позвонить, но и это показалось ей неправильным. И, кроме того, они никогда друг другу не звонили. У обоих имелись матери, которым нравилось украдкой подслушивать, когда дети разговаривали по телефону.

Если бы только она могла отправить ему электронное письмо или текстовое сообщение, это бы все решило, но мобильные телефоны и Интернет все еще оставались в будущем.

Джейни ожидала неприятной сцены: возможно, она ранит гордость Джона Пола и он скажет что-нибудь мстительное вроде: «Ты все равно никогда мне особенно не нравилась». Но пока она не увидела, как он приглаживает волосы, ей и в голову не приходило, что она может причинить ему боль. От этой мысли ее замутило.

Она сошла с поезда, а Джон Пол помахал ей рукой и улыбнулся. Джейни помахала ему в ответ. И пока она шла к нему по платформе, ее осенило: дело вовсе не в том, что Джон Пол нравится ей меньше Коннора. Наоборот, Джон Пол нравится ей слишком уж сильно. Тяжело быть с кем-то настолько привлекательным, умным, веселым и милым. Она восхищалась Джоном Полом. Коннор восхищался ею. А внушать восхищение куда приятнее, чем испытывать. Девушки и должны его внушать.

Интерес Джона Пола казался уловкой, розыгрышем. Потому что он наверняка знал, что она недостаточно хороша для него. Она все ждала, когда же объявится стайка девочек-подростков, хохочущих, глумящихся и тыкающих пальцами: «Ты же не воображала на самом деле, будто способна его увлечь!» Вот почему она даже не рассказала никому о его существовании. Они, конечно же, знали о Конноре, но не о Джоне Поле Фицпатрике. Они бы никогда не поверили, что кто-то вроде Джона Пола может ею интересоваться. Она и сама толком в это не верила.

Тогда, в автобусе, когда Джейни уведомила Коннора, что он теперь официально считается ее парнем, он расплылся в широченной глупой улыбке. Потеря девственности с Коннором будет приятной, забавной и нежной.

А перед Джоном Полом она даже раздеться ни за что не сможет. От одной мысли об этом замирало сердце. Кроме того, он заслуживал девушки, чья фигура соответствовала бы его собственной. Возможно, он рассмеялся бы, если бы увидел ее странное, тощее, бледное тело. Возможно, заметил бы, что ее руки непропорционально длинны для туловища. Высмеял бы ее впалую грудь или просто презрительно фыркнул.

— Привет, — поздоровалась она.

— Привет, — отозвался Джон Пол.

И у нее перехватило дыхание. Когда их взгляды встретились, ее снова наполнило это чувство, ощущение того, что между ними происходит нечто огромное, не вполне доступное ее пониманию. В двадцать лет она назвала бы это страстью, а в тридцать, вероятно, с куда большим цинизмом определила бы как «игра гормонов». Крошечная ее частица, частица женщины, которой она могла бы стать, подумала: «Да ладно тебе, Джейни, ты просто трусишь. Он нравится тебе больше, чем Коннор. Выбери его. Это может оказаться серьезным. Это может оказаться важным. А что, если это любовь?»

Но ее сердце колотилось с такой силой, что это казалось ужасным, пугающим и мучительным, она едва могла дышать. В середине ее груди разгоралось болезненное давящее ощущение, как будто кто-то пытался ее расплющить. Ей хотелось только одного: снова почувствовать себя нормально.

— Мне нужно кое о чем с тобой поговорить, — нарочито холодно и сурово сообщила она, запечатав собственную судьбу, словно конверт.

Четверг

Глава 33

— С есилия! Ты получила мои сообщения? Я пыталась до тебя дозвониться!

— Сесилия, ты была права насчет тех лотерейных билетов.

— Сесилия! Ты вчера не пришла на пилатес!

— Сесилия! Моя невестка хочст заказать у тебя вечеринку.

— Сесилия, скажи, ты, случаем, не сможешь на следующей неделе на часок забрать к себе Гарриет после балета?

— Сесилия!

— Сесилия!

— Сесилия!

Начался парад пасхальных шляп, и матери школы Святой Анджелы выступили в полном составе, разодетые в честь Пасхи и первого по-настоящему осеннего дня в этом году. Нарядные мягкие шарфики окутывали шеи, джинсы обтягивали стройные и не очень стройные ножки, ботиночки на шпильках цокали по игровой площадке. Лето выдалось влажным, и свежесть ветра и предвкушение четырех выходных, а также горы шоколада привели всех в хорошее настроение. На синих складных стульях, которые двойным кольцом окаймляли квадратный двор, сидели бодрые и жизнерадостные матери. Старших детей, не принимающих участия в параде пасхальных шляп, вывели наружу посмотреть. Они перевешивались через балконные перила, беспечно болтая расслабленными руками, с умудренным, терпеливым выражением на лицах, подразумевающим, что сами они, конечно, уже слишком взрослые для подобного рода забав, но эти малыши очаровательны!

Сесилия поискала взглядом Изабель на балконе шестиклассников и обнаружила ее между лучшими подругами, Мари и Лорой. Три девочки обнимали друг друга за плечи, тем самым обозначая, что их бурные трехсторонние отношения сейчас переживают подъем и никто не объединился вдвоем против третьей, а их взаимная любовь сильна и ничем не отравлена. Повезло, что в следующие четыре дня занятий в школе не будет. За подобными взлетами неизбежно следовали слезы, предательства и долгие утомительные рассказы о том, что она сказала, написала и вывесила в Интернет и что я сказала, написала и вывесила в Интернет.

Одна из матерей украдкой пустила по кругу корзинку с шариками бельгийского шоколада. Послышались стоны хмельного, чувственного наслаждения.

«Я жена убийцы, — думала Сесилия, пока бельгийский шоколад таял у нее во рту. — Я соучастница убийства, — размышляла она, договариваясь о том, чтобы привести детей в гости или забрать с занятий, назначая вечеринки с „Таппервером“, составляя расписания, утрясая подробности и приводя все в движение. — Я Сесилия Фицпатрик, и мой муж — убийца, но только посмотрите на меня — я болтаю, смеюсь и обнимаю своих детей. Вы бы ни за что не догадались».

Вот как с этим можно справиться. Вот как ты живешь с тайной. Ты просто это делаешь. Притворяешься, будто все в порядке, не обращая внимания на глубокую судорожную боль в животе. Ты каким-то образом приглушаешь собственные чувства, гасишь остроту восприятия хорошего и плохого. Вчера ее рвало в канаве и она рыдала в кладовой. Но сегодня она поднялась в шесть утра и приготовила две лазаньи, чтобы убрать их в морозилку до пасхального воскресенья, выгладила корзину одежды, отправила три электронных письма, выясняя насчет теннисной секции для Полли, и ответила еще на четырнадцать писем по поводу различных школьных дел, отослала в «Таппервер» заказ с давешней вечеринки, развесила сушиться выстиранное белье — и все это еще до того, как встали девочки и Джон Пол. Она снова поднялась на ноги и теперь умело кружила по скользкой поверхности своей жизни.

— Господи, дай мне сил! — выдохнул кто-то, когда во дворе появилась директор школы. — Что нацепила на себя эта женщина?

На Труди красовались длинные кроличьи уши и пушистый хвостик, приколотый пониже спины. Она напоминала пожилого плейбоевского зайчика.

Вот она подскакала к микрофону посреди двора, держа перед собой на весу поджатые руки, словно лапки. По рядам матерей прокатился добродушный смех. Дети на балконах разразились ликующими воплями.

— Дамочки и господинчики, девочки и мальчики! — Одно из кроличьих ушей упало Труди на лицо, и она небрежно смахнула его в сторону. — Добро пожаловать на парад пасхальных шляп Святой Анджелы!

— Я ее просто обожаю, — заметила Махалия, сидящая справа от Сесилии, — но все-таки очень трудно поверить, что она заправляет школой.

— Труди вовсе не заправляет школой, — возразила Лора Маркс с другой стороны от Махалии. — Школой заправляет Рейчел Кроули. Вместе с прелестной дамой слева от тебя.

Лора перегнулась через Махалию и поприветствовала Сесилию движением руки.

— Ну-ну, ты же знаешь, что это не так, — проказливо улыбнулась та.

Она казалась себе слабоумной пародией на себя же. Она же наверняка пересаливает? Что бы Сесилия ни делала, это производило впечатление дурной шутки, но, похоже, никто ничего не замечал.

Из новейшей аудиосистемы хлынула музыка. Деньги на оборудование дала прошлогодняя лотерея, устроенная Сесилией при выставке художественных работ и имевшая невероятный успех.

Вокруг журчала беседа.

— Кто подбирал музыку? Неплохо вышло.

— Точно. Мне даже танцевать захотелось.

— Да, но кто-нибудь тут прислушивается к тексту? Вы вообще в курсе, о чем эта песня?

— Лучше не знать.

— Моим детям в любом случае все это уже известно.

Первым вышел во двор приготовительный «П» класс под предводительством учительницы, довольно красивой пышногрудой брюнетки мисс Паркер. Та на всю катушку использовала свои природные достоинства, облачившись в платье принцессы фей, которое было ей мало на пару размеров, и теперь пританцовывала под музыку в манере, пожалуй не слишком уместной в детском учреждении. Крохотные ребятишки следовали за ней и, гордо и сосредоточенно улыбаясь, старательно удерживали в равновесии на головах узнаваемые пасхальные сооружения.

Матери поздравляли друг друга, нахваливая детские шляпы.

— О-о, Сандра, ну ты и выдумщица!

— Нашла инструкцию в Интернете. Это отняло у меня десять минут.

— Да уж, еще бы.

— Честное слово, я серьезно!

— А мисс Паркер в курсе, что это парад пасхальных шляп, а не ночной клуб?

— А все принцессы фей так глубоко показывают ложбинку между грудей?

— И кстати, разве диадема считается за пасхальную шляпу?

— Думаю, она пытается привлечь внимание мистера Уитби, бедняжка. А он даже не смотрит.

Сесилия обожала подобные мероприятия. Парад пасхальных шляп обобщал все, что ей нравилось в собственной жизни: благополучие и простоту, чувство общности. Но сегодня действо казалось бессмысленным, дети — сопливыми, а матери — стервозными. Она прикрыла ладонью зевок и почуяла на пальцах запах кунжутного масла. Теперь так пахла вся ее жизнь. Новый зевок застал ее врасплох. Они с Джоном Полом засиделись допоздна, в напряженной тишине мастеря девочкам пасхальные шляпы.

Появился класс Полли, возглавляемый очаровательной миссис Джефферс, которая изрядно потрудилась, чтобы нарядиться огромным, блестящим, завернутым в розовую фольгу пасхальным яйцом.

Полли держалась сразу за ней, вышагивая с важным видом, словно супермодель; ее пасхальная шляпа была лихо сдвинута набекрень. Джон Пол соорудил птичье гнездо из собранных в саду веточек и наполнил его пасхальными яйцами. Из одного выглядывал пушистый желтый игрушечный цыпленок, как будто только что проклюнулся.

— Господи, Сесилия, ну ты даешь, — обернулась Эрика Эджклифф, сидящая прямо перед ней. — Шляпа Полли выглядит потрясающе.

— Ее сделал Джон Пол, — пояснила Сесилия, помахав рукой Полли.

— Серьезно? Повезло же тебе с мужем, — заметила Эрика.

— На редкость повезло, — согласилась Сесилия, отметив, как напевно звучит собственный голос.

Махалия повернулась и посмотрела на нее.

— Ты же меня знаешь, — сообщила Эрика. — Напрочь забыла о параде пасхальных шляп и вспомнила только сегодня утром за завтраком. Тогда я нацепила Эмили на голову старую картонку из-под яиц и сказала: «Придется обойтись этим, малыш».

Она явно гордилась своим бестолковым подходом к материнству.

— А вот и она! Эй! Эгей! — возликовала Эрика, привстала, восторженно размахивая руками, а затем притихла. — Видели этот убийственный взгляд, которым она меня одарила? Она-то знает, что это худшая шляпа на всем параде. Дайте мне еще шоколадный шарик, пока я не застрелилась.

— Сесилия, ты хорошо себя чувствуешь? — нагнулась к ней Махалия, так что подруга почуяла знакомый мускусный аромат ее духов.

Сесилия посмотрела на нее и поспешно отвела взгляд.

«О нет, не смей надо мной хлопотать, Махалия, с этой твоей гладкой кожей и жемчужно-чистыми белками глаз».

Утром Сесилия заметила, что ее собственные глаза покраснели. Когда человека душат, в глазах ведь тоже лопаются капилляры? И откуда она это знает? Она содрогнулась.

— Ты дрожишь! — заметила Махалия. — Ветер сегодня просто ледяной.

— Со мной все в порядке, — заверила ее Сесилия. Невыносимое желание довериться кому-нибудь — кому угодно — было схоже с мучительной жаждой. Она прочистила горло. — Возможно, слегка простыла.

— Вот, накинь-ка.

Махалия сняла с шеи шарф и набросила на плечи подруге. Это был красивый шарф, и чудесный запах Махалии расплылся в воздухе вокруг нее.

— Нет, не стоит, — безрезультатно запротестовала Сесилия.

Она точно знала, что посоветовала бы ей Махалия, доверься она ей.

«Все крайне просто, Сесилия: скажи мужу, что у него есть двадцать четыре часа на то, чтобы сознаться, или ты сама пойдешь в полицию. Да, ты любишь мужа, и да, в итоге пострадают твои дети, но это не имеет отношения к делу. Все крайне просто».

Махалия очень любила слово «просто».

— Хрен и чеснок, — произнесла Махалия. — Все просто.

— Что? А, да. От моей простуды. Разумеется. Дома у меня есть немного.

Сесилия заметила Тесс О'Лири. Та сидела с другой стороны двора рядом с маминой инвалидной коляской, поставленной в конце ряда стульев. Сесилия напомнила себе: следует поблагодарить Тесс за вчерашнее. И кстати, извиниться за то, что даже не предложила вызвать такси. Бедняжке, должно быть, пришлось пройти пешком всю дорогу в гору до дома ее матери. И еще она обещала приготовить для Люси лазанью! Возможно, она действует далеко не так умело, как ей казалось. Она допускает множество мелких ошибок, из-за которых рано или поздно все развалится.

Неужели всего лишь во вторник Сесилия везла Полли на балет и мечтала о мощной волне эмоций, которая сбила бы ее с ног? Сесилия двухдневной давности была дурой. Она хотела чистого, красивого чувства, какое испытываешь, когда видишь в кино пронзительную сцену под великолепную музыку. А вовсе не того, что причинило бы настоящую боль.

— Ой-ой, сейчас свалится же! — воскликнула Эрика.

Мальчик из параллельного первого класса нес на голове настоящую птичью клетку. Это был Люк Лехани — сын Мэри Лехани; Мэри частенько переходила всяческие границы, а однажды даже посмела бросить вызов Сесилии, покусившись на место председателя родительского комитета. Малыш напоминал ходячую Пизанскую башню: он шагал, всем телом накренившись в сторону в отчаянной попытке удержать клетку прямо. Внезапно, хотя и неизбежно, она соскользнула с его головы и рухнула наземь. Бонни Эммерсон из-за этого споткнулась и потеряла собственную шляпу. Бонни сморщила личико, собираясь зареветь, а Люк в изумлении и ужасе уставился на свою искореженную клетку.

«Я тоже хочу к маме, — подумала Сесилия, наблюдая за тем, как матери Люка и Бонни ринулись на помощь детям. — Хочу, чтобы мама утешила меня, сказала, что все обязательно будет хорошо и плакать не из-за чего».

Обычно ее мать бывала на парадах пасхальных шляп, снимая размытые и безголовые фотографии девочек на свою «мыльницу», но в этом году она предпочла посетить Сэма на его параде в престижном приготовительном классе. Там обещали шампанское для взрослых.

«Вот скажи, слышала ли ты когда-нибудь такую глупость? — обратилась она к Сесилии. — Шампанское на параде пасхальных шляп! Вот на что уходят деньги, которые им платит Бриджет».

Мама Сесилии обожала шампанское. Она получит огромное удовольствие, общаясь с бабушками более высокого класса, чем в школе Святой Анджелы. Она всегда демонстративно делала вид, будто не интересуется деньгами, поскольку на самом-то деле крайне ими интересовалась.

Что бы сказала мама, если бы Сесилия пожаловалась на Джона Пола? Сесилия замечала, что теперь, в старости, всякий раз, когда ее мать слышала что-нибудь огорчительное или просто слишком запутанное, на какой-то пугающий миг ее лицо бессмысленно обмякало, как у человека, перенесшего инсульт, словно от потрясения ее разум кратковременно отключался.

— Джон Пол совершил преступление, — начала бы Сесилия.

— О, милая, я уверена, что он ничего такого не делал, — перебила бы ее мать.

А что сказал бы ее папа? У него высокое давление. Это вообще могло бы его убить. Она представила вспышку ужаса, которая исказит его мягкое морщинистое лицо. А потом он оправится и свирепо нахмурится, пытаясь уместить новость на нужную полку в своем сознании.

— А что об этом думает Джон Пол? — вероятно, спросит он машинально, поскольку чем старше становились ее родители, тем сильнее их интересовало мнение Джона Пола.

Ее родители не смогут обойтись без Джона Пола и никогда не примут мысль о его вине. И не примирятся с позором перед местной общиной.

Нужно взвешивать, выбирая лучшее из решений. Жизнь не бывает черно-белой. Признание не вернет Джейни. Этим ничего не добиться. Пострадают дочери Сесилии. Пострадают родители Сесилии. Пострадает

Джон Пол за ошибку (она поспешно проскочила это мягкое словечко «ошибка», понимая, что не права, что поступок Джона Пола заслуживает более сурового обозначения), которую совершил в семнадцать лет.

— А вот и Эстер!

Махалия ткнула Сесилию локтем в бок, та вскинулась, вдруг вспомнив, где находится. Как раз в это время Эстер спокойно кивнула ей, проходя мимо: шляпка сдвинута на затылок, рукава свитера растянуты до предела, чтобы прикрыть кисти, словно митенками. На ней была старая соломенная шляпа Сесилии, усыпанная искусственными цветами и крошечными шоколадными яйцами. Не шедевр, но значения это не имело, поскольку Эстер считала парады пасхальных шляп пустой тратой своего драгоценного времени.

— Чему, собственно, учит нас парад пасхальных шляп? — спросила она у матери утром в машине.

— Насчет Берлинской стены — ничему, — съязвила Изабель.

Этим утром Изабель воспользовалась материнской тушью, но Сесилия притворилась, будто не заметила. Девочка неплохо справилась: лишь одно маленькое иссиня-черное пятнышко под безупречной бровью.

Сесилия подняла взгляд на балкон шестого класса: Изабель с подругами танцевали под музыку.

Если бы какой-нибудь славный мальчик убил Изабель и вышел сухим из воды, если бы этот мальчик мучился раскаянием и вырос отличным, добропорядочным членом общества, хорошим отцом и зятем, Сесилия все равно хотела бы, чтобы его посадили в тюрьму. Казнили. Она бы хотела убить его собственными руками.

Мир покачнулся.

— Сесилия? — окликнула ее Махалия откуда-то издалека.

Глава 34

Тесс поерзала на стуле и прислушалась к приятной ноющей боли в паху.

Какая же она легкомысленная! И что там с ее якобы разбитым сердцем? Выходит, ей достаточно трех дней, чтобы оправиться после крушения брака?

Вот она сидит на параде пасхальных шляп в школе Святой Анджелы и думает о сексе с одним из троих судей парада. А тот тем временем стоит на другой стороне двора в огромном розовом детском чепчике, завязанном лентой под подбородком, и изображает «Танец маленьких утят» с компанией мальчишек из шестого класса.

— Разве это не чудесно! — воскликнула рядом ее мать. — Просто чудесно. Жаль только... — Она осеклась, и Тесс повернулась к ней:

— Жаль только — что?

Люси выглядела виноватой.

— Мне просто хотелось бы, чтобы все это не было счастьем из-за несчастья: скажем, вы с Уиллом просто решили бы перебраться в Сидней, и Лиам перешел бы в школу Святой Анджелы, и я могла бы всегда приходить к нему на парады пасхальных шляп. Прости.

— Тебе не за что извиняться, — заверила ее Тесс. — Мне самой бы этого хотелось.

Но правда ли она этого хочет?

Она снова перевела взгляд на Коннора. Теперь шестиклассники отчаянно хохотали над какими-то его словами, и Тесс заподозрила, что тут не обошлось без «туалетного юмора».

— Как прошел вчерашний вечер? — осведомилась Люси. — Я забыла спросить. По правде сказать, даже не слышала, как ты вернулась.

— Вполне мило, — отозвалась Тесс. — Приятно было поболтать о прошлом.

Внезапно ей представился Коннор, переворачивающий ее и шепчущий на ухо: «Кажется, я припоминаю, что нам обоим это нравилось».

Даже раньше, еще молодым скучным бухгалтером с нелепой прической, не имея столь потрясающего тела и мотоцикла, он был хорош в постели. Тесс тогда была слишком молода, чтобы это оценить. Она считала, что всякий секс окажется не хуже. Тесс снова поерзала на стуле. Вероятно, ей грозит приступ цистита. Три сексуальных сеанса подряд и последний ее приступ цистита пришлись на самое начало их отношений с Уиллом. Надо же, какое совпадение!

Мысли об Уилле и ранней поре их романа должны были причинять боль, но Тесс ничего такого не ощутила, по крайней мере сейчас. Кружило голову озорное, восхитительное чувство сексуального удовлетворения и... Что еще? Месть, вот что. Мне отмщение, говорит Тесс. Уилл и Фелисити считают, что она тут, в Сиднее, нянчится с разбитым сердцем, а она взяла и с удовольствием переспала с бывшим парнем. Секс с бывшим обошел секс в браке. Что, съел, Уилл?

— Тесс, милая, — окликнула ее мама.

— Да?

— Между тобой и Коннором прошлой ночью что-то было? — Люси понизила голос.

— Конечно нет, — ответила Тесс.

«Я точно не смогу», — сказала она Коннору в тот третий раз, а он заявил: «Спорим, сможешь?», и она приговаривала: «Я не смогу, я не смогу, я не смогу», снова и снова, пока они опытным путем не установили, что она все-таки может.

— Тесс О'Лири! — с нажимом произнесла Люси в тот момент, когда с головы какого-то первоклассника свалилась птичья клетка.

Тесс встретилась с матерью взглядом и рассмеялась.

— Ох, милая. — Люси цепко схватила ее за руку. — Рада за тебя. Этот парень — тот еще красавчик.

Глава 35

Коннор Уитби сегодня в отличном настроении, — заметила Саманта Грин. — Интересно, не означает ли это, что он наконец-то нашел себе женщину?

Саманта Грин, старший ребенок которой учился в шестом классе, подрабатывала в школе бухгалтером на неполную ставку. Оплата у нее была почасовой, и Рейчел подозревала, что школе Святой Анджелы предстоит оплатить и то время, которое Саманта проведет рядом с ней на улице, наблюдая за парадом пасхальных шляп. Вот чем оборачивался прием на работу матерей школьников. Не может же Рейчел спросить: «Саманта, за это ты нам тоже выставишь счет?» Раз уж она приезжает сюда всего на три часа, ей, казалось бы, вовсе не обязательно отвлекаться от дела, чтобы полюбоваться парадом. В нем ее дочь даже не участвует. Впрочем, у Рейчел тоже нет ребенка, который мог бы участвовать в параде, а она прервала работу, чтобы посмотреть. Она вздохнула. Что-то она разбрюзжалась и разворчалась.

Рейчел посмотрела на Коннора, в розовом детском чепчике сидящего за судейским столом. Если взрослый мужчина одевается как младенец, это же просто извращение какое-то! Он смешил нескольких мальчишек постарше. Она вспомнила его злобное лицо в той записи. Убийственный взгляд, которым он смотрел на Джейни. Да, именно убийственный! Полиции следовало бы показать эту пленку психологу. Или какому-нибудь специалисту в области чтения по лицам. В нынешние времена по всему бывают специалисты.

— Я знаю, что дети его обожают, — продолжала Саманта, предпочитающая выжать тему досуха, прежде чем перейти к следующей. — И он неизменно любезен с нами, родителями. Но мне всегда казалось: с этим Коннором Уитби что-то неладно. Понимаешь, о чем я? О-о! Только посмотри на дочурку Сесилии Фицпатрик! Она просто красавица, правда? Интересно, откуда что взялось. Как бы там ни было, моя подруга Дженет Тайлер пару раз ходила на свидания с Коннором после развода, и, по ее словам, Коннор похож на человека в депрессии, который делает вид, будто он вовсе не в депрессии. В итоге он бросил Дженет.

— Хмм, — протянула Рейчел.

— Моя мама помнит его мать, — не унималась Саманта. — Та была пьяницей. Запустила детей. Отец сбежал, когда Коннор был еще младенцем. Боже, кто это там с птичьей клеткой на голове? Бедный ребенок вот-вот ее потеряет.

Рейчел смутно припоминала Триш Уитби, изредка появлявшуюся в церкви. Дети ее выглядели неряшливо. Триш слишком громко бранила их во время службы, и люди оглядывались на нее.

— Я к тому, что подобное детство не может не сказаться на формировании личности.

— Да, — отозвалась Рейчел так твердо, что даже захватила Саманту врасплох.

— Но сегодня Коннор в отличном настроении, — опомнившись, вернулась та на проторенную дорожку. —

Я чуть раньше встретила его на парковке и спросила, как у него дела, а он ответил: «Лучше всех на свете!» Теперь мне кажется, что он похож на влюбленного. Или, по крайней мере, на мужчину, которому прошлой ночью повезло. Обязательно надо рассказать Дженет. Или нет, пожалуй, не стоит. По-моему, он изрядно нравился бедняжке Дженет, даже со всеми своими странностями. Ой! Вот клетка и рухнула. Я так и знала.

Лучше всех на свете.

Завтра годовщина смерти Джейни, а Коннор Уитби чувствует себя лучше всех на свете.

Глава 36

Сесилия решила уйти с парада пораньше. Ей нужно было двигаться. Пока она сидела на месте, она думала, а думать было опасно. Полли и Эстер обе видели, что она там была. Оставались только оценки, а дочери Сесилии не должны были победить, потому что она просила судей на прошлой неделе (тысячу лет назад), чтобы этого ни в коем случае не произошло. Людям станет обидно, если девочки Фицпатрик соберут слишком много похвал; они заподозрят фаворитизм и будут тратить на школу еще меньше времени.

Со следующего года она уже не будет претендовать на место председателя родительского комитета. Эта мысль обрушилась на нее с абсолютной уверенностью, когда она нагнулась подобрать сумку, оставленную рядом со стулом. Какое облегчение — хоть что-то знать наверняка насчет своего будущего. Неважно, что случится дальше — даже если ничего не случится, она не станет выдвигать себя снова. Это попросту невозможно. Она больше не Сесилия Фицпатрик. Она перестала существовать, как только прочла то письмо.

— Я пойду, — сообщила она Махалии.

— Да, ступай домой и отдохни, — посоветовала та. — На миг мне даже показалось, что ты вот-вот рухнешь в обморок. Оставь шарф себе. Он дивно на тебе смотрится.

Проходя через двор, Сесилия увидела Рейчел Кроули, наблюдающую за парадом вместе с Самантой Грин с балкона школьной канцелярии. Смотрели они в другую сторону. Если она не станет мешкать, то успеет проскочить незаметно.

— Сесилия! — окликнула ее Саманта.

— Привет! — отозвалась Сесилия, мысленно разразившись потоком площадной брани.

Она направилась к ним, размахивая ключами от машины, чтобы показать, что очень спешит, и постаралась не подходить слишком близко.

— Именно тебя-то я и хотела увидеть! — воскликнула Саманта, перегибаясь через перила. — Мне казалось, ты говорила, что я получу тот заказ из «Таппервера» еще до Пасхи? Просто в воскресенье мы собираемся на пикник, если, конечно, продержится эта чудная погода! Так что я подумала...

— Конечно, — перебила ее Сесилия.

Она подошла еще чуть ближе. Это здесь бы она остановилась, если бы все было в порядке? У нее напрочь вылетели из головы доставки, которыми она собиралась заняться вчера.

— Прости. Неделя выдалась... непростой. Я загляну к тебе днем, после того как заберу девочек из школы.

— Чудесно, — отозвалась Саманта. — Я хочу сказать, ты так расхвалила тот набор для пикника, что я дождаться не могу, когда же он попадет мне в руки! Рейчел, а ты-то хоть раз была у Сесилии на вечеринке с «Таппервером»? Эта женщина способна продать лед эскимосам!

— Вообще-то, я была на такой вечеринке как раз позавчера, — сообщила Рейчел, улыбнувшись Сесилии. —

Я даже не представляла, насколько мне в жизни не хватает «Тапервера»!

— Вообще-то, Рейчел, если хотите, я и ваш заказ могу завезти примерно в то же время, — предложила Сесилия.

— В самом деле? — удивилась Рейчел. — Я не ожидала его так рано. Разве вам не должны его еще прислать?

— Я держу дома небольшой запас всего, — пояснила Сесилия. — Просто на всякий случай.

Зачем она это делает?

— Особая срочная услуга для важных клиентов, а? — предположила Саманта, которая, без сомнения, уже взяла это на заметку для последующих упоминаний.

— Меня это не затруднит, — отмахнулась Сесилия.

Она попробовала встретиться с Рейчел взглядом и обнаружила, что не в состоянии это сделать, даже с такого безопасного расстояния. Рейчел была очень приятной дамой. А что, не будь она приятной, оправдаться было бы проще? Сесилия сделала вид, будто ее отвлек шарф Махалии, соскальзывающий с плеч.

— Если вас не затруднит, было бы чудесно, — отозвалась Рейчел. — В пасхальное воскресенье я понесу торт со взбитыми сливками на обед к моей невестке, так что одна из этих штуковин придется весьма кстати.

Сесилия была твердо уверена, что Рейчел не заказывала ничего подходящего для переноски торта. Надо что-нибудь подыскать и подарить ей.

«Джон Пол, все в порядке, я дала матери твоей жертвы кое-что из посуды бесплатно, так что теперь вы в расчете».

— Увидимся днем! — крикнула она, с таким энтузиазмом взмахнув ключами от машины, что те вылетели у нее из руки.

— Опаньки! — откликнулась Саманта.

Глава 37

Н а параде пасхальных шляп Лиам занял второе
место.

— Только посмотри, как полезно бывает
переспать с судьей, — шепнула Люси.

— Мама, тсс! — зашипела Тесс, оглянувшись через
плечо в поисках возмущенных зевак.

Кроме того, ей не хотелось думать о Лиаме в связи
с Коннором. Это все только запутывало. Лиаму и Коннору она отводила место в разных ящичках, на разных
полках и как можно дальше друг от друга.

Она смотрела, как ее сынишка торопится через иг-
ровую площадку, чтобы принять золотой призовой ку-
бок, наполненный маленькими пасхальными яйцами.
Он оглянулся на Тесс с Люси со взволнованной, само-
довольной улыбкой.

Скорее бы увидеться с Уиллом и рассказать ему!

Стоп. С Уиллом она не увидится.

Что ж. Они ему позвонят. Тесс заговорит тем веселым холодным тоном, который используют женщины
для общения с бывшими мужьями в присутствии детей.
Ее собственная мать к нему прибегала.

— У Лиама хорошие новости! — сообщит она Уиллу, а затем передаст трубку Лиаму и попросит: — Расскажи своему отцу, что сегодня произошло!

Он больше не будет папой. Он будет «твоим отцом». Тесс знала этот протокол. О боже, как же хорошо она его знала!

Бесполезно спасать этот брак ради Лиама. С ее стороны было нелепым заблуждением думать, что это всего лишь вопрос стратегии. Отныне Тесс намеревалась держаться с достоинством. Она будет вести себя так, словно это обычное, заурядное, полюбовное расставание, которое можно было предсказать за годы. Возможно, его и впрямь можно было предсказать.

Ведь иначе разве она могла бы так себя повести прошлой ночью? И как Уилл мог влюбиться в Фелисити? Их брак наверняка претерпевал некие трудности, а она и не подозревала об этом. Она и сейчас не могла бы сказать, что это за трудности, но тем не менее они существовали.

Из-за чего они с Уиллом спорили в последний раз? Сейчас ей было бы полезно сосредоточиться на самых неприятных сторонах их брака. Она постаралась вспомнить. Последний раз они спорили из-за Лиама. Вопрос с Маркусом. Лиам тогда пришел домой особенно расстроенным после какого-то происшествия на школьном дворе, и Уилл сказал: «Возможно, нам стоит подумать о том, чтобы сменить школу». А Тесс вспылила: «По-моему, это уже через край!» Они горячо спорили, составляя после ужина тарелки в посудомоечную машину. Тесс с грохотом задвинула несколько ящиков, Уилл демонстративно переложил сковороду, которую она только что пристроила в машину. В итоге она ляпнула какую-то глупость вроде: «Так ты утверждаешь, что я забочусь о Лиаме меньше, чем ты?», а Уилл рявкнул: «Не будь дурой!»

Но они помирились всего пару часов спустя. Оба извинились, и между ними не осталось никакой затаенной горечи. Уилл не умел долго обижаться. Ему неплохо удавалось подыскивать компромиссы, и он редко утрачивал чувство юмора или способность посмеяться над собой. «Ты видела, как я переложил твою сковородку? — спросил он. — Скажи, это был ловкий ход? Сразу поставил тебя на место, точно?»

На миг Тесс показалось, будто ее странное неподобающее счастье пошатнулось. Как будто она балансировала на узком гребне, окруженном пропастями горя. Одна неверная мысль — и она рухнет вниз.

Не думай об Уилле. Думай о Конноре. Думай о сексе. Держись за грешные, приземленные, примитивные мысли. Думай об оргазме, который вчера ночью вспорол твое тело, очистив разум.

Она смотрела, как Лиам возвращается к своему классу. Он встал рядом с единственным ребенком, которого Тесс уже знала, — Полли Фицпатрик, младшей дочерью Сесилии. Девочка была поразительно красива и рядом с тощим, невысоким Лиамом напоминала амазонку. Полли хлопнула Лиама по ладони, поздравляя с победой, и тот прямо-таки засветился от радости.

Черт побери! Уилл был прав. Лиаму и впрямь стоило сменить школу.

Глаза Тесс наполнились слезами, и внезапно ей стало стыдно.

Чего же она стыдится, задумалась она, вытащив из сумки бумажную салфетку и высморкавшись.

Того, что ее муж влюбился в другую? Того, что она оказалась недостаточно привлекательной, или недостаточно сексуальной, или недостаточно еще какой-нибудь, чтобы удовлетворить отца своего ребенка?

Или на самом деле она стыдилась прошлой ночи? Того, что нашла эгоистичный способ прогнать боль? Того, что сейчас она мечтала снова увидеть Коннора или, точнее, снова переспать с ним и его языком, телом и руками стереть воспоминание о том, как Уилл с Фелисити сидели по бокам от нее и раскрывали свой ужасный секрет? Она вспомнила, как ее позвоночник по всей длине расплющивался о половицы в коридоре Коннора. Он трахал ее, но на самом деле он трахал тех двоих.

Рядок хорошеньких болтливых матерей, сидящих неподалеку от Тесс, прыснул нежным женственным смехом. Вот матери, которые занимаются пристойным супружеским сексом с мужьями на семейном ложе. Матери, у которых в мыслях не проскальзывает слово «трахаться», когда они смотрят на парад пасхальных шляп своих детей. Тесс стыдилась, потому что вела себя не так, как положено самоотверженной матери.

Или, возможно, она стыдилась того, что в глубине души ей вовсе не было стыдно.

— Спасибо большое всем, кто сегодня был с нами, мамы и папы, бабушки и дедушки! На этом наш парад пасхальных шляп заканчивается! — объявила в микрофон директор школы, склонила голову набок и помахала руками вокруг воображаемой морковки на манер мультяшного кролика Багз Банни. — Вот и все, ребята!

— Чем хочешь заняться сегодня вечером? — спросила Люси, пока все аплодировали и смеялись.

— Мне нужно кое-что купить.

Тесс встала, потянулась и взглянула на маму в инвалидной коляске. Коннор смотрел на нее с противоположной стороны двора.

Ей всегда казалось, будто развод родителей нанес ей некий ущерб. В детстве она потратила впустую немало часов, представляя себе, насколько лучше бы ей жилось, если бы родители не расстались. У нее сложились бы куда более близкие отношения с отцом. Выходные проходили бы гораздо веселее! Она не была бы такой застенчивой (как ей удавалось логически обосновать это утверждение, она не могла понять до сих пор). Все на свете было бы попросту лучше в самом общем смысле. Но правда заключалась в том, что ее родители развелись на удивление мирно, а со временем и их отношения стали относительно дружескими. Конечно, было неловко и дико раз в две недели навещать отца по выходным. Но стоило ли так из-за этого нервничать? Браки распадаются. Дети выживают. Тесс выжила. Так называемый ущерб остался исключительно в ее сознании.

Она помахала рукой Коннору.

Новое белье — вот что ей нужно. Запредельно дорогое белье, которого никогда не увидит ее муж.

Глава 38

С парада пасхальных шляп Сесилия поехала прямиком в спортзал. Она направилась к беговой дорожке, установила наклон и скорость на самые высокие значения и побежала так, будто от этого зависела ее жизнь. Она бежала, пока ее сердце не начало частить, грудь не заходила ходуном, а перед глазами все не расплылось от стекающего в рот пота. Она бежала, пока усталость не вытеснила из головы последнюю мысль. Неспособность думать принесла блаженное облегчение. Ей казалось, что она могла бы бежать так еще час, если бы тренер вдруг не остановился перед дорожкой Сесилии, совершенно без нужды.

— С вами все хорошо? — окликнул ее он. — Вы как-то неважно выглядите.

«Я в порядке», — собралась ответить Сесилия, рассердившись за то, что он вновь обрушил на ее сознание реальный мир.

Вот только она не могла говорить и даже толком дышать, и в то же мгновение ее ноги подломились.

Тренер подхватил ее, придержав за талию, хлопнул ладонью по пульту и остановил беговую дорожку.

— Вам следует сдерживать себя, миссис Фицпатрик, — заметил он, помогая ей сойти с тренажера.

Его звали Дэйн. Он вел занятия с гантелями, популярные среди матерей из школы Святой Анджелы. Сесилия часто посещала их по пятницам с утра, перед еженедельным походом в магазин за продуктами. Кожа Дэйна была юной и влажно поблескивала. Он выглядел примерно на тот возраст, в котором Джон Пол убил Джейни Кроули.

— По моим оценкам, у вас сейчас зашкаливает кровяное давление, — сообщил он, глядя на нее ясными искренними глазами. — Если хотите, я помогу вам разработать программу тренировок, которая...

— Нет, спасибо, — задыхаясь, выдавила Сесилия. — Но, спасибо, я просто, ну... Вообще-то, я уже ухожу.

Она поспешно заковыляла прочь на дрожащих ногах, так толком и не отдышавшись, в промокшем от пота бюстгальтере. Дэйн предлагал ей выполнить несколько упражнений на растяжку, остыть или, по крайней мере, «выпить хоть чуть-чуть воды, миссис Фицпатрик, вы же совершенно обезвожены!» — но она не слушала.

По дороге домой она решила, что не может прожить так больше ни мгновения, это невыносимо. Джону Полу придется признаться. Он превратил ее в преступницу. Это нелепо. Моясь в душе, она решила, что признание не вернет Джейни, а вот дочери Сесилии лишатся отца, и в чем тогда смысл? Но их брак мертв. Она не может с ним жить. Значит, и не будет.

Одеваясь, она приняла окончательное решение. После пасхальных выходных Джон Пол сдастся полиции, даст Рейчел Кроули ответы, на которые она имеет полное право, а девочкам попросту придется смириться с тем, что их отец сидит в тюрьме.

Пока она сушила волосы феном, до нее вдруг с ослепительной ясностью дошло, что значение имеют только ее очаровательные дочери. Они для нее важнее всего на свете. И она по-прежнему любит Джона Пола и когда-то обещала быть ему верной в горе и в радости, а жизнь продолжается, как и всегда. Он допустил ужасную ошибку, когда ему было семнадцать. Нет нужды ничего делать, говорить или менять.

Когда она выключила фен, выяснилось, что звонит телефон. Это был Джон Пол.

— Я просто хотел справиться, как ты, — мягко сообщил он.

Как будто он считал, что она больна. Или нет, скорее, как будто она страдала каким-то исключительно женским психологическим расстройством, из-за которого сделалась хрупкой и безумной.

— Изумительно, — отозвалась она. — Я чувствую себя просто изумительно. Спасибо, что спросил.

Глава 39

С частливой Пасхи! — пожелала Труди Рейчел, пока они закрывали кабинет вечером. — Вот, я кое-что для тебя приготовила.

— О! — отозвалась Рейчел, тронутая и раздосадованная, поскольку ей и в голову не пришло припасти подарок для Труди.

С прежним директором школы они никогда не обменивались подарками. Да и любезностями — нечасто.

Труди протянула ей прелестную корзинку, наполненную разнообразными, восхитительными на вид яйцами. Такие подарки покупала для Рейчел невестка: дорогие, изящные и исключительно уместные.

— Большое спасибо, Труди, вот только я не... — Она развела руками, обозначив отсутствие у нее подарка.

— Нет-нет, — помахала в ответ Труди, подразумевая, что в этом нет нужды. Она так и осталась до конца дня в своем кроличьем костюме и, по мнению Рейчел, выглядела до крайности нелепо. — Рейчел, я просто хотела показать, как ценю ту работу, которую ты берешь на себя. Ты тянешь всю эту канцелярию и позволяешь мне... быть собой, — пояснила она, приподняла кроличье ухо, заслонившее ей глаза, и пристально посмотрела на Рейчел. — У меня бывали секретари, которые считали мой подход к работе не совсем обычным.

«Да уж, я их понимаю», — подумала Рейчел.

— Ты все делаешь для детей, — произнесла она вслух. — Вот ради кого мы здесь.

— Приятных тебе пасхальных каникул, — пожелала Труди. — И хорошо провести время с твоим чудным внуком.

— Обязательно, — пообещала Рейчел. — А ты... уезжаешь куда-нибудь?

У Труди не было ни мужа, ни детей, ни каких-либо интересов помимо школы, о которых знала бы Рейчел. Ей никогда не звонили по личным вопросам. Трудно было представить, как она проведет пасхальные выходные.

— Просто побездельничаю, — ответила Труди. — Я много читаю. Обожаю детективы с хорошо запутанной интригой! Горжусь тем, что угадываю, кто убийца... Ох! — Ее лицо залила яркая краска смущения.

— А я предпочитаю исторические романы, — поспешно вставила Рейчел, избегая взгляда Труди, и притворилась, будто совершенно отвлеклась на то, чтобы подобрать сумку, плащ и пасхальную корзинку.

— А-а.

Труди никак не могла восстановить душевное равновесие. В ее глазах стояли слезы.

Бедняжке было всего пятьдесят, немногим больше, чем исполнилось бы сейчас Джейни. Экстравагантные седые кудри делали ее похожей на пожилого карапуза.

— Труди, все в порядке, — мягко заверила ее Рейчел. — Ты меня не расстроила. Все хорошо.

Глава 40

Зазвонил телефон.

— Алло! — сказала Тесс.

На том конце линии оказался Коннор. Ее тело мгновенно отозвалось на его голос, словно истекающая слюной собака Павлова.

— Чем занимаешься? — спросил он.

— Покупаю горячие пасхальные булочки.

После школы они с Лиамом пошли в магазин за сластями. В отличие от вчерашнего дня, мальчик как будто притих и помрачнел, даже не стал разговаривать о победе своей пасхальной шляпы. Мама вручила Тесс целый список необходимых покупок. Внезапно сообразив, что на следующий день магазины будут закрыты, она ударилась в панику из-за плачевного состояния своей кладовой.

— Обожаю пасхальные булочки, — сказал Коннор.

— Я тоже.

— Правда? У нас столько общего.

Тесс рассмеялась. Она заметила, что Лиам с любопытством смотрит на нее, и чуть отвернулась, чтобы ему не было видно ее раскрасневшегося лица.

— Ну, неважно, — заговорил Коннор снова. — Я, вообще-то, звоню без особого повода. Просто хотел сказать, что, на мой взгляд, прошлая ночь и впрямь...

удалась. — Он закашлялся. — И это очень слабо сказано, если честно.

«О боже», — подумала Тесс и прижала ладонь к пылающей щеке.

— Я понимаю, что у тебя сейчас все непросто, — продолжал Коннор. — Честное слово, я ни на что... э-э... не рассчитываю. Я не собираюсь еще больше усложнять тебе жизнь. Но я просто хотел сказать, что был бы очень рад увидеться с тобой снова. В любое время.

— Мам? — окликнул ее Лиам, подергав за подол кардигана. — Это папа?

Тесс покачала головой.

— А кто это? — настаивал Лиам, глядя на нее огромными встревоженными глазами.

Тесс отняла трубку от уха и прижала палец к губам:

— Это заказчик.

Лиам тут же утратил интерес. Он привык к разговорам с заказчиками.

Тесс отступила на несколько шагов от толпы покупателей, дожидающихся своей очереди у булочной.

— Ничего страшного, — сказал Коннор. — Как я уже говорил, я ни на что, в общем-то, не...

— Ты не занят сегодня вечером? — перебила его Тесс.

— Боже, нет.

— Тогда я зайду, как только Лиам заснет, — пообещала она и поднесла телефон к самым губам, будто тайный агент. — И прихвачу горячие пасхальные булочки.

* * *

Рейчел уже шла к машине, когда увидела убийцу своей дочери.

Он разговаривал по мобильному телефону, покачивая в руке мотоциклетный шлем, который небрежно удерживал кончиками пальцев. Когда она подошла ближе, он внезапно запрокинул лицо к солнцу, как будто только что услышал неожиданно радостную новость. Вечерний свет вспыхнул на его темных очках. Он захлопнул телефон и убрал его в карман куртки, улыбаясь себе под нос.

Рейчел снова подумала о записи и вспомнила выражение лица, с которым он повернулся к Джейни. Она так ясно видела его перед собой. Лицо чудовища: коварное, злобное, жестокое.

А теперь — только посмотрите на него. Коннор Уитби крайне бодр и счастлив. А почему бы и нет, раз уж он вышел сухим из воды. Если полиция так ничего и не предпримет, а на то было похоже, он никогда не заплатит за содеянное.

Когда она приблизилась, Коннор заметил Рейчел и его улыбка мгновенно погасла, как будто кто-то щелкнул выключателем.

«Виновен, — подумала Рейчел. — Виновен. Виновен. Виновен».

* * *

— Это доставил для тебя ночной курьер, — сообщила Люси, пока вернувшаяся домой Тесс выгружала из сумки продукты. — Похоже, от твоего отца. Подумать только, ему удалось отправить что-то с курьером.

Заинтригованная, Тесс присела за кухонный стол рядом с матерью и распаковала небольшой сверток из пузырчатой пленки. Внутри обнаружилась плоская квадратная коробочка.

— Да неужели он прислал тебе что-то ювелирное? — удивилась мать, заглядывая ей через плечо.

— Нет, компас, — объявила Тесс. Это был красивый старомодный компас в деревянном корпусе. — Таким же мог пользоваться капитан Кук.

— Как оригинально, — фыркнула мать.

Достав компас, Тесс заметила маленькую записку на желтой самоклеящейся бумаге, прилепленную ко дну коробочки.

Дорогая Тесс, наверное, это глупый подарок для девочки. Я никогда толком не представлял, что тебе купить. Я попытался придумать, что могло бы помочь, когда чувствуешь себя потерянным. Помню, как сам чувствовал себя потерянным. Это было чертовски ужасно. Но у меня всегда была ты. Надеюсь, ты отыщешь свой путь.

С любовью, папа.

У Тесс в груди что-то воспряло.

— Пожалуй, он довольно симпатичный, — заключила Люси, взяв компас и покрутив его в руках.

Тесс представила, как отец бродит по магазинам и ищет подходящий подарок для своей взрослой дочери. Представила выражение легкого ужаса, мелькающее на его загрубевшем, изборожденном морщинами лице всякий раз, когда кто-нибудь его спрашивает: «Могу ли я вам чем-то помочь?» Большинство продавцов наверняка сочли его грубияном — ворчливый, неприветливый старик, избегающий встречаться с ними взглядом.

«Почему вы с папой расстались?» — частенько спрашивала Тесс маму, а та беззаботно, с легким блеском в глазах отвечала: «Ну, милая, мы просто были слишком разными». Она имела в виду: твой отец отличался. Когда Тесс задала тот же вопрос отцу, он пожал плечами, кашлянул и сказал: «Об этом тебе придется спросить у мамы, солнышко».

А что, если отец тоже страдает социофобией?

До развода ее матери крайне досаждало то, что он не проявлял интереса к светской жизни. «Но мы же никогда никуда не выходим!» — разочарованно восклицала она, когда отец в очередной раз отказывался посетить какое-нибудь мероприятие.

«Тесс немного застенчива, — громким шепотом сообщала ее мать окружающим, прикрывая рот ладонью. — Боюсь, это ей досталось от отца». Тесс слышала в голосе матери веселое пренебрежение и со временем поверила, что застенчивость в любом виде неправильна и даже, по сути, порочна. Ты должна охотно бывать на вечеринках. Должна стремиться всегда быть с людьми.

Неудивительно, что она так стыдилась собственной застенчивости, как будто та была позорным физическим недостатком, который следовало скрывать любой ценой.

— Почему ты просто не выходила куда-нибудь сама? — Она посмотрела на мать.

— Что? — удивилась Люси, подняв взгляд от компаса. — Выходила куда?

— Неважно, — вздохнула Тесс и протянула руку. — Отдай мой компас. Он мне нравится.

* * *

Сесилия припарковала машину перед домом Рейчел Кроули и снова задумалась, зачем она так с собой поступает. Она могла бы завезти заказ Рейчел в школу после Пасхи. Гостям с вечеринки у Марлы никто не обещал доставку до выходных. Такое впечатление, что ее одновременно тянуло искать общества Рейчел и избегать ее любой ценой.

Возможно, Сесилию тянуло увидеться с ней, потому что одна только Рейчел на целом свете обладала правом и авторитетом, чтобы высказаться по поводу ее нынешней дилеммы. Хотя «дилемма» — это слишком мягкое слово. Слишком эгоистичное. Оно подразумевало, что чувства Сесилии имеют какое-то значение.

Она подхватила с пассажирского места полиэтиленовый пакет с посудой и открыла дверцу машины. Возможно, настоящей причиной, по которой она явилась сюда, было понимание, что у Рейчел есть все основания ее ненавидеть, а она не могла вынести даже мысли о том, что ее кто-то ненавидит.

«Я ребенок, — подумала она, постучавшись. — Ребенок средних лет, перед самым климаксом».

Дверь открылась неожиданно быстро, не дав ей времени приготовить подходящее выражение лица.

— О, — произнесла Рейчел и заметно поникла. — Сесилия.

— Простите, — отозвалась Сесилия, мысленно добавив: «Мне очень, очень жаль». — Вы кого-то ждете?

— Не то чтобы, — опомнившись, заверила ее Рейчел. — Как ваши дела? О, мой «Таппервер»! Как это замечательно. Спасибо вам огромное. Не хотите зайти? Где ваши девочки?

— У моей матери. Она чувствовала себя виноватой из-за того, что пропустила сегодня их парад пасхальных шляп, поэтому пригласила девочек на чай. Неважно. Это не имеет значения! Я не стану заходить, я просто...

— Уверены? Я только что поставила чайник.

Сесилия чувствовала себя чересчур слабой, чтобы спорить. Она сделает все, чего бы ни захотела Рейчел. Ее ноги так дрожали, что она едва не падала. Если бы Рейчел закричала: «Сознавайся!», она бы созналась. Она едва ли не мечтала об этом.

Переступая порог, она чувствовала, как сжимается горло, будто перед лицом физической опасности. Дом изрядно напоминал ее собственный, как и многие другие на северном побережье.

— Проходите на кухню, — пригласила Рейчел. — У меня там включен обогреватель. По вечерам уже становится прохладно.

— У нас был такой же линолеум! — заметила Сесилия, проследовав за ней на кухню.

— Уверена, в те давние времена он был последним писком моды, — отозвалась Рейчел, раскладывая по чашкам чайные пакетики. — Как видите, я не из любителей обновлять обстановку. Мне попросту неинтересны все эти плитки и ковры, краски и защитные панели. Ну вот, держите. Молока? Сахара? Добавляйте сами.

— Это Джейни, верно? — спросила Сесилия. — И Роб?

Она остановилась перед холодильником. Имя Джейни она произнесла с облегчением. Постоянные мысли о Джейни попросту подавляли Сесилию. Казалось, не произнеси она этого имени сейчас, оно бы внезапно сорвалось у нее с языка без всякого повода.

Карточка на холодильнике Рейчел была небрежно прижата магнитом с рекламой некоего «Пита, круглосуточного слесаря». Небольшая, выцветшая, чуть перекошенная фотография Джейни и ее младшего брата, стоящих перед решеткой барбекю с жестянками колы в руках. Оба подростка растерянно обернулись, приоткрыв рот, как будто фотограф застал их врасплох. Снимок вышел не особенно удачным, но каким-то образом из-за самой его повседневности смерть Джейни казалась тем более невозможной.

— Да, это Джейни, — подтвердила Рейчел. — Эта карточка висела на холодильнике, когда она погибла. Я так ее и не сняла. Глупо на самом деле. У меня есть куда лучшие ее снимки. Присаживайтесь. Тут есть печенье, называется макарони. Не какое-то там миндальное печенье, о нет, если вы об этом подумали. Макарони. Вы, должно быть, все про них знаете. Я не особо современна.

Сесилия отметила, что Рейчел гордится собственной несовременностью.

— Угощайтесь! Они действительно очень хороши.

— Спасибо.

Сесилия села и взяла печеньице. Вкуса она не ощутила никакого, как от пыли. Она слишком поспешно отхлебнула чая и ошпарила язык.

— Спасибо, что завезли мне посуду, — заговорила Рейчел. — Очень кстати. Дело в том, что завтра годовщина смерти Джейни. Двадцать восемь лет.

Сесилия не сразу осознала услышанное. Она не могла проследить связь между «Таппервером» и годовщиной.

— Простите, — пробормотала она.

Почти с исследовательским интересом она отметила, что ее рука заметно дрожит, и осторожно поставила чашку обратно на блюдце.

— Нет, это вы меня простите, — возразила Рейчел. — Не знаю, зачем я вам это сказала. Просто я сегодня много о ней думаю. Даже больше, чем обычно. Порой я задаю себе вопрос, как часто я о ней вспоминала бы, если бы она осталась жива. О бедняге Робе я думаю гораздо реже. Я о нем не беспокоюсь. Стоило бы ждать, что, потеряв одного ребенка, я должна была больше тревожиться за второго, но я не особенно волнуюсь. Разве это не ужасно? Но я беспокоюсь, не случится ли что с моим внуком. С Джейкобом.

— Думаю, это вполне естественно, — заметила Сесилия и внезапно ужаснулась собственной потрясающей дерзости: сидеть здесь, в этой кухне, в обнимку с «Таппервером» и сыпать банальностями.

— Я ведь люблю сына, — пробормотала Рейчел себе в кружку и бросила на Сесилию пристыженный взгляд. — Не хотелось бы, чтобы вы подумали, будто я к нему равнодушна.

— Конечно, я так не думаю!

К собственному ужасу, Сесилия заметила, что треугольная крошка голубого печеньица прилипла к нижней губе Рейчел. Это выглядело ужасающе несообразно и внезапно придало Рейчел старческий вид, как будто она страдала слабоумием.

— Мне просто кажется, что теперь он принадлежит Лорен. Как там говорится? «Сын будет сыном, пока жену не найдет, дочь будет дочерью, покуда живет».

— Я... слышала что-то такое. Не знаю, насколько это справедливо.

Сесилия страшно терзалась. Она не могла сказать Рейчел о крошке на губе. Только не пока та говорит о Джейни.

Рейчел поднесла к губам чашку для нового глотка, и Сесилия напряглась. Наверняка теперь крошка исчезнет. Рейчел поставила чашку. Крошка сдвинулась вбок и стала еще заметнее. Надо что-то сказать.

— Я и правда не знаю, с чего так разболталась, — призналась Рейчел. — Вы, должно быть, думаете, что я выжила из ума! Видите ли, я и впрямь немного не в себе. Тем вечером, вернувшись домой с вашей вечеринки, я кое-что нашла.

Она облизнула губы, и голубая крошка пропала. Сесилия обмякла от облегчения.

— Кое-что нашли? — повторила она.

Затем сделала большой глоток чая. Чем быстрее она пьет, тем быстрее сможет уйти. Чай был очень горячим.

Должно быть, вода вскипела как раз перед тем, как Рейчел ее разлила. Мама Сесилии тоже подавала чай слишком горячим.

— Кое-что, доказывающее, кто убил Джейни, — объявила Рейчел. — Это улика. Новая улика. Я передала ее полиции... Ох! О боже, Сесилия, вы в порядке? Быстрее! Идите и суньте руку под холодную воду.

Глава 41

Когда мотоцикл Коннора с резким креном огибал углы, Тесс крепче сжимала руками его талию. Где-то по сторонам мелькали смазанные пятна разноцветного света от уличных фонарей и витрин. Ветер ревел в ушах. Каждый раз, когда они срывались с места на светофоре, у нее в животе что-то волнующе сжималось, как будто она находилась в самолете, отрывающемся от взлетной полосы.

— Не беспокойся, я осторожный, скучный мотоциклист средних лет, — напутствовал ее Коннор, подгоняя на ней шлем. — Я не превышаю скорость. Особенно когда везу драгоценный груз.

Затем он склонил голову, и они легонько стукнулись шлемами. Тесс была тронута этим проявлением нежности и одновременно почувствовала себя глупо. Уж конечно, она слишком стара для перестукивания шлемами и подобных игривых замечаний. Она слишком замужем.

Хотя, возможно, и нет.

Тесс попыталась вспомнить, что делала вечером в прошлый четверг, дома в Мельбурне, когда все еще оставалась женой Уилла и двоюродной сестрой Фелисити. А, готовила яблочные кексы! Лиаму нравилось пить с ними чай по утрам в школе. А потом они с Уиллом смотрели телевизор, держа на коленях ноутбуки. Она подготовила несколько счетов-фактур. Он работал над кампанией «Стоп-кашля». Они немного почитали и отправились в постель. Стоп. Нет. Да. Да, определенно. Они занимались сексом. Быстрым, успокаивающим и приятным, как кекс, ничего общего с сексом в коридоре Коннора, ясное дело. Но это же брак. Брак вообще похож на теплый яблочный кекс.

Должно быть, он думал о Фелисити, пока они занимались любовью.

Эта мысль обожгла ее, словно пощечина.

Он был особенно нежен, когда они занимались любовью той ночью, вспомнилось ей. Казалось, что ее заботливо лелеют. В то время как на самом деле он не лелеял ее, а жалел. Возможно, даже раздумывал, не в последний ли раз они спят вместе как муж и жена.

Боль мгновенно разлилась по всему ее телу. Она подалась вперед так, чтобы приникнуть к Коннору. На следующем светофоре Коннор протянул назад руку и нежно погладил ее по бедру, что тут же отозвалось в ней вспышкой чувственного наслаждения. Боль, причиненная ей Уиллом и Фелисити, обостряла каждое ощущение. Теперь все приятное, вроде виражей мотоцикла и ладони Коннора на бедре, чувствовалось еще сильнее. Вечером в прошлый четверг она вела спокойную, приглушенную, безопасную жизнь. Вечер этого четверга напоминал ей подростковый возраст: изысканно болезненный и остро прекрасный.

Но сколь бы сильная боль ее ни терзала, она не хотела бы сейчас оказаться дома в Мельбурне, за выпечкой, телевизором и работой над счетами-фактурами. Хотелось находиться здесь, парить на этом мотоцикле и чтобы сердце колотилось, показывая, что она еще жива.

* * *

Вечером, в десятом часу, Сесилия с Джоном Полом сидели на заднем дворе, в кабинке для переодевания близ бассейна. Только здесь им не грозило, что их подслушают. Дочери обладали исключительной способностью слышать вещи, не предназначенные для их ушей. Со своего места Сесилия сквозь застекленные двери видела их лица, озаренные колеблющимся светом телевизора. В семье было заведено, что в первый вечер каникул девочкам позволялось засиживаться допоздна, смотреть кино и есть попкорн.

Сесилия отвела взгляд от дочерей и посмотрела на мерцающую голубизну бассейна в форме фасолины, подсвеченную мощными подводными лампами, — превосходный символ пригородного блаженства. Если не считать странного прерывистого звука, исходящего от фильтра, — такой мог бы издавать поперхнувшийся младенец. Сесилия просила Джона Пола взглянуть на него за несколько недель до отлета в Чикаго; руки у него так и не дошли, но он бы страшно разозлился, если бы она вызвала мастера. Это подразумевало бы недостаток веры в его способности. Конечно, когда он наконец-то найдет время, починить фильтр все равно не получится, и ей придется вызывать мастера. Это страшно раздражало Сесилию. Почему в его дурацкую программу искупления длиною в жизнь не вошел такой пункт: «Выполнять просьбы своей жены немедленно, чтобы она не чувствовала себя сварливой».

Она предпочла бы выйти сюда ради заурядного спора с Джоном Полом из-за проклятого фильтра. Даже по-настоящему неприятный заурядный спор, чреватый обидами, был бы намного лучше, чем это постоянное ощущение ужаса. Она чувствовала его всем телом: в животе, груди, даже во рту стоял мерзкий привкус. И как это скажется на ее здоровье?

— Мне нужно кое-что тебе сообщить. — Сесилия прочистила горло.

Она собиралась передать ему, что сегодня сказала ей Рейчел Кроули о новой найденной улике. Как он отреагирует? Испугается? Сбежит? Начнет скрываться?

Рейчел не упомянула, чем именно является эта улика, поскольку ее отвлекла гостья, пролившая на себя чай. Сама же Сесилия ударилась в такую панику, что ей не пришло в голову спросить. Теперь она понимала, что допустила ошибку. Было бы полезно об этом знать. Она не слишком успешно справлялась с этой новой ролью жены преступника.

Рейчел никак не могла знать, на кого именно указывает улика, или она не стала бы рассказывать о ней Сесилии. Правда? Так трудно было мыслить ясно.

— В чем дело? — спросил Джон Пол.

Он сидел на деревянной скамье напротив нее, в джинсах и полосатом свитере, который купили ему девочки на прошлый День отца. Он подался вперед, вяло свесив руки между коленями. В его интонациях сквозило нечто непривычное. Чем-то напоминающее тот мягкий, отчаянно напряженный тон, которым он отвечал дочерям, когда у него только-только начиналась мигрень и он еще надеялся, что она пройдет сама.

— У тебя что, голова болит? — спросила Сесилия.

— Я в порядке.

— Хорошо. Послушай, сегодня, когда я была на параде пасхальных шляп, я видела...

— А ты себя хорошо чувствуешь?

— Хорошо, — нетерпеливо отмахнулась она.

— Да непохоже. По виду ты совсем больна. Как будто это из-за меня ты заболела, — уточнил он дрогнувшим голосом. — Для меня всегда было важно только одно: чтобы ты и девочки были счастливы, и вот теперь я поставил тебя в это невыносимое положение.

— Да, — согласилась Сесилия. Она вцепилась в рейки сиденья, глядя на лица дочерей: те разом залились смехом над чем-то в телевизоре. — «Невыносимое» — это вполне подходящее слово.

— Весь день на работе я думал, как мне это исправить. Что я могу сделать, чтобы тебе стало легче? — Джон Пол подошел и сел с ней рядом. Она ощутила вблизи радушное тепло его тела. — Ясно, что улучшить я ничего не могу. Не по-настоящему. Но я хотел сказать тебе следующее: если ты хочешь, чтобы я сознался, я так и сделаю. Я не прошу тебя нести это бремя, если оно тебе не по силам. — Он взял ее за руку и стиснул. — Сесилия, пусть все будет, как ты захочешь. Если ты велишь мне прямиком пойти в полицию или к Рейчел Кроули, я пойду. Если ты хочешь, чтобы я просто ушел, потому что ты не в силах больше жить со мной в одном доме, я подчинюсь. Сам скажу девочкам, что мы расстаемся, потому что... Не знаю, что я скажу девочкам, но я возьму вину на себя, ясное дело.

Сесилия ощущала, что Джон Пол дрожит всем телом. Его ладонь, накрывающая ее руку, была влажной от пота.

— Значит, ты готов отправиться в тюрьму. А как же твоя клаустрофобия?

— Придется как-то справиться, — заявил он, и его ладонь взмокла еще сильнее. — В любом случае она существует только в моей голове. На самом деле ничего нет.

— Так почему ты не вытерпел этого раньше? — Сесилия с внезапным отвращением выдернула руку и вскочила. — Почему не признался еще до того, как мы с тобой познакомились?

— Я не могу ответить тебе на это. — Он вскинул ладони и посмотрел на нее, скривившись в умоляющей гримасе. — Я пытался объяснить. Прости...

— А теперь ты заявляешь, что решение остается за мной. Это больше не имеет к тебе никакого отношения. Теперь я отвечаю за то, узнает ли Рейчел правду или нет!

Она вспомнила голубую крошку на губе Рейчел и содрогнулась.

— Если ты этого не хочешь, то не надо! — спохватился Джон Пол, уже едва не плача. — Я пытался сделать так, чтобы тебе стало легче.

— Разве ты не видишь, что переваливаешь это на меня? — повысила голос Сесилия, но ее гнев уже стихал, сменяясь могучей волной отчаяния.

Предложение Джона Пола сознаться ничего не изменило. На самом деле она уже несет ответственность. С того мгновения, как она вскрыла письмо, ответственность легла на нее.

— Я видела сегодня Рейчел Кроули. — Она опустилась на скамью на противоположной стороне кабинки. — Завозила ей заказ. Она сказала, что обнаружила новую улику, указывающую на убийцу Джейни.

— Не может быть! — вскинулся Джон Пол. — Ничего же нет. Не осталось никаких улик.

— Я всего лишь передаю тебе то, что она сказала.

— Ну что ж, — выдохнул Джон Пол, чуть покачнулся, как будто в приступе дурноты, и на краткий миг прикрыл глаза. — Возможно, решение примут за нас. За меня.

Сесилия попыталась вспомнить, как именно выразилась Рейчел. Что-то вроде: «Я нашла кое-что, доказывающее, кто убил Джейни».

— Но эта ее улика ведь может указывать на кого-то другого, — внезапно добавила Сесилия.

— В таком случае мне придется сознаться, — решительно заявил Джон Пол. — Ясное дело, я так и поступлю.

— Ясное дело, — повторила Сесилия.

— Просто это кажется маловероятным, — заметил Джон Пол измученным голосом. — Разве нет? Столько лет спустя.

— Кажется, — согласилась Сесилия.

Она смотрела, как он поднимает голову и оборачивается к дому, чтобы взглянуть на девочек. В тишине шум фильтра сделался громче. Он уже напоминал не хрип поперхнувшегося младенца, а скорее сиплое дыхание какого-то чудовища, вроде великана-людоеда из детского кошмара, затаившегося около их дома.

— Я посмотрю фильтр завтра, — пообещал Джон Пол, не отрывая взгляда от дочерей.

Сесилия промолчала. Она сидела и дышала в такт с великаном-людоедом.

Глава 42

Это что-то вроде решающего второго свидания, — заметила Тесс.

Они с Коннором сидели на низенькой кирпичной стене над пляжем Ди-Уай и пили горячий шоколад из одноразовых чашек. Мотоцикл стоял позади них, поблескивая хромом в лунном свете. Ночь выдалась холодной, но Тесс было тепло в просторной кожаной куртке, которую одолжил ей Коннор. Она пахла лосьоном после бритья.

— Да, обычно это срабатывает как по волшебству, — отозвался Коннор.

— Вот только ты уже переспал со мной на первом свидании, — продолжала Тесс. — Так что, сам понимаешь, тебе необязательно и дальше тратить силы на обольщение.

Ее голос звучал непривычно для ее собственного слуха, как будто она примеряла на себя чужую личность — такую вот развязную, вздорную девицу. Точнее сказать, она как будто пыталась изображать Фелисити и не очень хорошо с этим справлялась. Волшебно обострившиеся ощущения, которые она испытывала на мотоцикле, словно улетучились, и теперь ей стало неловко. Все это было слишком. Лунный свет, мотоцикл, кожаная куртка и горячий шоколад. Это казалось ужасно романтичным. Ее никогда не привлекали классические романтические ситуации. Она над ними посмеивалась.

Коннор обернулся к ней с убийственно серьезным выражением лица:

— То есть ты утверждаешь, что та ночь была первым свиданием.

У него были серые внимательные глаза. В отличие от Уилла, Коннор смеялся нечасто. Тем ценнее казались его редкие низкие смешки. Обрати внимание, Уилл, качество, а не количество.

— О, ну... — замялась Тесс.

Считает ли он, что они встречаются?

— Я не знаю. То есть...

— Я пошутил. — Коннор накрыл ладонью ее руку. — Расслабься. Я же говорил. Я просто рад провести с тобой время.

— Чем ты занимался вечером? — Тесс отпила горячего шоколада и сменила тему. — После школы?

Коннор сощурился, как будто задумавшись над ответом, а затем пожал плечами:

— Я сходил на пробежку, выпил кофе с Беном и его подружкой и... хм... ну, побывал у моего мозгоправа. Я вижусь с ней по четвергам вечером. В шесть часов. По соседству есть индийский ресторан. После сеанса я всегда ем карри. Психотерапия и восхитительное карри из ягненка. Не знаю, зачем я все время рассказываю тебе о своей терапии.

— А ты упоминал обо мне своему доктору? — спросила Тесс.

— Конечно нет, — улыбнулся он.

— Ой, врешь! — Она легонько ткнула его пальцем в бедро.

— Ладно, упомянул. Прости. Это же новость. Мне нравится, когда я ей интересен.

— И что она сказала? — Тесс поставила чашку с горячим шоколадом на стену рядом с собой.

— Ты явно никогда не бывала у психотерапевта. — Коннор взглянул на нее. — Они ничего тебе не говорят. Они твердят что-то вроде: «И как вы себя чувствуете в связи с этим?» и «Как вы думаете, почему вы так поступили?»

— Готова поспорить, она меня не одобряет, — заключила Тесс.

Она взглянула на себя глазами психотерапевта: бывшая подружка, разбившая молодому человеку сердце много лет назад, внезапно вновь объявилась в его жизни, как только ее брак начал рушиться. Тесс захотелось оправдаться.

«Но я же ни на что его не уговариваю. Он взрослый мужчина. И возможно, из этого выйдет что-то серьезное. Действительно, я вовсе не вспоминала о нем после того, как мы расстались, но вдруг я смогу в него влюбиться. Собственно, я, может быть, как раз в него и влюбляюсь. Я понимаю, что ему и так несладко из-за погибшей первой девушки. Я не собираюсь разбивать его сердце. Я же хороший человек».

А хороший ли она человек? Тесс смутно ощущала что-то едва ли не постыдное в том, как именно проживала свою жизнь. Не было ли признаком ограниченности, мелочности, даже низости ее стремление отгораживаться от людей, укрываясь за удобной стеной застенчивости, этой своей «социофобии»? Если кто-то пытался подружиться с ней, она оттягивала ответы на звонки и электронные письма. В конце концов люди сдавались, и Тесс неизменно испытывала облегчение. Будь она луч-

ЛИАНА МОРИАРТИ

шей матерью, более общительной, она помогла бы Лиаму подружиться с другими детьми, помимо Маркуса. Но нет, она только посиживала с Фелисити, хихикая и язвя за бокалом вина. Они с Фелисити не терпели чрезмерно худых, чрезмерно спортивных, чрезмерно богатых или чрезмерно интеллектуальных. Они смеялись над людьми с личными тренерами и маленькими собачками, над людьми, вывешивающими в «Фейсбуке» слишком заумные или безграмотные комментарии, над людьми, использующими фразу «Сейчас я переживаю очень хорошее время», и людьми, которые всегда во всем «участвуют» — вроде Сесилии Фицпатрик.

Тесс и Фелисити сидели за краем поля жизни, зубоскаля над игроками.

Если бы у Тесс был более широкий круг общения, то, возможно, Уилл не влюбился бы в Фелисити. Или, по крайней мере, в его распоряжении оказался бы больший выбор кандидаток в любовницы.

Когда ее жизнь рухнула, у Тесс не осталось ни одного друга, которому она могла бы позвонить. Ни единого друга. Вот почему она так повела себя с Коннором. Ей нужен был друг.

— Я соответствую схеме, ведь так? — спросила Тесс внезапно. — Ты все время выбираешь неподходящих женщин. Я очередная неподходящая женщина.

— Хмм, — протянул Коннор. — А еще ты не принесла обещанные булочки.

Он запрокинул голову и допил остатки горячего шоколада. Затем отставил картонную чашку на стену рядом с собой и придвинулся ближе к Тесс.

— Я тебя использую, — заключила она. — Я плохой человек.

Коннор положил теплую ладонь ей на затылок и привлек ее так близко к себе, что она почуяла шоколадный запах его дыхания. Затем вынул чашку из ее ослабевшей руки.

— Я использую тебя, чтобы не думать о собственном муже, — уточнила Тесс.

Ей хотелось, чтобы он понял.

— Тесс. Милая. Думаешь, я этого не знаю?

Затем он поцеловал ее, так вдумчиво и сосредоточенно, что ей показалось, будто она падает, парит, кружит все ниже, ниже и ниже, словно Алиса в Стране чудес.

6 апреля 1984 года

Джейни и не знала, что мальчики умеют краснеть. Ее брат Роб краснел, но он явно не считался за настоящего мальчика. Она не подозревала, что умные, симпатичные мальчики из частной школы вроде Джона Пола Фицпатрика тоже умеют краснеть. Вечерело, и свет уже угасал, делая все вокруг неотчетливым и смутным, но она все еще могла разглядеть, что лицо Джона Пола пылает. Даже его уши, отметила она, сделались розовыми на просвет.

Она только что произнесла заготовленную речь о том, что есть некий «другой парень», с которым она встречалась, и он хочет, чтобы она стала «вроде как его подружкой». Так что она совсем не может больше видеться с Джоном Полом, поскольку этот другой парень хочет, чтобы «все было вроде как официально».

Она смутно подозревала, что будет лучше, если она представит дело так, будто во всем виноват Коннор, будто это он заставляет ее порвать с Джоном Полом. Но теперь, когда лицо Джона Пола покраснело, она задумалась, не было ли ошибкой с ее стороны вообще упоминать о другом молодом человеке. Она могла бы свалить все на отца. Сказать, что слишком переживает, а вдруг тот выяснит, что она встречается с мальчиком.

Но отчасти ей хотелось, чтобы Джон Пол знал, что она пользуется успехом.

— Но, Джейни, — заговорил Джон Пол, и голос его прозвучал по-девчачьи пискляво, как будто он собирался разреветься. — Я думал, что ты моя девушка.

Джейни пришла в ужас. Ее собственное лицо от сочувствия залилось румянцем. Она отвернулась к качелям и невольно издала странный высокий смешок. За ней водилась такая дурная привычка — смеяться, когда она нервничает, хотя и не видит в ситуации вовсе ничего забавного. К примеру, когда Джейни было тринадцать, директор школы однажды зашел к ним в классную комнату с мрачным, скорбным выражением на обычно веселом лице и сообщил, что у их учительницы географии умер муж. Джейни ужаснулась и расстроилась — и вдруг рассмеялась. Совершенно необъяснимо. Весь класс обернулся посмотреть на нее осуждающе, и она едва не умерла со стыда.

Джон Пол метнулся к ней. Первой ее мимолетной мыслью было, что он собирается ее поцеловать, в такой вот необычной, властной манере, — и она обрадовалась и взволновалась. Он не позволит ей с ним порвать. Он не намерен это терпеть!

Но затем его руки схватили ее шею. Она попыталась сказать: «Мне больно, Джон Пол», но не смогла. Ей хотелось разрешить это страшное недоразумение, объяснить, что на самом деле он нравится ей больше Коннора, что она вовсе не собиралась причинить ему боль и охотно стала бы его девушкой. И она попыталась выразить все это глазами, неотрывно глядящими в его красивые глаза. И на миг ей показалось, будто она заметила в них какую-то перемену, потрясенное осознание. И его руки ослабили хватку на ее шее. Но тем временем случилось что-то еще: что-то очень неправильное и непривычное происходило с ее телом. В этот миг некая отстраненная часть ее сознания вспомнила, что мать собиралась забрать ее сегодня после школы, чтобы отвезти к доктору, а она напрочь позабыла и вместо этого отправилась в гости к Коннору. Мать будет в ярости.

«Вот черт», — оказалось последней ее четко выраженной мыслью.

После этого мыслей больше не было, только беспомощная, мечущаяся паника.

Страстная
пятница

Глава 43

Сока! — потребовал Джейкоб.

— Чего ты хочешь, радость моя? — шепотом переспросила Лорен.

«Сока, — подумала Рейчел. — Он хочет сока. Ты что, оглохла?»

Было раннее утро. Рейчел, Роб и Лорен стояли маленьким дрожащим кружком в парке Уотл-Вэлли, потирая руки и притоптывая, а Джейкоб бегал туда-сюда у них под ногами. Он был одет в куртку аляску, которая, как подозревала Рейчел, уже стала ему тесновата, и его руки торчали в стороны, как у снеговика.

Как и предполагалось, Лорен надела плащ, но ее хвост выглядел не таким безупречным, как обычно. Несколько прядей выбилось из-под резинки, да и сама она казалась усталой. Она держала одинокую красную розу, но Рейчел сочла ее выбор глупым. Такие вот розы в длинных пластиковых трубках юноши дарят подружкам на День святого Валентина.

Сама Рейчел принесла небольшой букетик душистого горошка, собранного на заднем дворе и перевязанного зеленой бархатной ленточкой вроде тех, какие носила Джейни в раннем детстве.

— Ты оставляешь цветы там, где ее нашли? — спросила как-то Марла. — Под горкой?

— Да, я оставляю их там, чтобы их растоптали сотни маленьких ножек, — ответила Рейчел.

— Ах да, это было бы неразумно, — отозвалась Марла, ничуть не обидевшись.

Это была даже не та самая горка. Все неуклюжие старые металлические сооружения заменили причудливые выдумки космической эры, совсем как в парке около дома Рейчел, куда она водила Джейкоба, а земля была покрыта чем-то, придающим вашим шагам упругость, как у астронавта.

— Сока! — повторил Джейкоб.

— Я не понимаю, солнышко, — извинилась Лорен, перебросив волосы через плечо. — Хочешь, чтобы я расстегнула на тебе куртку?

Ради всего святого. Рейчел вздохнула. Не то чтобы она хоть раз и впрямь ощутила присутствие Джейни, когда приходила сюда. Она не могла представить здесь дочь, не могла понять, как та вообще тут оказалась. Никто из друзей Джейни ни разу не слышал, чтобы она ходила в этот парк. Очевидно, ее привел сюда молодой человек. Молодой человек по имени Коннор Уитби. Должно быть, ему хотелось секса, а Джейни сказала «нет». Ей стоило бы с ним переспать. И виновата тут Рейчел, слишком часто талдычившая дочери на этот счет, как будто потеря девственности так уж много значила. Смерть значит гораздо больше. Ей следовало бы сказать дочери: «Джейни, спи с кем захочется. Только береги себя».

Эд не пожелал приходить в парк, где ее нашли.

— Какой в этом, к черту, смысл? — спросил он. — Слишком чертовски поздно идти туда сейчас, разве нет? Ее там, к черту, нет, так?

Эд, ты чертовски прав.

Но Рейчел казалось, будто она ради Джейни обязана каждый год являться сюда с букетиком цветов, чтобы извиниться за то, что ее не оказалось рядом, чтобы побыть там теперь, представить себе последние мгновения дочери, почтить последнее место, где она еще была живой и дышала. Если бы только Рейчел была там и видела ее в эти последние бесценные минуты, упивалась видом ее нелепо длинных и тонких ног и рук, нескладной, угловатой красоты ее лица. Это была дурацкая мысль: окажись Рейчел там, она бы бросилась на помощь дочери. И все же ей хотелось бы быть там, даже если бы она не могла ничего изменить.

Возможно, Эд был прав. Бессмысленно вот так приходить сюда каждый год. И особенно бессмысленным это казалось сейчас, в компании Роба, Лорен и Джейкоба, которые как будто ждали, когда же начнется мероприятие, на которое они пришли.

— Сока! — настаивал Джейкоб.

— Прости, радость моя, я никак не разберу, — отозвалась Лорен.

— Он хочет сока, — буркнул Роб так угрюмо, что Рейчел едва не посочувствовала Лорен.

Он сейчас напоминал ужасно сердитого Эда. Все мужчины Кроули были такими ворчунами.

— У нас нет сока, дружок. Вот. Мы прихватили с собой твою бутылочку с водой. Попей водички.

— Джейки, мы не пьем сок, — добавила Лорен. — Это вредно для твоих зубов.

Джейкоб взял бутылочку пухлыми ладошками, запрокинул голову и принялся утолять жажду, бросив на Рейчел взгляд, явно подразумевавший: «Не будем рассказывать ей обо всем том соке, который я пью у тебя дома».

— Вы обычно что-нибудь говорите? — Лорен потуже затянула пояс плаща и повернулась к Рейчел. — Или, ну...

— Нет, я просто думаю о ней, — ответила Рейчел ровным тоном, подразумевающим «Черт возьми, да заткнись же».

Она определенно не собиралась давать волю чувствам при Лорен.

— Еще минутка, и можем идти. На улице очень свежо. Мы же не хотим, чтобы Джейкоб простыл.

Нелепо было тащить сюда ребенка в этот день. Возможно, в будущем она станет как-нибудь иначе поминать Джейни в годовщину ее смерти. Скажем, ходить на ее могилу, как и в день ее рождения.

Ей нужно только дотерпеть до конца этого бесконечного дня, и все прекратится еще на год. Просто не надо останавливаться. Давайте же, минуты, шевелитесь, пока не настанет полночь.

— Хочешь что-нибудь сказать, милый? — спросила Лорен у Роба.

«Разумеется, не хочет», — едва не вырвалось у Рейчел, но она вовремя себя остановила.

Она взглянула на Роба: тот смотрел вверх, в небо, по-индюшачьи вытягивая шею, стиснув крепкие белые зубы, а руки неловко прижав к животу, как будто ему плохо.

«Он никогда здесь не был, — осознала Рейчел. — Он не был в этом парке с тех пор, как ее нашли мертвой».

Она шагнула было к нему, но Лорен успела первой и взяла его за руку.

— Все хорошо, — шепнула она. — С тобой все в порядке. Только дыши, милый. Дыши.

Рейчел беспомощно смотрела, как эта молодая женщина, с которой она толком не знакома, утешает ее сына, с которым она, вероятно, тоже толком не знакома. Она увидела, как Роб прислонился к жене, и подумала, насколько же мало знает, да и вообще когда-либо хотела знать, о горе собственного сына. Будил ли он Лорен кошмарами, сминая простыни? Говорил ли с ней тихонько в темноте, рассказывая истории про сестру?

К колену Рейчел прикоснулась рука, и она опустила взгляд.

— Бабуля, — окликнул ее Джейкоб и жестом поманил к себе.

— В чем дело?

Она наклонилась, и он приложил ладошку к ее уху.

— Сока, — шепнул он. — Дай!

* * *

Семейство Фицпатрик заспалось допоздна. Сесилия проснулась первой. Она потянулась за айфоном, лежащим на прикроватной тумбочке, и обнаружила, что уже половина десятого. Помойно-серый утренний свет лился в окна их спальни.

Страстная пятница и день рождественских подарков были двумя драгоценными днями в году, на которые они ничего заранее не планировали. Завтра она будет метаться как угорелая, готовясь к обеду в пасхальное воскресенье, но сегодня не будет ни гостей, ни домашних заданий, ни спешки, ни даже походов за продуктами. Воздух был зябким, а кровать теплой.

Джон Пол убил дочь Рейчел Кроули.

Эта мысль навалилась ей на грудь, сдавливая сердце. Она никогда больше не сможет лежать в постели утром Страстной пятницы и расслабляться в блаженной уверенности, что не нужно ничего делать и никуда идти, поскольку кое-что останется не сделанным навсегда, до конца ее дней.

Она лежала на боку, прижавшись спиной к Джону Полу. Его рука теплой тяжестью покоилась у нее на талии. Ее муж. Ее муж, убийца. Может, она должна была понять? Должна была догадаться? Кошмары, мигрени, времена, когда он бывал упрямым и странным. Это ничего бы не изменило, но теперь она укоряла себя за невнимательность. «Такой уж он человек», — говорила она себе. Она упорно перебирала воспоминания об их браке в свете открывшегося ей знания. Например, вспомнила, как он отказался от попыток зачать четвертого ребенка. «Давай попробуем завести мальчика», — предложила ему Сесилия, когда Полли была еще совсем малышкой, — предложила, прекрасно зная, что оба они будут вполне довольны, если в итоге обзаведутся четвертой девочкой. Джон Пол озадачил ее, решительно отказавшись даже думать об этом. Вероятно, это было для него еще одним способом самобичевания, — значит, ему отчаянно хотелось иметь сына.

Надо подумать о чем-нибудь другом. Возможно, ей стоит встать и взяться за выпечку к воскресенью. Как она выдержит всех этих гостей, все эти разговоры, все это счастье? Мать Джона Пола будет сидеть в своем любимом кресле, исполненная праведности, в окружении свиты, посвященная в ту же тайну. «Это было так давно», — сказала она. А вот Рейчел, должно быть, кажется, что все случилось только вчера.

Вздрогнув, Сесилия вспомнила, что сегодня, по словам Рейчел, годовщина смерти Джейни. Знает ли об этом Джон Пол? Скорее всего, нет. У него ужасная память на даты. Без ее напоминаний он не знал бы о годовщине собственной свадьбы, так с чего бы ему помнить, какого числа он убил девушку?

— Боже правый, — тихонько пробормотала Сесилия себе под нос, когда на нее вновь обрушились симптомы ее новой болезни: тошнота и головная боль.

Нужно встать. Нужно как-нибудь сбежать от них. Сесилия потянулась сбросить одеяло, и Джон Пол привлек ее к себе.

— Я встаю, — сообщила она, не оборачиваясь.

— Как, по-твоему, мы справимся по деньгам? — спросил он ей в шею сиплым, словно от сильной простуды, голосом. — Если я и впрямь отправлюсь... Без моей зарплаты? Нам придется продать дом?

— Мы выживем, — коротко ответила Сесилия.

Она позаботится о деньгах. Как и всегда. Джон Пол с радостью выбрасывал из головы мысли о счетах и выплатах по ипотеке.

— Правда? — с сомнением переспросил он. — Ты уверена?

Фицпатрики были состоятельными людьми, и Джон Пол вырос в уверенности, что всегда будет жить богаче, чем большинство знакомых. Если рядом мелькали деньги, он вполне естественно предполагал, что является их источником. Сесилия не пыталась ввести его в заблуждение относительно ее собственных заработков последних лет, просто ей все никак не выпадало случая об этом упомянуть.

— Я тут подумал, — продолжал он, — что, если меня здесь не будет, нам стоит договориться с кем-нибудь из ребят Пита, чтобы они заглядывали и выполняли для тебя всякую мелкую работу. Скажем, чистили канавы. Это по-настоящему важно. Нельзя это запускать, Сесилия. Особенно в сезон лесных пожаров. Мне придется составить список. Я то и дело вспоминаю что-нибудь еще.

Она замерла. Сердце глухо бухало в груди. Как такое вообще возможно? Нелепо. Немыслимо. Они что, действительно лежат в постели и обсуждают то, как Джон Пол сядет в тюрьму?

— Я так хотел сам научить девочек водить машину, — дрогнувшим голосом сообщил он. — Очень важно, чтобы они поняли, как вести себя на дороге в сырую погоду. Ты не умеешь правильно тормозить на мокром асфальте.

— Ничего подобного, — возмутилась Сесилия.

Она оглянулась на мужа и увидела, что он плачет и слезы текут по складкам морщин среди седой щетины. Джон Пол извернулся и зарылся лицом в подушку, как будто пытался спрятаться.

— Я знаю, что не имею права. Не имею права плакать. Я просто не могу представить, что не буду видеть их каждый день по утрам.

А вот Рейчел Кроули не увидит свою дочь больше никогда.

Но Сесилии не удавалось достаточно ожесточить свое сердце. В муже она больше всего дорожила именно его любовью к дочерям. Дети привязали их друг к другу так, как, насколько ей было известно, не всегда случалось с другими парами. Делиться рассказами о девочках, смеяться и гадать об их будущем стало одной из величайших радостей ее брака. Она вышла за Джона Пола ради того отца, которым, как она знала, он должен был стать.

— Что они обо мне подумают? — простонал он, прижав ладони к лицу. — Они меня возненавидят.

— Все в порядке, — заверила его Сесилия, не в силах больше этого выносить. — Все будет в порядке. Ничего не произойдет. Ничего не изменится.

— Но я не уверен. Теперь, когда я все же произнес это вслух, когда ты узнала, столько лет спустя, все кажется слишком осязаемым, куда более реальным, чем когда-либо прежде. Знаешь, это сегодня, — сообщил он, утерев нос тыльной стороной ладони, и взглянул на нее. — Сегодня тот самый день. Я вспоминаю каждый год. Ненавижу осень. Но в этом году все куда острее, чем обычно. Не могу поверить, что это сделал я. Не могу поверить, что я так поступил с чьей-то дочерью. А теперь моим девочкам, моим девочкам... моим девочкам придется заплатить.

Раскаяние терзало все его тело, как самая мучительная болезнь. Все инстинкты Сесилии требовали облегчить его страдания, спасти его, каким-то образом унять боль. Она притянула его к себе, словно ребенка, и зашептала что-то успокаивающее.

— Чш-ш-ш. Все хорошо. Все обязательно будет хорошо. После стольких лет не может найтись никаких новых улик. Должно быть, Рейчел ошиблась. Ну же, уймись. Дыши глубже.

Он зарылся лицом в ее плечо, и его слезы промочили насквозь ткань ее ночной рубашки.

— Все образуется, — пообещала она ему.

Сесилия знала, что это никак не может быть правдой, но, гладя седеющие волосы Джона Пола, по-армейски ровно подстриженные на затылке, наконец-то поняла кое-что про себя.

Она никогда не пошлет его в полицию.

Похоже, все ее рыдания в кладовых и рвота в канавах были показными, ведь до тех пор, пока обвинения не предъявлены никому другому, она намеревалась хранить его тайну. Сесилия Фицпатрик, которая всегда первой вызывалась добровольцем, которая никогда не сидела спокойно, если что-то требовалось сделать, которая обязательно носила соседям обеды в судках и щедро тратила собственное время, которая уверенно отличала правильное от неправильного, была готова отвести взгляд. Она может позволить и позволит другой матери страдать.

У ее добродетели были свои границы. Она могла бы с легкостью прожить всю жизнь, даже не подозревая об их существовании, но теперь точно узнала, где они проходят.

Глава 44

Не жалей масла! — потребовала Люси. — Горячие крестовые булочки следует подавать истекающими маслом. Разве я ничему тебя не научила?

— Разве тебе не известно слово «холестерин»? — парировала Тесс, но все же снова взялась за нож.

Они с мамой и Лиамом сидели на заднем дворе под утренним солнышком, пили чай и ели подрумяненные на огне пасхальные булочки. Мама накинула поверх ночной рубашки розовый стеганый халат, а Тесс с Лиамом так и остались в пижамах.

День начался подобающе мрачно для Страстной пятницы, но внезапно передумал и решил повертеться и похвастаться своими осенними красками. Дул свежий игривый ветерок, а солнечный свет просачивался сквозь листву растущего во дворе огненного дерева.

— Мам? — окликнул ее Лиам с набитым ртом.

— Хм? — отозвалась Тесс.

Она подставила лицо солнцу, прикрыв глаза, и наслаждалась сонным умиротворением. Прошлой ночью, вернувшись с пляжа домой к Коннору, они снова занимались сексом. Вышло даже сногсшибательней, чем предыдущей ночью. Некоторые его умения были и впрямь весьма... выдающимися. Может, он какую книжку прочел? Уилл эту книжку определенно не читал. Занятно, что неделю назад она считала секс всего лишь приятным, не слишком регулярным развлечением, но особо о нем не думала. А теперь, на этой неделе, он захватывал ее целиком, как будто ничто другое вовсе не имело значения, как будто только во время секса она и жила настоящей жизнью.

Ей казалось, что у нее развивается зависимость от Коннора, от характерного изгиба его верхней губы, ширины его плеч и...

— Мам! — снова окликнул ее Лиам.

— Да.

— А когда...

— Сперва прожуй то, что у тебя во рту.

— Когда приедут папа и Фелисити? На Пасху?

Тесс открыла глаза и глянула на мать. Та приподняла брови.

— Я не уверена, — уклончиво сказала она Лиаму. — Нужно будет с ними поговорить. Возможно, им придется поработать.

— Они не могут работать в Пасху! Я хочу, чтобы папа разбил головой шоколадного кролика.

Каким-то образом у них зародился несколько жестокий обычай начинать утро пасхального воскресенья с ритуального разбиения лбом шоколадного кролика. Уилл и Лиам находили вдавленную мордочку бедняги до крайности уморительной.

— Ну... — протянула Тесс.

Она понятия не имела, как решить вопрос с Пасхой. Есть ли хоть какой-то смысл разыгрывать счастливую семью ради Лиама? Они недостаточно хорошие актеры. Он сразу все поймет. Никто же этого от нее не ждет, правда?

Разве что пригласить Коннора? Сидеть у него на коленях, словно школьница-подросток, доказывающая бывшему ухажеру, что теперь она встречается не с кем иным, как с мускулистым школьным чемпионом? Она могла бы попросить его подъехать на мотоцикле. Он сам мог бы разбить головой шоколадного кролика для Лиама. Он запросто перебодал бы Уилла.

— Мы позвоним папе чуть попозже, — пообещала она.

Все умиротворение улетучилось.

— Давай позвоним ему сейчас!

Лиам бросился в дом.

— Нет! — охнула Тесс, но он уже скрылся из виду.

— Вот незадача, — вздохнула мама, отложив горячую крестовую булочку.

— Я не знаю, что делать, — начала было Тесс, но сынишка уже бежал обратно с ее сотовым в протянутой руке.

Когда Лиам отдавал телефон Тесс, аппарат загудел, извещая о пришедшем текстовом сообщении.

— Это папа пишет? — спросил Лиам.

— Нет. — Тесс испуганно схватилась за телефон. — Не знаю. Дай-ка я посмотрю.

Сообщение прислал Коннор. «Думаю о тебе». И «хх» в знак поцелуев. Тесс улыбнулась. Стоило ей дочитать, как телефон загудел снова.

— Вот это, наверное, от папы!

Стоя перед ней, Лиам пружинисто покачивался на пятках, как при игре в футбол.

Тесс прочла текст. Это оказалось еще одно сообщение от Коннора. «Отличный день для воздушного змея, если захочешь прогуляться с Лиамом на стадион и немного побегать. Змея обеспечу я! Но пойму, если ты решишь, что это плохая идея».

— Они не от твоего отца, — объяснила Тесс Лиаму. — Они от мистера Уитби. Ты его знаешь. Твой новый учитель физкультуры.

Лиам непонимающе уставился на нее. Люси прокашлялась.

— Мистер Уитби, — повторила Тесс. — Он вел у тебя...

— Почему он тебе пишет? — спросил Лиам.

— Ты не собираешься доедать булочку? — в свою очередь спросила его Люси.

— На самом деле мистер Уитби — мой старый друг, — объяснила Тесс. Помнишь, как мы встретились с ним в школьной канцелярии? Я была знакома с ним много лет назад. Еще до твоего рождения.

— Тесс, — вмешалась ее мать.

В голосе Люси прозвучала предостерегающая нотка.

— Что? — раздраженно откликнулась Тесс.

Почему она не может сказать Лиаму, что Коннор — ее старый друг? С этого-то какой вред?

— А папа тоже его знает? — спросил Лиам.

Кажется, будто дети ничего не смыслят во взрослых отношениях, а затем они, ни с того ни с сего, выдают что-нибудь в этом роде. И становится ясно, что на каком-то уровне они все понимают.

— Нет. Мы дружили еще до того, как я познакомилась с твоим отцом. Как бы там ни было, мистер Уитби мне написал, потому что у него есть отличный воздушный змей. И он спрашивает, не хотим ли мы с тобой пойти на стадион его запускать.

— А? — нахмурился Лиам, как будто она предложила ему убраться в комнате.

— Тесс, милая, ты правда считаешь, что это... Ну, сама понимаешь, — начала мама Тесс, прикрыла рот ладонью и беззвучно, одними губами, договорила: «Уместно?»

Тесс пропустила ее вопрос мимо ушей. Ее не заставят терзаться чувством вины. Почему они с Лиамом должны торчать дома и ничего не делать, пока Уилл с Фелисити занимаются всем, чем бы им ни приспичило сегодня заняться? И в любом случае ей хотелось показать этому психотерапевту, этому критику, незримо присутствующему в жизни Коннора, что Тесс не просто какая-нибудь чокнувшаяся с горя женщина, использующая его ради секса. Она хороший человек. Приличный.

— У него есть замечательный воздушный змей, — принялась выдумывать Тесс. — И он просто подумал: вдруг тебе захочется его позапускать, вот и все. — Глянув на мать, она добавила: — Он ведет себя дружелюбно, потому что мы новенькие в школе. — И снова повернулась к Лиаму. — Ну что, пойдем с ним гулять? Всего на полчасика?

— Ладно, — нехотя согласился Лиам. — Но сначала я хочу позвонить папе.

— Как только ты оденешься, — пообещала Тесс. — Сходи и надень джинсы. И фуфайку. На улице холоднее, чем мне казалось.

— Ладно, — кивнул Лиам и, сутулясь, побрел прочь.

Она набрала ответ для Коннора: «Увидимся на стадионе через полчаса. хх».

Уже почти нажав кнопку «Отправить», Тесс стерла последнюю пару символов. На тот случай, если психотерапевт решит, что она его завлекает. Затем она вспомнила о настоящих поцелуях, которыми они обменивались этой ночью. Смехотворно. С тем же успехом она может поцеловать его и в текстовом сообщении. Она поставила три «х» и потянулась к кнопке, но вдруг задумалась, не покажется ли это чрезмерно романтичным. Тогда она стерла все, кроме одного, но это уже выглядело скупо в сравнении с его двумя, как будто она пыталась на что-то намекнуть. Она прицокнула языком, вернула на место второй поцелуй и отправила сообщение. Затем

Тесс подняла взгляд и обнаружила, что за ней наблюдает мама.

— Что? — спросила она.

— Осторожней, — посоветовала Люси.

— Что именно ты имеешь в виду? — В голосе Тесс прозвучала нотка вызова, напомнившая школьные годы.

— Я всего лишь хотела сказать, что не стоит слишком далеко идти по пути, с которого ты не сможешь вернуться, — пояснила мама.

— Так возвращаться и незачем! — Тесс оглянулась на заднюю дверь, проверяя, внутри ли Лиам. — Очевидно, с нашим браком что-то было неладно с самого...

— Чушь! — с горячностью перебила мать. — Чепуха! Такого рода глупости пишут в женских журналах. А в жизни все иначе. Люди ошибаются. Мы созданы так, чтобы нас влекло друг к другу. Это совершенно не означает, что с твоим браком что-то не так. Я видела вас с Уиллом вместе и знаю, как сильно вы любите друг друга.

— Но, мам, Уилл влюбился в Фелисити. Это не просто пьяный поцелуй на корпоративной вечеринке. Это любовь. — Она нахмурилась, разглядывая собственные ногти, и понизила голос до шепота. — А я, возможно, влюбляюсь в Коннора.

— И что с того? Люди постоянно влюбляются, а потом охладевают. Я сама на прошлой неделе влюбилась в зятя Берил. Но это вовсе не значит, будто твой брак ущербен. — Люси откусила кусочек булочки и добавила с набитым ртом: — Конечно, теперь ему причинен серьезный ущерб.

— Ну вот и все! — Тесс расхохоталась и вскинула руки. — С нами покончено.

— Нет, если вы оба будете готовы поступиться самолюбием.

— Дело тут не только в самолюбии, — раздраженно буркнула Тесс.

Это было смехотворно. Мама несет какую-то чепуху. В зятя Берил она влюбилась, ради всего святого!

— О, Тесс, милая, в твоем возрасте все связано с самолюбием.

— Так что ты предлагаешь? Мне следует забыть о самолюбии и умолять Уилла вернуться ко мне?

— Конечно же нет. — Люси возвела очи горе. — Я просто хочу сказать: не сжигай за собой мосты, завязывая серьезные отношения с Коннором. Ты должна думать о Лиаме. Он...

Тесс пришла в ярость:

— Я и думаю о Лиаме! — Чуть помедлив, она спросила: — А вы с папой думали обо мне, когда расставались?

Ее мать слабо, смиренно улыбнулась:

— Возможно, меньше, чем следовало бы. — Она приподняла чашку, но тут же поставила ее обратно. — Порой я оглядываюсь назад и думаю: боже правый, насколько же всерьез мы относились к своим чувствам. Все казалось черно-белым. Мы заняли свои позиции — и все. Ни малейших уступок. Что бы ни случилось, не упрямься, Тесс. Будь готова стать несколько... гибче.

— Гибче, — повторила Тесс.

— Это не в дверь звонили? — Мама подняла руку и склонила голову набок.

— Я не слышала, — ответила Тесс.

— Если моя проклятая сестра опять явилась сюда незваной, я буду зла как черт. — Люси выпрямилась и прищурилась. — И ни в коем случае не предлагай ей чая!

— Думаю, тебе померещилось, — предположила Тесс.

— Мам! Бабушка! — Задняя дверь с сеткой распахнулась, и из дома вылетел Лиам, все еще в пижаме, с сияющим лицом. — Посмотрите, кто здесь!

Он придержал дверь открытой и изобразил широкий жест ведущего телевикторины:

— Та-да-а!

Через порог шагнула красивая белокурая женщина. В первый миг Тесс ее не узнала и лишь искренне восхитилась тем, как элегантно та смотрится на фоне осенней листвы. На гостье был плотный белый вязаный кардиган с коричневыми деревянными пуговицами, коричневый же кожаный ремень, обтягивающие синие джинсы и сапоги.

— Это Фелисити! — возликовал Лиам.

Глава 45

Просто сядь рядом с мамой и расслабься, — велела Лорен Робу. — Я принесу нам горячих крестовых булочек и кофе. Джейкоб, а ты пойдешь со мной, молодой человек.

Рейчел позволила себе утонуть в диване близ дровяной печи. Было уютно. Диван оказался мягким, чего и следовало ожидать. Благодаря безукоризненному вкусу Лорен в их красиво отреставрированном коттедже времен Федерации все как надо.

Кафе, которое Лорен предлагала изначально, к ее величайшему смущению, не работало.

— Я только вчера звонила им и перепроверила время открытия, — посетовала она, когда на дверях обнаружилась табличка «Закрыто».

Рейчел с интересом наблюдала за тем, как невестка едва не потеряла самообладание, но сумела взять себя в руки и предложила вернуться к ним домой. Это было ближе, чем до жилища Рейчел, и она не нашла повода отказаться так, чтобы ее поведение не выглядело грубым.

Роб уселся в красно-белое полосатое кресло напротив нее и зевнул. Рейчел едва удержалась от зевка сама и немедленно выпрямила спину. Ей вовсе не хотелось постарушечьи задремать в доме у Лорен.

Она бросила взгляд на часы: едва минуло восемь утра. Предстояло вытерпеть еще много часов, прежде чем этот день подойдет к концу. В это время двадцать восемь лет назад Джейни как раз ела последний в жизни завтрак — скорее всего, половинку зернового хлебца «Витбикс». По утрам у нее не было аппетита.

Рейчел провела ладонью по диванной обивке.

— А как вы поступите со своей чудесной мебелью, когда переедете в Нью-Йорк? — спросила она спокойно и непринужденно.

Она может беседовать о приближающемся переезде в Нью-Йорк в годовщину смерти Джейни. О да, она может.

Роб промедлил с ответом, пристально разглядывая собственные колени. Она уже собиралась его окликнуть, когда он все же заговорил.

— Возможно, мы сдадим дом вместе с обстановкой, — выдавил он, как будто речь требовала от него усилий. — Мы еще думаем, как все устроить.

— Да, вижу, тут есть о чем подумать, — язвительно заметила Рейчел.

Да, Роб, не так-то просто увезти моего внука в Нью-Йорк.

Она впилась ногтями в обивку дивана, как будто тот был мягким жирным животным и ей хотелось его помучить.

— Мам, тебе снится Джейни? — спросил Роб.

— Да. — Рейчел подняла взгляд, освободившись из диванных объятий. — А тебе?

— Вроде того, — признался Роб. — Я вижу кошмары, как будто меня душат. Думаю, мне снится, что я Джейни. Это всегда бывает одинаково. Я просыпаюсь, ловя ртом воздух. И сны всегда хуже в это время года. Осенью. Лорен подумала, если я схожу с тобой в парк...

это может... пойти мне на пользу. Встретиться с кошмаром лицом к лицу. Не знаю. Мне там совершенно не понравилось. Я неудачно выразился. Понятно, что тебе тоже не нравится там бывать. Но для меня это оказалось по-настоящему трудным. Думать о том, что ей пришлось вынести. Как она, должно быть, испугалась. Господи!

Он поднял взгляд к потолку, и его лицо скривилось. Рейчел вспомнила, что Эд боролся со слезами точно таким же способом.

Эду тоже снились кошмары. Рейчел просыпалась и слышала, как он кричит, снова и снова: «Беги, Джейни! Беги! Ради бога, милая, беги!»

— Прости, — вздохнула Рейчел. — Я не знала, что тебе снятся кошмары.

А что она могла бы с ними поделать?

— Это всего лишь сны. — Роб совладал с лицом. — Ничего особенного. Но плохо, что тебе приходилось каждый год бывать в парке одной. Прости, что я до сих пор ни разу не предлагал пойти с тобой. А следовало бы.

— Но ты предлагал, милый, — возразила Рейчел. — Неужели не помнишь? Много раз. И я всегда отказывалась. Это было важно для меня. Твой папа считал, что я свихнулась. Он никогда не ходил в парк. Даже не ездил мимо него по улице.

— Прости. — Роб утер нос тыльной стороной ладони и шмыгнул им. — Можно было подумать, что после стольких лет... — Он осекся.

С кухни доносился голосок Джейкоба, поющего песенку из мультфильма «Боб-строитель». Лорен ему подпевала. Роб нежно улыбнулся звуку. В комнату просочился запах горячих крестовых булочек.

Рейчел рассматривала лицо сына. Из него получился хороший отец. Лучше, чем достался ему самому. Сейчас такое считалось в порядке вещей — в нынешние времена все мужчины как будто стали лучшими отцами, — но Роб с детства был мягкосердечным.

Даже в младенчестве он был ласковым. Рейчел доставала его из кроватки, когда он просыпался, и сын уютно прижимался к ее груди и даже поглаживал по спине, словно благодарил за то, что его взяли на руки. Он был улыбчивым малышом, которого невозможно было не поцеловать. Она помнила, как Эд возмущенно бурчал: «Бог свидетель, женщина, этот ребенок свел тебя с ума».

Так страшно оказалось вспоминать Роба младенцем, как будто она раскрыла горячо любимую книгу, которую не перечитывала много-много лет. Она так редко утруждала себя размышлениями о Робе, вместо этого пытаясь наскрести еще немножко воспоминаний о детстве Джейни, как будто детство Роба не имело значения, потому что он выжил.

— Ты был совершенно очаровательным ребенком, — сообщила она сыну. — Люди даже останавливали меня на улице, чтобы сделать комплимент. Я тебе когда-нибудь об этом говорила? Должно быть, сотню раз.

— Ты никогда мне этого не говорила. — Роб медленно покачал головой.

— В самом деле? — переспросила Рейчел. — Даже когда родился Джейкоб?

— Нет.

На его лице застыло изумление.

— Что ж, а следовало бы, — заключила Рейчел и вздохнула. — Наверное, мне много чего следовало бы сделать.

— Так я был симпатичным? — Роб подался вперед, опираясь локтями на колени.

— Ты был великолепен, милый, — заверила его Рейчел. — Как, разумеется, и сейчас.

— Да уж конечно! — фыркнул Роб.

Но ему не удалось скрыть удовольствие, которым вдруг засияло его лицо. Рейчел больно прикусила нижнюю губу, сожалея обо всех тех случаях, когда его подвела.

— Горячие крестовые булочки! — Лорен вошла в комнату с красивым блюдом безупречно подрумяненных и ровно намазанных маслом булочек и поставила его перед ними.

— Позволь тебе помочь, — предложила Рейчел.

— Ни в коем случае, — отказалась Лорен и добавила через плечо, уже возвращаясь на кухню: — Вы же никогда не разрешаете мне помочь у вас дома.

— А.

Рейчел показалось, будто ее неожиданно разоблачили. Она всегда предполагала, что Лорен толком не замечает ее действий и даже не воспринимает ее как личность. Собственный возраст представлялся ей щитом, укрывающим ее от глаз молодежи.

Она всегда притворялась перед собой, будто не позволяет Лорен помогать ей, потому что пытается стать безупречной свекровью. Но на самом деле не разрешить женщине тебе помочь — отличный способ поддержать дистанцию, дать понять, что не считаешь ее частью семьи. Все равно что сказать: «Ты не настолько мне нравишься, чтобы пустить тебя на мою кухню».

Лорен вернулась с еще одним подносом, на котором стояли три чашки кофе. Кофе тоже окажется безупречным, точь-в-точь таким, каким его любит Рейчел: горячим, с двумя ложками сахара. Лорен была безупречной невесткой. Рейчел была безупречной свекровью. Безупречность скрывала всю эту неприязнь.

Но Лорен победила. Ее тузом оказался Нью-Йорк, и она его разыграла. Ну и молодец.

— А где Джейкоб? — спросила Рейчел.

— Рисует, — усаживаясь, ответила Лорен, взяла чашку и искоса посмотрела на Роба. — Будем надеяться, что не на стенах.

Роб заулыбался ей, и Рейчел как будто краешком глаза заглянула во внутренний мир их брака. Похоже, это был удачный брак, насколько вообще можно судить.

Как бы Джейни относилась к Лорен? Стала бы Рейчел милой, заурядной, чрезмерно властной свекровью, если бы Джейни осталась жива? Невозможно представить. Мир, в котором появилась Лорен, бесконечно отличался от того мира, в котором жила Джейни. Как тут поверить, что Лорен все равно существовала бы на свете, если бы Джейни осталась жива.

Рейчел посмотрела на Лорен, на пряди волос, выбившиеся из ее хвоста. У них был почти тот же светлый оттенок, что и у волос Джейни. Только чуточку темнее. Возможно, с возрастом волосы Джейни тоже потемнели бы.

С самого первого утра после гибели дочери, когда она проснулась и на нее обрушился весь ужас произошедшего, Рейчел одержимо представляла себе другую жизнь, следующую бок о бок с ее собственной. Настоящую жизнь, которую у нее украли. Ту, где Джейни живая лежала бы в теплой постели.

Но с годами становилось все труднее и труднее представлять ее себе. Лорен же сидела прямо перед ней и была такой живой, ее кровь бежала по жилам, а грудь вздымалась и опадала.

— Мам, ты в порядке? — спросил Роб.

— Все хорошо, — отозвалась Рейчел.

Она потянулась было за чашкой кофе, но обнаружила, что не в силах даже поднять руку.

Порой Рейчел охватывала чистая, неразбавленная боль утраты. Иногда ее сменял гнев, яростное желание рвать, бить и убивать. А временами, как сейчас, оставалось лишь обычное безрадостное ощущение, мягко, удушающе обволакивающее, словно густой туман.

Ей было просто чертовски грустно.

Глава 46

П ривет! — объявила Фелисити.

Тесс улыбнулась ей. Она ничего не могла с собой поделать. Точно так же ты машинально благодаришь полицейского, когда он протягивает тебе квитанцию за превышение скорости, которую ты не хочешь и не можешь оплатить. Она машинально обрадовалась при виде Фелисити, потому что любила сестру и та чудесно выглядела. А еще в последние дни столько всего произошло, и ей хотелось поделиться.

В следующее мгновение она все вспомнила, и потрясение и боль от предательства обожгли ее заново. Вспыхнуло желание налететь на Фелисити, сбить с ног и колотить ее, царапать и кусать. Но благовоспитанные женщины из среднего класса вроде Тесс так себя не ведут, особенно в присутствии своих впечатлительных малолетних детей. И она ничего не сделала — только облизала замаслившиеся после горячих крестовых булочек губы и сдвинулась вперед на стуле, вцепившись в подол пижамной футболки.

— Что ты здесь делаешь? — спросила она.

— Я прошу прощения, что вот так... — Голос подвел Фелисити, она попыталась прочистить горло и продолжила сипловато: — Явилась без предупреждения. Не позвонив.

— Да, пожалуй, лучше бы ты позвонила, — заметила Люси.

Тесс понимала, что ее мать изо всех сил пытается принять грозный вид, но выглядит скорее расстроенной. Несмотря на все то, что она наговорила про Фелисити, Люси явно любила племянницу.

— Как твоя лодыжка? — спросила Фелисити у тети.

— А папа тоже приедет? — вмешался Лиам.

Тесс выпрямилась. Фелисити встретилась с ней взглядом и поспешно отвернулась. Вот так-то. Спрашивайте Фелисити. Она точно знает, какие у Уилла планы.

— Он скоро будет, — сообщила Фелисити Лиаму. — А я вот надолго не задержусь. Я просто хотела сначала кое о чем поговорить с твоей мамой, а затем мне пора будет ехать. Я... э... вообще-то, улетаю.

— А куда? — спросил Лиам.

— Собираюсь в Англию. Хочу отправиться на эту замечательную прогулку, от побережья к побережью[1]. А затем поеду в Испанию, в Америку — ну, в общем, меня довольно долго не будет.

— А в Диснейленд ты поедешь? — спросил Лиам.

Тесс уставилась на Фелисити:

— Ничего не понимаю.

Они что, с Уиллом вдвоем собрались в романтическое путешествие?

На шее Фелисити проступили красные лихорадочные пятна.

— Мы можем с тобой поговорить?

— Идем. — Тесс встала.

— Я тоже пойду, — заявил Лиам.

— Нет, — возразила Тесс.

---

[1] Пешеходный маршрут по Британии, описанный в книге Альфреда Уэйнрайта «От побережья к побережью».

— Посиди тут со мной, милый, — предложила Люси. — Давай поедим шоколада.

Тесс отвела Фелисити к себе в спальню — только здесь дверь запиралась. Они остановились у кровати, глядя друг на друга. Сердце Тесс грохотало. До сих пор она и не догадывалась, что можно целую жизнь смотреть на любимых людей вскользь и вполглаза, как будто намеренно затуманивая себе взгляд, пока не произойдет что-нибудь подобное — и тогда один вид этого человека начнет внушать страх.

— Что происходит? — спросила Тесс.

— Все закончилось, — сообщила Фелисити.

— Закончилось?

— Ну, на самом деле ничего так и не началось. Как только вы с Лиамом уехали, все попросту...

— Оказалось не таким уж волнительным?

— Можно, я сяду? — попросила Фелисити. — У меня ноги подкашиваются.

У Тесс тоже дрожали колени.

— Конечно. — Она пожала плечами. — Садись.

Садиться тут было некуда, кроме как на кровать или на пол. Фелисити опустилась на ковер, скрестив ноги и прислонившись спиной к комоду. Тесс устроилась напротив, опираясь на кровать.

— Все тот же ковер, — заметила Фелисити, опустив руку на сине-белый ворс.

— Угу.

Тесс посмотрела на стройные ноги и тонкие запястья Фелисити. Она вспомнила маленькую толстую девочку, которая на протяжении всего их детства так часто сидела точно в такой же позе на том же самом месте. С пухлого личика сияли красивые зеленые миндалевидные глаза. Тесс всегда знала, что внутри, как в ловушке, заперта принцесса фей. Возможно, ей и нравилось быть в ловушке.

— Ты отлично выглядишь, — заметила Тесс.

По какой-то причине ей нужно было это сказать.

— Не надо, — отозвалась Фелисити.

— Я не пыталась ни на что намекнуть.

— Знаю.

Несколько мгновений они просидели в тишине.

— Ну, рассказывай, — наконец предложила Тесс.

— Он в меня не влюблен. Не думаю, что здесь вообще была какая-то любовь. Так, мимолетное увлечение. Честно говоря, вся эта история была довольно убогой. Я сразу поняла. Как только вы с Лиамом вышли за дверь, я поняла, что ничего так и не произойдет.

— Но... — Тесс беспомощно развела руками. Ее накрыла волна унижения. Все события последней недели казались настолько глупыми.

— Для меня-то это не было мимолетным увлечением, — уточнила Фелисити и вскинула подбородок. — Для меня все было по-настоящему. Я люблю его. Я годами его любила.

— В самом деле? — бестолково переспросила Тесс, хотя не так уж удивилась.

Возможно, она всегда это знала. Не исключено, что ей даже нравилось подмечать любовь Фелисити к Уиллу. Так он становился еще более желанным, причем не подвергаясь никакой опасности. Ведь он же ни за что не смог бы увлечься Фелисити. Неужели Тесс никогда толком не видела двоюродную сестру? Неужели она, как и все остальные, замечала лишь ее полноту и не более того?

— Но все эти годы, — выговорила Тесс. — Проводить с нами столько времени. Должно быть, это было ужасно.

Как будто она считала, что жир Фелисити смягчал остроту ее чувств. Как будто, по ее мнению, Фелисити должна была точно знать и мириться с тем, что ни один нормальный мужчина не может ее полюбить! И при этом Тесс убила бы всякого, кто произнес бы это вслух.

— Это были всего лишь чувства, — пояснила Фелисити, собирая между пальцами ткань штанины. — Я понимала, что он считает меня просто другом. Я знала, что нравлюсь Уиллу. Что он даже любит меня — как сестру. Этого хватало, чтобы проводить с ним время.

— Тебе стоило... — начала Тесс.

— Что? Сказать тебе? Но как я могла? И чем бы ты могла помочь, кроме как пожалеть меня? Что мне действительно следовало сделать, так это уйти и начать жить собственной жизнью, вместо того чтобы оставаться твоим верным толстым прихлебателем.

— Я никогда о тебе так не думала! — возмутилась уязвленная Тесс.

— Я и не говорю, что ты обо мне так думала. Скорее, я сама воспринимала себя твоим прихлебателем. Как будто только худые могут жить настоящей жизнью. Но потом я скинула вес и начала замечать, что мужчины смотрят на меня. Я знаю, хорошим феминисткам не должно нравиться, когда нас вот так обезличивают. Но если ты никогда такого не испытывала, это похоже, я не знаю — на кокаин. Я была в восторге. Я казалась себе такой могущественной. Как в тех фильмах, где супергерой впервые открывает в себе сверхспособности. А затем я задумалась, задалась вопросом, не получится ли теперь у меня сделать так, чтобы Уилл меня заметил, как все остальные мужчины, — и тогда, ну, тогда... — Она осеклась.

Она увлеклась собственной историей и забыла, что излагает ее не самому подходящему слушателю. Тесс не разговаривала с Фелисити всего лишь несколько дней, а вот Фелисити много лет не могла поделиться с Тесс самым важным, что было у нее на уме.

— И тогда он тебя заметил, — закончила за нее Тесс. — Ты опробовала свои сверхспособности, и они сработали.

Фелисити самоуничижительно пожала плечами, но даже этот жест у нее получился изящным. Надо же, как изменились теперь все ее манеры! Тесс была уверена, что никогда не видела этого кокетливого движения — в нем даже чудилось что-то французское.

— Думаю, Уилл так устыдился, почувствовав, как его, ну, сама понимаешь, слегка влечет ко мне, что сам себя убедил, будто влюблен, — продолжила рассказ Фелисити. — Стоило вам с Лиамом уехать, как все изменилось. Думаю, он утратил интерес ко мне, едва ты вышла за порог.

— Едва я вышла за порог... — повторила Тесс.

— Угу.

— Чушь!

— Это правда. — Фелисити подняла голову.

— Нет, неправда.

Фелисити как будто пыталась оправдать все проступки Уилла, намекая, что его на краткое время сбили с пути — словно произошедшее и впрямь было лишь пьяным поцелуем на корпоративной вечеринке.

Тесс вспомнила мертвенно-бледное лицо Уилла в понедельник вечером. Он не настолько поверхностен или глуп. Его чувства к Фелисити наверняка казались ему достаточно искренними, если уж он взялся ломать всю свою жизнь.

Все дело в Лиаме, решила она. Как только Тесс вышла за дверь вместе с Лиамом, Уилл наконец-то понял, чем жертвует. Если бы не ребенок, этот разговор не состоялся бы вовсе. Он любил Тесс — по-видимому, и впрямь любил, но сейчас влюбился в Фелисити, и все понимали, которое из чувств сильнее. Битва вышла неравной. Вот почему распадаются браки. Вот почему, если тебе дорог твой брак, ты возводишь баррикаду вокруг себя, собственных чувств и мыслей. Не позволяешь взгляду задерживаться. Не остаешься выпить второй бокал, следишь за тем, чтобы флирт не перерастал в ухаживание. Ты просто не углубляешься в эти дебри. Однажды Уилл решился взглянуть на Фелисити глазами одинокого мужчины. В этот миг он и изменил Тесс.

— Ясное дело, я не прошу у тебя прощения, — заявила Фелисити.

«Нет, просишь, — подумала Тесс. — Но не получишь».

— Потому что я могла бы добиться своего, — добавила Фелисити. — Я хочу, чтобы ты это знала. Почему-то мне очень важно, чтобы ты знала, что для меня все было всерьез. Я чувствовала себя ужасно, но не настолько, чтобы не пойти до конца. Я могла бы жить с тем, что сделала. — (Тесс потрясенно уставилась на нее.) — Я просто хочу быть с тобой предельно искренней, — пояснила Фелисити.

— Ну, спасибо, наверное.

— Неважно. — Фелисити первой опустила взгляд. — Я решила, что для меня лучше всего будет просто уехать из страны, убраться как можно дальше. Чтобы вы с Уиллом смогли все уладить. Он хотел поговорить с тобой первым, но я подумала, что будет разумнее, если...

— Так где же он сейчас? — спросила Тесс с резковатой ноткой в голосе. Осведомленность Фелисити о том, где находится и что намерен делать Уилл, приводила ее в ярость. — Он в Сиднее? Вы прилетели вместе?

— Ну да, вместе, но... — начала Фелисити.

— Должно быть, это тяжело далось вам обоим. Последние мгновения вдвоем. Вы держались за руки в самолете? — (Глаза Фелисити блеснули, подтверждая эту догадку.) — Держались, ведь так? — заключила Тесс.

Она могла живо себе это представить. Страдание. Родившиеся под несчастливой звездой влюбленные цепляются друг за друга, гадают, бежать ли им, улететь в Париж! — или поступить правильно, поступить скучно. Тесс воплощала в себе скучный выбор.

— Мне он больше не нужен, — заявила она Фелисити.

Она не могла смириться с ролью нудной обманутой жены. В Тесс О'Лири нет ничегошеньки нудного, и Фелисити должна об этом узнать!

— Можешь оставить его себе. Забирай! Я теперь сплю с Коннором Уитби.

— Серьезно? — разинула Фелисити рот.

— Серьезно.

— Ну, Тесс, — выдохнула Фелисити, — это... я даже не знаю. — Она огляделась по сторонам в поисках вдохновения и вновь повернулась к Тесс. — Три дня назад ты заявила, что не допустишь, чтобы Лиам рос при разведенных родителях. Сказала, что хочешь вернуть себе мужа. Ты добилась того, чтобы я почувствовала себя последней дрянью. А теперь говоришь мне, что сразу же закрутила роман с бывшим, в то время как мы с Уиллом даже ни разу не... Боже! — Она врезала кулаком по кровати, вся раскрасневшаяся, с пылающими гневом глазами.

От несправедливости слов Фелисити — а возможно, и от их справедливости тоже — у Тесс перехватило дух.

— Не будь такой ханжой. — Она со всей силы ткнула Фелисити в тощее бедро, ребячливо, как дети, затевающие возню в автобусе. Ощущение оказалось на удивиление приятным. Она ткнула сестру снова, еще сильнее. — Ты и есть последняя дрянь. Думаешь, я вообще посмотрела бы на Коннора, если бы вы с Уиллом не признались в своих чувствах друг к другу?

— Но и не мешкать ты не стала, верно? Черт побери, да перестань ты меня бить!

Тесс наградила ее еще одним последним тычком и села на место. Никогда прежде она не испытывала такого непреодолимого желания кого-то ударить. И уж точно никогда ему не поддавалась. Казалось, все эти приятные мелочи, делающие ее нормальным членом общества, исчезли напрочь. На прошлой неделе она была матерью школьника и специалистом в своем деле. Теперь она трахается в коридорах и бьет двоюродную сестру. Что дальше?

Она глубоко, прерывисто вздохнула. Вот что называется «в запале». Она даже не представляла себе, насколько жарким может оказаться этот самый «запал».

— Ладно, неважно, — заявила Фелисити. — Уилл хочет все уладить, а я покидаю страну. Так что поступай как тебе угодно.

— Спасибо, — отозвалась Тесс. — Спасибо огромное. За все.

Она едва ли не физически ощущала, как гнев вытекает из ее тела, оставляя ее вялой и безучастной.

На миг повисла тишина.

— Он хочет второго ребенка, — сообщила Фелисити.

— Не говори мне, чего он хочет.

— Он действительно хочет второго ребенка.

— И, я полагаю, ты охотно предоставила бы ему такового, — предположила Тесс.

В глазах Фелисити проступили слезы.

— Да. Мне очень жаль, но это так.

— Фелисити, ради всего святого. Не выжимай из меня жалость. Это нечестно. Зачем тебе понадобилось влюбляться именно в моего мужа? Почему ты не могла влюбиться в мужа кого-нибудь другого?

— Ни с кем другим мы и не виделись, — рассмеялась Фелисити, хотя по ее лицу катились слезы.

Она вытерла нос тыльной стороной ладони.

А ведь это чистая правда.

— Ему кажется, он не вправе просить, чтобы ты выдержала еще одну беременность. Ведь тебе было так плохо, пока ты носила Лиама, — объяснила Фелисити. — Но вторая беременность может пройти и легче, верно? Каждый раз ведь все бывает по-новому? Тебе стоило бы родить второго.

— Ты всерьез считаешь, что теперь мы заведем еще ребенка и будем жить долго и счастливо? — спросила Тесс. — Ребенок не починит брак. Не то чтобы я хотя бы подозревала, что мой брак нуждается в починке.

— Знаю, я просто подумала...

— На самом деле я вовсе не из-за тошноты не хочу ребенка. А из-за людей.

— Людей?

— Других матерей, учителей и всех прочих. Я и не представляла, что материнство требует столько общения. Постоянно приходится с кем-то разговаривать.

— И что? — недоуменно уточнила Фелисити.

— У меня есть это расстройство. Я прошла тест в журнале. Я... — Тесс понизила голос. — Я страдаю социофобией.

— Ничего подобного, — пренебрежительно отмахнулась Фелисити.

— Именно так! Я прошла тест...

— И ты всерьез ставишь себе диагноз, основываясь на тесте из журнала?

— Это был «Ридерз дайджест», а не «Космополитен». И это так! Я терпеть не могу знакомиться с новыми людьми. Меня мутит. Учащается сердцебиение. Я не переношу вечеринок.

— Многие люди не любят вечеринки. Хорош себе потакать.

Тесс опешила. Она ожидала сдержанной жалости.

— Ты застенчива, — заявила Фелисити. — Ты не из этих громкоголосых экстравертов. Но ты нравишься людям. По-настоящему нравишься. Разве ты этого не замечала? То есть, боже, Тесс, откуда бы у тебя образовалось столько поклонников, будь ты робкой, нервной тихоней? Ты сменила штук тридцать парней, прежде чем тебе исполнилось двадцать пять.

— Ничего подобного. — Тесс закатила глаза.

Как она могла объяснить Фелисити, что воспринимала свою тревожность как необычного питомца с переменчивым нравом, за которым ей пришлось присматривать? Иногда он бывал тихим и уступчивым, а временами сходил с ума, носился кругами и тявкал ей в уши. Кроме того, со свиданиями все было иначе. У свиданий имелся свой, четко определенный набор правил, которые были ей по силам. Первое свидание с новым мужчиной никогда не представляло для нее трудности — до тех пор, пока инициативу проявлял он. Она сама никогда никого не приглашала. Вот когда мужчина предлагал ей познакомиться с его семьей и друзьями, ее тревога поднимала сумасбродную голову.

— И кстати, если ты и впрямь страдаешь социофобией, почему я ничего об этом не знаю? — спросила Фелисити с полной уверенностью, будто знает все, что только можно знать о Тесс.

— У меня не было для нее названия. Еще несколько месяцев назад мне не хватало слов, чтобы описать это чувство.

«И еще потому, что ты была частью моего прикрытия, — мысленно добавила она. — Мы с тобой вместе притворялись, будто нас не волнует мнение окружающих, будто мы смотрим свысока почти на весь внешний мир. Если бы я рассказала тебе о том, как я себя чувствую, мне пришлось бы признать, что меня не просто заботит мнение других людей — оно меня чересчур заботит».

— Знаешь что, я явилась на занятие по аэробике в футболке двадцать второго размера, — сообщила Фелисити, подавшись вперед и свирепо уставившись на сестру. — Люди не могли на меня смотреть. Я видела, как девушка ткнула в бок подружку, чтобы та обратила на меня внимание, и обе прыснули со смеху. А какой-то парень сказал: «Только посмотри на эту корову». Не смей рассказывать мне о социофобии, Тесс О'Лири!

В дверь заколотили.

— Мама! Фелисити! — закричал Лиам. — Зачем вы заперлись? Впустите меня!

— Уйди, Лиам! — отозвалась Тесс.

— Нет! Вы уже помирились?

Тесс с Фелисити переглянулись. Фелисити слабо улыбнулась, и Тесс отвела взгляд.

— Лиам, а ну вернись! — донесся голос Люси с другого конца дома. — Я же просила тебя оставить мать в покое!

Костыли ставили ее в невыгодное положение в этой гонке.

— Мне пора. — Фелисити встала. — У меня вылет в два часа дня. Родители отвезут меня в аэропорт. Мама переволновалась. Папа, по всей видимости, со мной не разговаривает.

— Ты действительно сегодня улетаешь? — Тесс посмотрела на сестру.

На какой-то миг она задумалась об их агентстве: о клиентах, которых она уговаривала с таким трудом, о потоке денежных средств, который они так усердно пытались поддерживать, тревожась и хлопоча над прибылями и убытками, словно над хрупким растеньицем, об электронной таблице «Незавершенная работа», которую они разглядывали каждое утро. Получается, рекламному агентству «ТУФ» пришел конец? Всем этим мечтам. Всей этой документации.

— Да, — подтвердила Фелисити. — Мне следовало поступить так много лет назад.

— Я тебя не простила. — Тесс тоже встала.

— Знаю, — отозвалась Фелисити. — Я тоже себя не простила.

— Мам! — завопил Лиам.

— Придержи коней, Лиам! — крикнула ему Фелисити, сгребла Тесс за руку и шепнула ей на ухо: — Не рассказывай Уиллу про Коннора.

На какой-то невероятный миг они застыли, обнявшись, а затем Фелисити повернулась и открыла дверь.

Глава 47

Масла нет, — объявила Изабель. — И маргарина тоже.

Не отходя от холодильника, она обернулась и выжидательно посмотрела на мать.

— Ты уверена? — спросила Сесилия.

Как такое могло случиться? Она никогда не забывала об основных продуктах. Ее система была предельно надежна. Ее холодильник и кладовая всегда бывали надлежащим образом полны. Порой Джон Пол звонил по пути домой и спрашивал, не нужно ли «прихватить молока или чего-нибудь такого», и она всегда отвечала: «Да нет».

— Но разве мы не будем есть горячие крестовые булочки? — удивилась Эстер. — Мы всегда едим эти булочки на завтрак в Страстную пятницу.

— Мы и так можем ими позавтракать, — заметил Джон Пол и машинально мазнул пальцами по пояснице Сесилии, проходя мимо нее к кухонному столу. — Вашей матери так удаются горячие крестовые булочки, что к ним не нужно никакого масла.

Сесилия присмотрелась к нему. Он был бледен и слегка нетверд на ногах, как будто выздоравливал после гриппа, и, похоже, пребывал в чувствительном, заботливом настроении.

Она поймала себя на том, что ждет, когда же что-то случится: пронзительный звонок телефона, тяжелый стук в дверь. Но день по-прежнему был укутан в мягкую, безопасную тишину. В Страстную пятницу ничего не произойдет. Этот день заключен в собственный защитный пузырек.

— Мы всегда намазываем на пасхальные булочки много-много масла, — возразила Полли, сидящая за кухонным столом в розовой фланелевой пижаме, со взлохмаченными волосами и румяными со сна щеками. — Это семейная традиция. Мам, ты просто сходи в магазин и купи масла.

— Не смей так разговаривать с матерью, — одернул ее Джон Пол. — Она тебе не рабыня.

— Магазины закрыты, глупая, — одновременно с ним заметила Эстер, подняв взгляд от библиотечной книжки.

— Неважно, — вздохнула Изабель. — Я пойду поболтать по скайпу с...

— Никуда ты не пойдешь, — возразила Сесилия. — Мы все сейчас позавтракаем овсянкой, а затем вместе прогуляемся до школьного стадиона.

— Пешком? — переспросила Полли с явным пренебрежением.

— Да, пешком. День сегодня просто замечательный. Или возьмите велосипеды. И прихватим футбольный мяч.

— Чур, я в одной команде с папой, — вставила Изабель.

— А на обратном пути заглянем на заправку «Бритиш петролеум» и купим там масла. И тогда, вернувшись домой, поедим горячих крестовых булочек.

— Превосходно, — одобрил Джон Пол. — Отличный план.

— А вы знали, что некоторые люди хотели бы, чтобы Берлинская стена осталась стоять? — спросила Эстер. — Вот странно, правда? С чего бы кому-то нравилось сидеть взаперти за стеной?

* * *

— Что ж, все было чудесно, но мне действительно пора идти, — объявила Рейчел.

Она поставила чашку на журнальный столик. Вот ее долг и выполнен. Она сдвинулась вперед и чуть передохнула. Очередной невозможно низкий диван. Сможет ли она встать сама? Лорен подоспеет к ней первой, если заметит, что она испытывает какие-то затруднения. Роб всякий раз опаздывал всего лишь на мгновение.

— Чем вы собираетесь заниматься остаток дня? — спросила Лорен.

— Похлопочу по хозяйству, — отозвалась Рейчел.

«Просто буду считать минуты».

— Помоги мне встать, ладно, милый? — Она протянула руку Робу.

Пока Роб вставал сам, чтобы подать ей руку, к ним приковылял Джейкоб с фотографией в рамке, которую он взял с книжного шкафа.

— Папа, — объявил он, показывая пальцем.

— Правильно, — подтвердила Рейчел.

Это был снимок обоих ее детей, сделанный в походе по южному побережью за год до гибели Джейни. Они стояли у палатки, и Роб держал «рожки» за головой Джейни. И почему детям обязательно надо так делать?

— А это кто, приятель? — Роб подошел, остановился рядом и указал на сестру.

— Тетя Джейни, — отчетливо выговорил Джейкоб.

Рейчел затаила дыхание. Она никогда не слышала от него слов «тетя Джейни», хотя они с Робом показывали ее Джейкобу на фотографиях с самого младенчества.

— Вот умница, — похвалила она, взъерошив ему волосы. — Твоя тетя Джейни просто обожала бы тебя.

Хотя, по правде сказать, Джейни никогда не интересовалась детьми. Она охотнее строила города из «Лего» Роба, чем играла в куклы.

Джейкоб одарил бабушку скептическим взглядом, как будто и сам об этом знал, и побрел прочь. Фотокарточка в рамке покачивалась, ненадежно зажатая в его пальцах. Рейчел оперлась на руку Роба, и он помог ей встать.

— Что ж, спасибо тебе большое, Лорен... — начала она, но обескураженно умолкла.

Лорен уставилась в пол застывшим взглядом, словно делала вид, будто ее здесь нет.

— Простите, — вымученно улыбнулась она. — Я просто впервые услышала, как Джейкоб говорит «тетя Джейни». Не знаю, как вы выдерживаете этот день, Рейчел, каждый год, правда не знаю. Жаль только, что я ничем не могу помочь.

«Ты можешь не увозить моего внука в Нью-Йорк, — подумала Рейчел. — Можешь остаться здесь и завести второго ребенка».

Но она только вежливо улыбнулась:

— Спасибо, дорогая. Я в полном порядке.

— Жаль, что я не смогла с ней познакомиться. — Лорен встала. — С моей золовкой. Мне всегда хотелось иметь сестру.

Ее лицо было розовым и нежным. Рейчел отвела взгляд. Она не могла этого вынести. Она не хотела видеть Лорен уязвимой.

— Уверена, она непременно тебя полюбила бы, — сообщила она тоном, даже ей самой показавшимся настолько небрежно-равнодушным, что она смущенно закашлялась. — Что ж. Пожалуй, я пойду. Спасибо, что сегодня пришли в парк вместе со мной. Это много для меня значило. Жду не дождусь встречи в воскресенье. У твоих родителей!

Она изо всех сил старалась добавить в голос воодушевления, но Лорен снова замкнулась и взяла себя в руки.

— Чудесно, — спокойно заметила она и подалась вперед, чтобы мазнуть губами по щеке свекрови. — Кстати, Рейчел, Роб сказал, что просил вас принести торт со взбитыми сливками, но это совершенно не обязательно.

— Это не доставит мне ни малейших хлопот, — отозвалась Рейчел.

Кажется, Роб тихо вздохнул?

* * *

— Так теперь к нам явится Уилл?

Люси тяжело опиралась на руку Тесс. Они стояли на крыльце, наблюдая за тем, как такси Фелисити сворачивает за угол в конце улицы. Лиам скрылся где-то в доме.

— Напоминает спектакль. Коварная любовница уходит со сцены направо. Входит пристыженный муж.

— На самом деле она даже не коварная любовница, — отозвалась Тесс. — Она сказала, что любила его годами.

— Ради всего святого, — буркнула Люси. — Глупая девчонка. В море полно рыбы! Зачем ей непременно понадобилась твоя?

— Наверное, Уилл довольно хорошая рыба.

— Так я правильно понимаю, что ты его прощаешь?

— Не знаю. Не уверена, что я смогу. Мне кажется, сейчас он выбрал меня только из-за Лиама. Как будто он довольствуется мной за неимением лучшего.

Одна мысль о встрече с Уиллом наполнила ее почти невыносимым смятением. Что ей сделать — расплакаться? Закричать? Упасть ему в объятия? Залепить пощечину? Предложить горячую крестовую булочку? Он обожал эти булочки. Но очевидно, не заслуживал их. «Ты не получишь булочку, детка». Вот в чем вся суть. Это же Уилл. Совершенно непонятно, как ей поддерживать уровень драматичности и серьезности, которого требует ситуация. Особенно при Лиаме. Но, с другой стороны, он не был Уиллом, поскольку настоящий Уилл ни за что не допустил бы подобного. Так что ей предстояло иметь дело с незнакомцем.

Люси окинула ее с головы до ног внимательным взглядом. Тесс подождала мудрого замечания от любящей матери.

— Ты же не собираешься встречать его в этой поношенной старой пижаме, правда, милая? И как следует причешешься, я надеюсь?

— Он мой муж. — Тесс закатила глаза. — Он знает, как я обычно выгляжу по утрам. А если ему важнее всего моя прическа, то мне и вовсе на него плевать.

— Да, конечно, ты права, — признала Люси и постучала кончиком пальца по нижней губе. — Черт, а Фелисити сегодня удивительно хорошо выглядела, не находишь?

Тесс рассмеялась. Возможно, она слегка взбодрится, если оденется.

— Ладно, мам, я привяжу ленточку к волосам и пощиплю себя за щеки. Идем, хромоножка, уж не знаю, зачем тебе понадобилось выходить наружу и провожать ее.

— Не хотела прозевать, если вдруг что-нибудь произойдет.

— Знаешь, они так и не переспали, — шепнула Тесс, одной рукой придерживая сетчатую дверь, а другой — мамин локоть.

— Серьезно? — удивилась Люси. — Как оригинально. В мое время супружеская измена считалась куда более плотским делом.

— Я готов! — По коридору к ним подбежал Лиам.

— К чему? — удивилась Тесс.

— Идти запускать змея с тем учителем. Мистером Уотби, или как его там зовут.

— Коннор! — выдохнула Тесс и едва не выпустила мамину руку. — Дерьмо. Сколько времени? Я и забыла.

* * *

Когда Рейчел добралась до конца улицы, где жили Роб с Лорен, у нее зазвонил мобильный и она остановила машину на обочине, чтобы ответить. Скорее всего, это была Марла, по поводу годовщины Джейни. Рейчел с радостью поговорила бы с ней. Ей хотелось посетовать на безупречно подрумяненные пасхальные булочки Лорен.

— Миссис Кроули?

Звонила не Марла. В трубке прозвучал незнакомый женский голос. Похоже на самодовольного секретаря в приемной врача — с гнусавинкой и сознанием собственной важности.

— Это сержант уголовной полиции Страут из отдела убийств. Я должна была позвонить вам вчера вечером, но не успела, поэтому решила, что попробую застать вас сегодня с утра.

Сердце Рейчел взмыло к небесам. Пленка. Она звонит в Страстную пятницу. В официальный выходной. Это наверняка хорошие новости.

— Здравствуйте, — тепло отозвалась она. — Спасибо вам за звонок.

— Что ж. Я хотела сообщить, что мы получили запись от сержанта Беллаха и... э... просмотрели ее.

Сержант уголовной полиции Страут была моложе, чем сперва показалось по голосу. Для звонка она воспользовалась своим лучшим профессиональным тоном.

— Миссис Кроули, я понимаю, вы, наверное, ожидали многого, может быть, даже считали, что это своего рода прорыв. Мне жаль, если это известие вас разочарует, но я вынуждена сообщить, что на данном этапе мы не станем повторно допрашивать Коннора Уитби. Мы не считаем, что запись это оправдывает.

— Но это же его мотив! — в отчаянии возразила Рейчел.

Она уставилась сквозь ветровое стекло на великолепное дерево в золотой листве, устремляющееся к небу.

— Разве вы не видите?

На ее глазах одинокий золотой лист оторвался от ветки и начал падать, быстро кружа в воздухе.

— Простите, миссис Кроули. На данном этапе мы действительно больше ничего не можем предпринять.

В ее голосе звучало сочувствие, да, но Рейчел расслышала и снисходительность молодого профессионала к пожилому дилетанту.

«Мать жертвы. Очевидно, слишком взволнована, чтобы сохранять объективность. Не понимает полицейской процедуры. Это часть работы — попытаться ее умиротворить».

В глазах Рейчел стояли слезы. Листок скрылся из виду.

— Если хотите, я зайду после пасхальных выходных и мы поговорим, — предложила сержант уголовной полиции Страут. — Охотно выкрою удобное для вас время.

— В этом нет нужды, — холодно отказалась Рейчел. — Спасибо, что позвонили.

Она разорвала соединение и отшвырнула телефон так, что он приземлился на полу перед пассажирским сиденьем.

— Бесполезная, снисходительная, жалкая маленькая...

У нее перехватило горло. Она повернула ключи в зажигании.

* * *

— Посмотрите, какой там воздушный змей! — воскликнула Изабель.

Сесилия подняла взгляд и увидела на вершине холма мужчину с огромным воздушным змеем в виде тропической рыбки. Змей рывками летел на нитке за хозяином, словно воздушный шарик.

— Как будто этот человек вывел на прогулку свою рыбу, — пропыхтел Джон Пол.

Он согнулся почти вдвое, толкая велосипед Полли, поскольку та пожаловалась, что у нее отнялись ноги. Полли сидела прямо, в искристом розовом шлеме и пластмассовых темных очках, как у рок-кумира, со стеклами в форме звезд. Вот она наклонилась вперед, чтобы глотнуть освежающего напитка из фиолетовой бутылочки, которую везла с собой в белой сетчатой корзинке.

— Рыбы не умеют ходить, — сообщила Эстер, не поднимая взгляда от книжки.

Она обладала замечательной способностью читать на ходу.

— Ты могла бы, по крайней мере, хоть немного крутить педали, принцесса Полли, — напомнила Сесилия.

— Мои ноги похожи на студень, — жалобно отозвалась Полли.

— Да ничего страшного. — Джон Пол улыбнулся Сесилии. — Мне полезно поразмяться.

Сесилия глубоко вдохнула. Было нечто забавное и чудесное в том, как воздушный змей в форме рыбы беспечно плыл за идущим впереди них человеком. В воздухе витал сладкий запах. Солнце грело им спины. Изабель выдергивала из живых изгородей крохотные желтые одуванчики и втыкала их между прядей косы Эстер. Это что-то напомнило Сесилии, какую-то книгу или фильм из ее детства. Что-то, имевшее отношение к девочке, которая жила в горах и носила вплетенные в косу цветы. Хайди?[1]

— Чудесный день! — окликнул их человек, пьющий чай у себя на крыльце.

Сесилия смутно припоминала его лицо по церкви.

— Великолепный! — приветливо отозвалась она.

Мужчина со змеем впереди них остановился, вытащил из кармана телефон и поднес к уху.

— Ой, да это же мистер Уитби! — объявила Полли, выпрямляясь.

* * *

Рейчел машинально ехала к дому, пытаясь полностью очистить сознание от мыслей.

Завидев красный сигнал, она остановилась на светофоре и глянула на часы на приборной доске. Десять утра. В это время двадцать восемь лет назад Джейни была в школе, а Рейчел, вероятно, гладила платье перед собеседованием с Тоби Мерфи. Проклятое платье, кото-

---

[1] «Хайди: годы странствий и учебы», повесть швейцарской писательницы Иоханны Спири.

рое Марла уговорила ее купить, потому что оно выгодно подчеркивало ее ноги.

Семь минут опоздания. Вероятно, они не сыграли ни малейшей роли. Она никогда этого не узнает.

«Мы не будем предпринимать никаких дальнейших действий», — снова услышала она чопорный голос сержанта уголовной полиции Страут.

Она увидела замершее лицо Коннора Уитби с остановленной пленки. В его глазах, несомненно, отражалось чувство вины!

Он сделал это.

Рейчел закричала. Издала отвратительный, душераздирающий вопль, от которого, казалось, содрогнулась машина. Ударила кулаками по рулю, сама испугавшись и смутившись.

Зажегся зеленый, и она нажала на педаль газа. Сегодняшняя годовщина выдалась худшей из всех. Или ей всегда бывало так плохо? Должно быть, да. Неприятные ощущения так легко забываются — как зима, грипп или роды.

Она ощущала на лице солнце. День был чудесным, как и тот, когда погибла Джейни. Улицы выглядели пустынными. Никто не попадался на глаза. Что вообще делают люди в Страстную пятницу?

Мать Рейчел обычно посещала богослужение крестного пути. Осталась бы Джейни верующей? Вероятно, нет.

Не думай о женщине, которой могла бы стать Джейни.

Не думай ни о чем. Ни о чем. Ни о чем...

Когда Джейкоба увезут в Нью-Йорк, не останется ничего. Это будет похоже на смерть. Каждый день окажется не лучше этого. О Джейкобе тоже не думай.

Ее взгляд проследил за вихрем трепещущих красных листьев, похожих на крошечных вспугнутых птичек.

Марла как-то сказала, что всегда думает о Джейни при виде радуги. А Рейчел спросила ее почему.

Пустая дорога развернулась перед ней, а солнце сделалось еще ярче. Она прищурилась и опустила противосолнечный козырек. Темные очки она всегда забывала.

На улице все же кто-то обнаружился.

Рейчел ухватилась за возможность отвлечься. Кто это там? Это был мужчина. Он стоял на тротуаре, держа в руке ярко раскрашенный воздушный шарик. Шарик в виде рыбки. Из мультфильма «В поисках Немо». Джейкоб пришел бы в восторг.

Мужчина разговаривал по мобильному телефону, поглядывая на свой шарик.

То есть нет. Это был воздушный змей.

* * *

— Извини, но встретиться не выйдет, — сообщила Тесс.

— Ничего страшного, — отозвался Коннор. — В другой раз.

Связь была удивительно четкой. Тесс слышала его голос со всей выразительностью и тембром — еще глубже, чем при разговоре лицом к лицу, самую малость хриплый. Она прижала телефон к уху, как будто могла укутаться в его голос.

— Ты где? — спросила она.

— Стою на тротуаре с воздушным змеем-рыбкой.

Ее захлестнула волна сожаления, а с ним и незамысловатого, чуть ли не детского разочарования, как будто она не пошла праздновать день рождения из-за урока музыки. Ей хотелось еще разок с ним переспать. А сидеть в холодном мамином доме и вести запутанный, мучительный разговор с мужем вовсе не хотелось. Как здорово было бы бегать с воздушным змеем по залитому солнцем школьному стадиону. Ей хотелось влюбляться, а не пытаться починить разорванные отношения. Быть для кого-то лучшей, а не второй по счету.

— Мне так жаль, — выговорила она.

— Тебе не за что извиняться.

Повисло молчание.

— Что происходит? — спросил он.

— Мой муж уже едет сюда.

— А-а.

— Судя по всему, у них с Фелисити все закончилось, не успев даже начаться.

— Значит, я полагаю, и у нас тоже.

В его устах это не прозвучало вопросом.

Лиам играл перед домом. Тесс сказала ему, что папа уже в пути. Мальчик бегал взад и вперед по двору, касаясь сперва живой изгороди, потом ограды, как будто тренировался к какому-то событию жизненной важности.

— Я не знаю, что теперь будет. Но, понимаешь, ради Лиама я должна, по крайней мере, попытаться. Хотя бы попробовать.

Она подумала об Уилле с Фелисити — как они летели в самолете из Мельбурна, стиснув руки, со стоическим выражением на лицах. Да твою же мать!

— Конечно должна, — согласился Коннор с теплом и нежностью в голосе. — Тебе необязательно объяснять.

— Мне не следовало...

— Пожалуйста, не надо об этом сожалеть.

— Ладно.

— Передай ему, что, если он еще раз обойдется с тобой дурно, я переломаю ему все кости.

— Да.

— Я серьезно, Тесс. Не давай ему больше шансов.

— Нет.

— И если дела не наладятся... Что ж. Сама знаешь. Держи мою заявку подшитой к делу.

— Коннор, кто-нибудь обязательно...

— Не делай так, — резко потребовал он, а потом попытался смягчить тон. — Не волнуйся. Я же тебе говорил, цыпочки ради меня вдоль улиц выстраиваются. — (Она рассмеялась.) — Мне не следует тебя задерживать, — заключил он, — раз уж этот твой парень на подходе.

Теперь Тесс отчетливо расслышала разочарование в его голосе. Из-за него тон Коннора звучал отрывисто, едва ли не агрессивно. Отчасти ей хотелось удержать его на проводе, пококетничать с ним, услышать напоследок еще пару нежных и волнующих слов, а потом оборвать разговор и поместить эту пару дней на хранение в подходящий раздел памяти. И что же это за раздел? «Забавные загулы, от которых никто не пострадал»?

Но Коннор имел право на резкость, и она уже достаточно им попользовалась.

— Ладно. Что ж. Пока.

— Пока, Тесс. Береги себя.

* * *

— Мистер Уитби! — закричала Полли.

— О господи! — Изабель опустила голову и спрятала глаза. — Мама, уйми ее!

— Мистер Уитби! — завизжала Полли.

— Он слишком далеко, чтобы тебя услышать, — вздохнула Изабель.

— Милая, оставь его в покое, — вмешалась Сесилия. — Он разговаривает по телефону.

— Мистер Уитби! Это я! Привет! Привет!

— Он сейчас не на работе, — заметила Эстер. — И не обязан с тобой разговаривать.

— Ему нравится со мной разговаривать!

Полли схватилась за руль и, принажав на педали, вырвалась из отцовской хватки. Ее велосипед опасно накренился над тротуаром.

— Мистер Уитби!

— Похоже, ее ноги отдохнули, — заключил Джон Пол, потирая поясницу.

— Бедняга, — заметила Сесилия. — Только что наслаждался свободным днем, и вот уже к нему пристала ученица.

— Думаю, это профессиональный риск, раз уж он решил жить в том же районе.

— Мистер Уитби!

Полли выровняла велосипед. Ее ноги работали словно поршни. Розовые колеса быстро вращались.

— По крайней мере она немного разомнется, — заметил Джон Пол.

— Ну и позорище, — заявила Изабель, приотстала и принялась пинать чью-то ограду. — Я тут подожду.

— Идем. — Сесилия остановилась и оглянулась на нее. — Мы не позволим ей долго ему докучать. И оставь в покое этот забор.

— Изабель, а что тебя смущает? — спросила Эстер. — Ты тоже влюблена в мистера Уитби?

— Ничего подобного! Не говори глупостей!

Изабель побагровела. Джон Пол и Сесилия переглянулись.

— А что в этом типе такого особенного? — спросил Джон Пол и локтем ткнул Сесилию в бок. — Может, и ты в него влюблена?

— Матери не могут влюбляться, — возразила Эстер. — Они слишком старые.

— Спасибо тебе огромное, — отозвалась Сесилия. — Идем же, Изабель.

Она повернулась обратно к Полли, а Коннор Уитби между тем шагнул с тротуара на дорогу. Змей парил у него над головой.

Полли по крутому съезду вывернула велосипед к дороге.

— Полли! — окликнула ее Сесилия.

— Полли, замри немедленно! — одновременно с ней закричал Джон Пол.

Глава 48

Н а глазах у Рейчел мужчина со змеем шагнул с тротуара.

«Следи за дорогой, приятель, — подумала она. — Это тебе не пешеходный переход».

Он повернул голову в ее сторону.

Это был Коннор Уитби.

Он смотрел прямо на нее, но так, словно машина Рейчел была невидима, или не существовала вовсе, или не имела к нему ни малейшего отношения, или он мог остановить ее взглядом, если бы счел нужным. Он торопливо шагнул на дорогу, пребывая в полной уверенности, что она остановится. Порыв ветра подхватил его змея и завертел ленивыми кругами.

Нога Рейчел поднялась с педали газа и зависла над тормозом.

А затем камнем рухнула обратно на газ.

* * *

Не было никакой замедленной съемки. Все произошло мгновенно.

Машины не было. Улица была пустой. А затем вдруг машина появилась. Маленькая синяя машина. Джон Пол потом утверждал, будто знал, что сзади к ним приближается машина, но для Сесилии она попросту возникла из ниоткуда. Никакой машины — и уже машина.

Маленькое синее авто напоминало пулю — не столько из-за скорости, сколько из-за неудержимого полета по прямой, будто в результате выстрела.

Сесилия увидела, как Коннор Уитби побежал — словно человек в киношной сцене погони, перепрыгивающий с одного здания на другое.

Секундой позже Полли вылетела на велосипеде на дорогу прямо перед машиной и исчезла под ней.

Звуков почти не было. Глухой удар. Хруст. Длинный высокий визг тормозов.

А затем тишина. Обыденность. Птичий щебет.

Сесилия не чувствовала ничего, кроме замешательства. Что сейчас произошло? Она услышала тяжелый топот и, обернувшись, увидела бегущего Джона Пола. Он промчался мимо нее. Эстер пронзительно кричала. Не переставая. Пугающий, неприятный звук.

«Эстер, прекрати», — подумала Сесилия.

— Ее сбила машина! — Изабель вцепилась в руку матери.

В груди разверзлась пропасть.

Сесилия стряхнула пальцы дочери и тоже побежала.

* * *

Маленькая девочка. Маленькая девочка на велосипеде.

Руки Рейчел все еще лежали на руле, нога по-прежнему жала на тормоз. Педаль была вдавлена в самый пол.

Медленно, мучительно она подняла трясущуюся руку с руля и дернула рычаг ручного тормоза. Вернула левую руку на руль и правой выключила зажигание. Затем осторожно убрала ногу с педали тормоза.

Глянула в зеркало заднего вида. Возможно, с девочкой все в порядке.

Вот только она ее почувствовала — как небольшое препятствие под колесами. Рейчел знала с полной тошнотворной уверенностью, чтó именно сделала. Сделала вполне сознательно.

Она увидела бегущую женщину, чьи руки безвольно мотались вдоль тела, словно парализованные. Это была Сесилия Фицпатрик.

Маленькая девочка. Розовый искристый шлем. Черный хвост волос. Тормоз. Тормоз. Тормоз. Ее лицо в профиль. Эта девочка была Полли Фицпатрик. Маленькая красавица Полли Фицпатрик.

Рейчел заскулила по-собачьи. Где-то вдали кто-то кричал не умолкая.

* * *

— Алло?

— Уилл?

Лиам все время спрашивал, когда приедет папа. Тесс внезапно пришла в ярость: почему она должна сидеть и ждать, когда Фелисити и Уилл соизволят появиться в соответствии с составленным ими планом? И позвонила Уиллу на сотовый. Она собиралась говорить с ним холодно и сдержанно, намекая на предстоящую ему непосильную задачу.

— Тесс, — отозвался Уилл странным, растерянным голосом.

— Фелисити говорила, что ты едешь к нам...

— Да, — перебил ее Уилл. — Ехал. В такси. Нам пришлось остановиться. Тут авария, как раз за углом от дома твоей мамы. Я видел, как это случилось. Мы ждем «скорую». — Его голос сорвался, а потом зазвучал приглушенно. — Тесс, это ужасно. Маленькая девочка на велосипеде. Примерно ровесница Лиама. Похоже, она погибла.

Пасхальная
суббота

Глава 49

Врач напоминал Сесилии священника или политика. Его специальностью было сострадание. Теплый и сочувственный взгляд, медленная и отчетливая речь, авторитетная и терпеливая, как будто Сесилия и Джон Пол были его учениками, которым он втолковывал какое-то очень мудреное понятие. Сесилии хотелось броситься к его ногам и обнять колени. В ее представлении этот человек обладал абсолютным могуществом. Он был богом. Этот азиат с негромким голосом, в очках и почти такой же сине-белой полосатой рубашке, как у Джона Пола, был богом.

На протяжении предыдущих суток с ними разговаривало множество людей: экипаж «скорой», доктора и медсестры в отделении неотложной помощи. Все были очень любезными, но торопливыми и усталыми, их взгляды скользили мимо, не задерживаясь. Было шумно, и яркие белые огни постоянно сверкали на краю ее поля зрения. Теперь же они беседовали с доктором Юэ в тихой, напоминающей церковь обстановке отделения интенсивной терапии. Они стояли снаружи у забранной стеклянными панелями палаты, где Полли лежала на высокой кровати, подсоединенная к множеству приборов. Она находилась под действием сильного успокоительного. В ее левую руку была воткнута игла внутривенной капельницы. Правая скрывалась под бинтами повязки. Где-то между делом медсестра убрала с ее лица челку, заколов волосы сбоку, так что она не вполне походила на саму себя.

Доктор Юэ выглядел очень интеллигентно — благодаря очкам и, возможно, азиатскому происхождению, но расовые стереотипы Сесилию сейчас не волновали. Она надеялась, что мать доктора Юэ была одной из этих настырных матерей-тигриц[1]. И что бедный доктор Юэ не имел других интересов, кроме медицины. Она обожала доктора Юэ. А заодно и его мать.

Но этот чертов Джон Пол! Похоже, ее муж не понимал, что они разговаривают с божеством. Он постоянно перебивал, говорил слишком резко, едва ли не грубил! А вдруг Джон Пол оскорбит доктора Юэ и тот отнесется к Полли небрежно? Сесилия знала, что для доктора Юэ это всего лишь работа, Полли всего лишь очередная пациентка, а они сами — еще одна пара обезумевших от горя родителей. Всем известно, что доктора перегружены, выматываются и, как и пилоты авиалиний, совершают крошечные ошибки, которые оборачиваются катастрофой. Сесилии и Джону Полу необходимо каким-то образом выделиться. Они должны объяснить ему, что Полли не просто еще одна пациентка, а Полли, малышка Сесилии, ее забавная, беспокойная, очаровательная девочка. У Сесилии перехватило горло, и на миг она потеряла способность дышать.

— Это невероятно тяжело для вас, миссис Фицпатрик. — Доктор Юэ похлопал ее по руке. — Я знаю, что у вас выдалась долгая бессонная ночь.

---

1 Имеется в виду китайская модель воспитания детей, описанная в книге «Боевой гимн матери-тигрицы» Эми Чуа.

Джон Пол покосился на жену, как будто и забыл, что она тоже здесь. Потом взял ее за руку.

— Пожалуйста, продолжайте, — попросил он.

— Со мной все в порядке, — заверила Сесилия и подобострастно улыбнулась доктору Юэ. — Спасибо.

Пусть он видит, какие они вежливые и нетребовательные!

Доктор Юэ перечислил травмы Полли. Существенное сотрясение мозга, но компьютерная томография не выявила серьезного повреждения. Розовый искристый шлем выполнил свою задачу. Как им уже было известно, внутреннее кровотечение вызывало тревогу, но врачи вели наблюдение, и пока все шло хорошо. Они уже знали, что у Полли сильно ссажена кожа, сломана большая берцовая кость и разорвана селезенка. Селезенку уже удалили. Многие люди живут без селезенки. Ей, вероятно, грозит ослабление иммунитета, и они рекомендовали бы антибиотики в случае...

— Ее рука, — перебил врача Джон Пол. — На протяжении ночи основное беспокойство, похоже, вызывала ее правая рука.

— Да, — подтвердил доктор Юэ, встретился взглядом с Сесилией и глубоко вдохнул и выдохнул, как будто был тренером по йоге и показывал им дыхательную технику. — С крайним сожалением я вынужден сообщить, что конечность сохранить невозможно.

— Что вы сказали? — переспросила Сесилия.

— О боже, — пробормотал Джон Пол.

— Простите, — выговорила Сесилия, все еще пытаясь держаться в рамках вежливости, но уже ощущая всплеск ярости. — Что вы имеете в виду под «сохранить невозможно»?

Это звучало так, будто рука Полли была каким-то компьютерным файлом.

— Ткани необратимо повреждены, кость сломана в двух местах, и рука больше не получает достаточного кровоснабжения. Мы бы хотели провести операцию сегодня днем.

— Операцию? — эхом повторила Сесилия. — Вы имеете в виду...

Она не могла произнести это слово. Оно казалось неописуемо непристойным.

— Ампутацию, — закончил за нее доктор Юэ. — Над самым локтем. Я понимаю, что для вас это ужасная новость, и уже договорился о том, чтобы с вами встретился консультант...

— Нет, — твердо заявила Сесилия.

Она этого не потерпит. Она понятия не имела, зачем нужна селезенка, но прекрасно знала, зачем нужна правая рука.

— Видите ли, доктор Юэ, она правша. Ей шесть лет. Как она будет жить без руки?!

Ее голос-таки сорвался на безобразную ноту материнской истерики, от которой она так упорно пыталась его избавить.

Почему Джон Пол ничего не говорит? Он уже не перебивал и не грубил. Он отвернулся от доктора Юэ и сквозь стеклянную панель смотрел на Полли.

— Как-то будет, миссис Фицпатрик, — возразил доктор Юэ. — Я крайне сожалею, но придется.

* * *

За массивными деревянными дверями, ведущими в отделение интенсивной терапии, тянулся длинный и широкий коридор, куда пускали только членов семьи. Сквозь высокие окна падали испещренные пылинками лучи солнечного света, напоминая Рейчел о церкви. Люди сидели на обитых коричневой кожей стульях вдоль всего коридора: читали, писали сообщения, разговаривали по телефону. Было похоже на более тихую версию зала ожидания в аэропорту. Эти люди ждали немыслимо долго, их лица выглядели напряженными и усталыми. Иногда происходили внезапные, приглушенные взрывы чувств.

Рейчел сидела на таком же стуле, лицом к деревянным дверям, и ожидала, не появятся ли Сесилия и Джон Пол Фицпатрик.

Что следует говорить родителям ребенка, которого вы сбили машиной едва не насмерть?

Слово «простите» казалось оскорбительным. Вы говорите «простите», когда врезаетесь в чью-нибудь тележку в супермаркете. Должны быть какие-то более веские слова. Например: «Я глубоко сожалею. Меня переполняет невыносимое раскаяние. Пожалуйста, учтите, что я никогда себя не прощу».

Что следует говорить, когда вы представляете истинную меру своей виновности, намного превосходящую ту, что присвоили ей нелепо юные эскулапы «скорой» и полицейские, которые прибыли вчера на место происшествия? Они обращались с ней, словно с дряхлой старухой, вовлеченной в трагический несчастный случай.

«Я увидела Коннора Уитби и нажала на педаль газа, — складывались в ее голове слова объяснения. — Я увидела человека, убившего мою дочь, и захотела его наказать».

Но, должно быть, какой-то инстинкт самосохранения помешал ей произнести это вслух, иначе она, безусловно, оказалась бы под замком за покушение на убийство.

Помнила она только, как говорила: «Я не видела Полли. Я не видела ее, пока не оказалось слишком поздно».

— Как быстро вы ехали, миссис Кроули? — спросили ее, так вежливо и уважительно.

— Не знаю, — ответила она. — Простите. Я не знаю.

Это была правда. Она не знала. Но она точно знала, что ей вполне хватило времени, чтобы затормозить и позволить Коннору Уитби перейти дорогу.

Ей сообщили, что вряд ли предъявят обвинение. Какой-то человек в такси видел, как девочка выехала на велосипеде прямо ей под колеса. Ее спросили, кому им позвонить, чтобы за ней приехали. Они настаивали на этом, хотя специально ради нее вызвали вторую «скорую», и доктор осмотрел ее и сказал, что ей нет нужды ехать в больницу. Рейчел дала полиции номер Роба, и он прибыл чересчур быстро (наверняка превысил скорость), с Лорен и Джейкобом в машине. Роб был белым как мел. Джейкоб заулыбался и помахал пухлой ручкой с заднего сиденья. Врач «скорой» сообщил им, что Рейчел, вероятно, перенесла легкий шок и ей следует отдыхать в тепле и не стоит оставаться одной. И нужно как можно скорее показаться своему терапевту.

Это было ужасно. Роб и Лорен буквально следовали приказам, и Рейчел не могла от них избавиться, как ни пыталась. Она не могла собраться с мыслями, пока они хлопотали над ней, поднося чашки с чаем и подушки. А затем объявился этот бойкий молодой отец Джо, крайне огорченный тем, что прихожане из его паствы переезжают друг друга.

— Разве вы не должны сейчас служить мессу Страстной пятницы? — неблагодарно поинтересовалась Рейчел.

— Все под контролем, миссис Кроули, — заверил он, а затем взял за руку. — Вы ведь знаете, что это был несчастный случай, правда, миссис Кроули? Несчастные случаи происходят ежедневно. Вы не должны себя винить.

«О, милый, невинный молодой человек, — подумала она, — вы ничего не знаете о вине. Вы не представляете, на что способны ваши прихожане. Думаете, хоть кто-нибудь из нас исповедуется в наших истинных грехах? В наших ужасных грехах?»

По крайней мере священник оказался полезен в плане информации, ибо пообещал постоянно увсдомлять ее о состоянии здоровья Полли и сдержал слово.

«Она еще жива, — повторяла себе Рейчел с каждой свежей порцией новостей. — Я ее не убила. Не случилось ничего непоправимого».

После ужина Лорен с Робом наконец-то забрали Джейкоба домой, и Рейчел провела ночь, снова и снова проигрывая в памяти эти мгновения.

Змей в виде рыбы. Коннор Уитби шагает на дорогу, не обращая на нее внимания. Ее нога на педали газа. Розовый искристый шлем Полли. Тормоз. Тормоз. Тормоз.

Коннор остался цел. Ни царапины не получил.

Отец Джо позвонил утром, чтобы сообщить об отсутствии дальнейших новостей, не считая того, что Полли лежит в отделении интенсивной терапии в детской больнице Уэстмид и получает наилучшее возможное лечение.

Рейчел поблагодарила его, повесила трубку и тут же схватила снова, чтобы вызвать такси до больницы.

Она понятия не имела, сможет ли увидеть кого-то из родителей Полли, да и захотят ли они видеться с ней — вероятно, нет, — но чувствовала, что обязана быть там. Она не могла просто уютно сидеть дома, как будто жизнь продолжалась, несмотря ни на что.

Двойные двери отделения распахнулись, и из них вылетела Сесилия Фицпатрик, словно она была хирургом, спешащим спасти чью-то жизнь. Она стремительно двинулась по коридору мимо Рейчел, затем остановилась и огляделась по сторонам, моргая в недоумении, как просыпающийся лунатик.

Рейчел встала.

* * *

— Сесилия?

Перед ней материализовалась пожилая седая дама. Казалось, она не слишком твердо стоит на ногах, и Сесилия машинально протянула руку к ее локтю.

— Здравствуйте, Рейчел, — произнесла она, внезапно узнав даму.

Какое-то мгновение она видела только Рейчел Кроули, доброжелательного, но сдержанного и прекрасно знающего свое дело секретаря школы. Затем на нее навалилось воспоминание: Джон Пол, Джейни, четки. Она не думала об этом со времени несчастного случая.

— Понимаю, я последний человек, которого вам хотелось бы сейчас видеть, — начала Рейчел. — Но я должна была прийти.

Сесилия смутно припомнила, что Рейчел Кроули сидела за рулем машины, сбившей Полли. Она отметила этот факт между делом, но он не имел для нее особого значения. Маленький синий автомобиль был сродни стихии — цунами или лавине. Он как будто действовал сам по себе.

— Мне так жаль, — продолжала Рейчел. — Ужасно, чудовищно жаль.

Сесилия не могла в полной мере осмыслить, что́ имела в виду Рейчел. От усталости и потрясения из-за того, что сейчас сказал доктор Юэ, она слишком медленно соображала. Некогда надежные клетки ее мозга вяло разбредались, и лишь величайшим усилием ей удалось согнать их в одно место.

— Это был несчастный случай, — сообщила она с облегчением человека, вспомнившего безупречную фразу на иностранном языке.

— Да, — согласилась Рейчел. — Но...

— Полли преследовала мистера Уитби, — продолжила Сесилия, благо слова потекли легче. — Она не смотрела по сторонам. — Она прикрыла глаза и увидела, как Полли исчезла под машиной. Открыла их снова. Еще одна безупречная фраза пришла ей в голову. — Вы не должны себя винить.

Рейчел нетерпеливо помотала головой и помахала рукой, словно ее донимало насекомое. Затем она схватила Сесилию за предплечье и крепко сжала:

— Пожалуйста, скажите мне прямо. Как она? Насколько серьезны ее... ее травмы?

Сесилия уставилась на морщинистую, сухую ладонь Рейчел, вцепившуюся ей в предплечье. Перед глазами встала красивая и здоровая тонкая детская ручка Полли, и она обнаружила, что вновь уперлась в вязкую стену неприятия. Неприемлемо. Попросту недопустимо. Почему это не рука самой Сесилии? Ее обычная, непривлекательная рука с поблекшими веснушками. Если этим ублюдкам так нужна рука — они могут взять ее.

— Сказали, ей придется отнять руку, — прошептала она.

— Нет. — Пальцы Рейчел сжались сильнее.

— Я не могу. Просто не могу.

— А она знает?

— Нет.

Вся эта история была бесконечной и огромной, ее щупальца ползли, извивались и спутывались. Сесилия еще даже не начала думать о том, как сказать Полли, или даже чем на самом деле этот акт вандализма обернется для ее дочери. Ее всецело занимало собственное восприятие: что она не в силах это вынести, что это жестокое преступление против самой Сесилии. Такой оказалась цена ее чувственного, изысканного удовольствия и гордости, которые она всегда испытывала, думая о красоте и здоровье своих детей.

Как же выглядит рука Полли сейчас, под повязками? «Конечность сохранить невозможно». Доктор Юэ заверил ее, что боли девочка не испытывает.

Сесилия не сразу осознала, что у Рейчел подломились колени и та валится с ног. Она едва успела ее поймать, схватив за руки и приняв на себя вес тела. Оно показалось ей удивительно легким для такой высокой женщины, как будто ее кости были пористыми. Но удержать ее вертикально все равно было непросто, словно Сесилии вручили большую неуклюжую посылку.

Мужчина, проходивший мимо с букетом розовых гвоздик, остановился, сунул цветы под мышку и помог Сесилии довести Рейчел до ближайшего сиденья.

— Найти вам врача? — предложил он. — Я наверняка сумею выследить одного, они как раз здесь водятся!

— Мне всего лишь стало не по себе. — Рейчел непреклонно покачала головой.

Она побледнела, и ее била дрожь. Сесилия опустилась рядом с ней на колени и вежливо улыбнулась мужчине:

— Спасибо вам за помощь.

— Не вопрос. Я пойду. Моя жена только что родила нашего первого ребенка. Ей уже три часа. Это девочка.

— Поздравляю! — чуточку запоздало отозвалась Сесилия.

Он уже ушел легкой радостной походкой, переживая самый счастливый день своей жизни.

— Вы уверены, что хорошо себя чувствуете? — спросила Сесилия у Рейчел.

— Мне так жаль.

— Это не ваша вина, — снова заверила ее Сесилия.

Ее кольнуло нетерпение. Она вышла чуточку продышаться, чтобы удержаться от крика, но ей нужно было немедленно вернуться. Пора собирать факты. Ей не нужно беседовать ни с каким чертовым консультантом, большое спасибо за предложение, ей нужно снова увидеть доктора Юэ, и на этот раз она будет делать заметки и задавать вопросы, а не беспокоиться о любезности.

— Вы не знаете, — возразила Рейчел.

Она пристально смотрела на Сесилию красными глазами, полными слез. Ее голос был высоким и слабым.

— Это как раз моя вина. Я нажала на педаль газа. Я пыталась убить его за то, что он убил Джейни.

— Вы пытались убить Джона Пола? — Сесилия вцепилась в край сиденья Рейчел, как будто в кромку обрыва, с которого ее только что столкнули, и встала.

— Да нет же. Я пыталась убить Коннора Уитби. Он убил Джейни. Видите ли, я нашла пленку. Это улика.

Как будто кто-то сгреб Сесилию за плечи, развернул кругом и поставил лицом к лицу со свидетельством злодеяния.

Ей не пришлось цепляться за осознание. Она поняла все мгновенно.

Что сделал Джон Пол.

Что сделала она.

Их ответственность перед дочерью. Наказание, которое понесет Полли за их преступление.

Где-то внутри взлетела яркая белая вспышка ядерного взрыва, выжигая все дотла. От нее осталась лишь оболочка. И все же она не дрогнула. Ее ноги не подкосились. Она осталась совершенно неподвижной.

Ничто больше не имело значения. Стать хуже ситуация просто не могла.

Важнее всего теперь стала правда. Она не спасет Полли. И никоим образом не искупит их вину. Но она совершенно необходима. Это было срочное дело, которое Сесилии требовалось немедленно вычеркнуть из своего списка.

— Коннор не убивал Джейни, — сообщила она.

Она ощущала, как ходит вверх-вниз ее челюсть, выговаривая слова. Она была деревянной марионеткой.

— Что вы имеете в виду? — Рейчел замерла. Ее мягкий влажный взгляд изменился, заметно отвердев.

Во рту пересохло и стоял кисловатый вкус. Сесилия будто со стороны услышала, как оттуда вырвались слова:

— Вашу дочь убил мой муж.

Глава 50

Сесилия сидела на корточках рядом со стулом Рейчел и говорила тихо, но отчетливо. Их глаза разделяло всего несколько дюймов. Рейчел слышала и понимала каждое сказанное слово, но никак не могла уследить за общим смыслом. Он ей не давался. Слова соскальзывали с поверхности ее разума. Она испытывала пугающее чувство: как будто она отчаянно бежит, чтобы поймать нечто жизненно важное.

«Погодите, — хотелось сказать ей. — Сесилия, погодите. Что вы такое говорите?»

— Я узнала только на днях, — говорила Сесилия. — Ночью после вечеринки с «Таппервером».

Джон Пол Фицпатрик. Она пытается сказать, что это Джон Пол Фицпатрик убил Джейни? Рейчел вцепилась в руку Сесилии.

— Вы говорите, это был не Коннор, — подвела она итог. — Вы точно знаете, что это был не Коннор? И он не имеет к этому никакого отношения?

Глубочайшая печаль отразилась на лице Сесилии.

— Я точно это знаю, — подтвердила она. — Это был не Коннор. Это был Джон Пол.

Джон Пол Фицпатрик. Сын Вирджинии. Муж Сесилии. Высокий, привлекательный, хорошо одетый, учтивый человек. Широко известный, уважаемый член школьного сообщества. Встречая его в магазинах или на школьных мероприятиях, Рейчел приветственно улыбалась и махала рукой. Джон Пол всегда возглавлял школьных трудяг-добровольцев. Он носил пояс с инструментами и черную бейсболку и с впечатляющей уверенностью воздевал логарифмическую линейку. В прошлом месяце Рейчел видела, как Изабель Фицпатрик бросилась в объятия отца, когда тот забирал ее из летнего лагеря шестого класса. Это зацепило Рейчел: на лице девочки при виде Джона Пола вспыхнула такая незамутненная радость, а еще она так походила на Джейни. Джон Пол закружил Изабель, как будто она была маленьким ребенком, и Рейчел обожгло сожаление о том, что Джейни никогда не была такой дочерью, а Эд никогда не был таким отцом. Их напряженное беспокойство о том, что подумают о них другие люди, оказалось такой пустой тратой времени. Почему они были так осторожны и сдержанны в своей любви?

— Мне следовало вам сказать, — продолжала Сесилия. — Надо было сказать сразу же, как только я узнала. Джон Пол Фицпатрик.

У него были такие славные волосы. Они выглядели почтенно. В отличие от злодейской лысой головы Коннора Уитби. Джон Пол ездил на сверкающем чистотой семейном автомобиле. Коннор с ревом носился на замызганном мотоцикле. Это не могло быть правдой. Наверное, Сесилия что-то неправильно поняла. Рейчел никак не удавалось перенести свою ненависть с Коннора Уитби на другого. Она слишком долго ненавидела Коннора: даже пока не знала точно, когда только подозревала, она ненавидела его за одну лишь возможность причастности. За само его присутствие в жизни Джейни. За то, что он был последним, кто видел Джейни живой.

— Я не понимаю, — призналась она Сесилии. — Разве Джейни была знакома с Джоном Полом?

— У них были своего рода тайные отношения. Полагаю, можно сказать, что они встречались, — пояснила Сесилия.

Она по-прежнему сидела на корточках на полу рядом с Рейчел. К ее лицу, еще недавно бледному, густо прилила краска.

— Джон Пол был влюблен в Джейни, но затем Джейни сказала, что есть какой-то другой мальчик и она выбрала этого другого, и тогда он... ну... он вышел из себя... — Ее голос постепенно упал до шепота. — Ему было семнадцать. Это был приступ безумия. Звучит так, будто я пытаюсь его оправдать. Честное слово, я совершенно не пытаюсь оправдать ни его, ни то, что он сделал. Конечно, никаких оправданий и быть не может. Простите. Мне придется встать. Мои колени. У меня колени болят.

Рейчел проследила взглядом за тем, как Сесилия с трудом поднялась на ноги, огляделась в поисках еще одного стула и подтащила его поближе к Рейчел, а затем села и склонилась к ней, так отчаянно нахмурив брови, словно умоляла сохранить ей жизнь.

Джейни сказала Джону Полу, что встречается с другим. Значит, этим другим был Коннор Уитби.

За Джейни ухаживали сразу двое мальчиков, а Рейчел совершенно не подозревала об этом. Когда же она успела стать настолько скверной матерью, чтобы так плохо представлять себе жизнь дочери? Почему они не поверяли друг дружке тайны за «молоком с печеньем» вечером после школы, словно мама с дочкой из американской комедии? Рейчел что-то пекла только в самом крайнем случае. Вечером за чаем Джейни обычно ела крекеры с маслом. Если бы только она пекла для Джейни, подумалось ей с внезапным взрывом жестокой ненависти к себе. Почему она не пекла? Если бы она пекла, а Эд весело кружил Джейни, подхватив на руки, все, возможно, обернулось бы иначе.

— Сесилия?

Обе женщины подняли глаза. К ним подошел Джон Пол.

— Сесилия. Они хотят, чтобы мы подписали какие-то бумаги...

Он умолк и тут заметил Рейчел.

— Здравствуйте, миссис Кроули.

— Здравствуйте, — отозвалась Рейчел.

Она не могла шевельнуться, как будто находилась под анестезией. Вот перед ней стоит убийца ее дочери — измученный, страдающий отец средних лет, с красной каймой вокруг глаз и седоватой щетиной. Это невозможно. Он не имел никакого отношения к Джейни. Он был слишком старым. Слишком взрослым.

— Джон Пол, я сказала ей, — сообщила Сесилия.

Джон Пол отшатнулся, как будто кто-то попытался его ударить.

На миг он зажмурился, а затем открыл глаза и посмотрел прямо на Рейчел с таким мучительным раскаянием, что у нее не осталось ни малейшего сомнения.

— Но почему? — спросила Рейчел и сама поразилась тому, как культурно и обыденно прозвучал ее голос, обсуждающий убийство ее дочери среди бела дня, пока мимо снует множество людей, не обращая на них внимания, предполагая, что они ведут просто еще один ничем не примечательный разговор. — Не могли бы вы объяснить мне, почему вы так поступили? Она же была всего лишь маленькой девочкой.

Джон Пол поник головой и зарылся обеими руками в свои славные почтенные волосы, а когда снова поднял взгляд, его лицо как будто бы треснуло на тысячу осколков.

— Миссис Кроули, это был несчастный случай. Я вовсе не хотел ей повредить, потому что, видите ли, я любил ее. Я действительно любил ее. — Он вытер нос тыльной стороной ладони, небрежным, безнадежным жестом, словно пьяный на углу улицы. — Я был глупым мальчишкой-подростком. Она сказала мне, что встречается с другим, а потом посмеялась надо мной. Мне очень жаль, но другой причины у меня нет. Я понимаю, что это не причина вовсе. Я любил ее, а она посмеялась надо мной.

* * *

Сесилия смутно осознавала, что в коридоре мимо них по-прежнему снует множество людей: одни спешили, другие неторопливо прохаживались, жестикулировали и смеялись, оживленно разговаривали по мобильным телефонам. Никто не задержался, чтобы рассмотреть седовласую даму, очень прямо сидящую на обитом коричневой кожей стуле, вцепившуюся шишковатыми руками в края сиденья, вонзившую взгляд в мужчину средних лет, который стоял перед ней, в глубочайшем раскаянии склонив голову и ссутулив плечи. Никто как будто и не замечал ничего необычного в их застывших позах и молчании. Они находились в собственном небольшом пузыре, отделенные от остального человечества.

Сесилия ощутила под ладонями прохладную гладкую кожу обивки, и внезапно воздух с шумом вырвался из ее легких.

— Мне нужно вернуться к Полли, — заявила она и вскочила так поспешно, что у нее закружилась голова.

Сколько прошло времени? Как долго они тут просидели? Ее охватила паника, как будто она бросила дочь.

«Я не могу сейчас волноваться о вас», — подумала она, глянув на Рейчел.

— Мне нужно снова поговорить с врачом Полли, — сообщила она.

— Конечно, — согласилась Рейчел.

Джон Пол протянул ладони к Рейчел, запястьями вверх, как будто ждал, что на них вот-вот застегнут наручники.

— Я знаю, что не имею никакого права просить вас об этом, Рейчел, миссис Кроули. Я не вправе вовсе ни о чем вас просить. Но, видите ли, Полли сейчас нуждается в нас обоих, так что мне просто нужно время...

— Я не отниму вас у дочери, — перебила его Рейчел резко и гневно, как будто Сесилия с Джоном Полом были скверно ведущими себя подростками. — Я уже... — Она осеклась, сглотнула и подняла взгляд к потолку, как будто боролась с приступом тошноты. Затем жестом погнала их прочь. — Ступайте. Просто ступайте к своей маленькой девочке. Оба.

Глава 51

Поздним вечером пасхальной субботы Уилл с Тесс прятали яйца на заднем дворе дома ее матери. В руках у них были пакеты с крошечными яйцами, завернутыми в яркую блестящую фольгу.

Пока Лиам был совсем маленьким, они обычно оставляли яйца на виду или даже просто рассыпали по траве. Но теперь, став старше, он предпочитал серьезный вызов: чтобы пасхальные яйца были спрятаны на совесть, чтобы Тесс мурлыкала себе под нос мелодию из фильма «Миссия невыполнима», а Уилл засекал время поиска на секундомере.

— Я так понимаю, мы не можем спрятать несколько штук в кровельные желоба? — уточнил Уилл, подняв взгляд на крышу. — Можно оставить приставную лестницу где-нибудь под рукой.

Тесс издала вежливый смешок из тех, что обычно доставались знакомым или клиентам.

— Видимо, нет, — подытожил Уилл.

Он вздохнул и осторожно пристроил синее яйцо на угол подоконника, куда Лиам мог бы дотянуться, только встав на цыпочки.

Тесс развернула яйцо и съела. Сейчас накачивать Лиама шоколадом — последнее дело. Во рту стало очень сладко. Она сама за эту неделю съела целую гору шоколада. Если за этим не следить, она станет размером с Фелисити.

Обыденно жестокая мысль пришла ей в голову машинально, будто слова хорошо знакомой песни, и Тесс осознала, как часто, должно быть, думала так. «Размером с Фелисити» по-прежнему оставалось для нее определением неприемлемой полноты, даже теперь, когда Фелисити обзавелась роскошной стройной фигурой, лучше ее собственной.

— Не могу поверить, что ты вообразил, будто мы сможем жить все вместе! — взорвалась она.

Уилл напрягся, собираясь с духом.

Именно так все и продолжалось с тех пор, как он наконец-то объявился накануне в доме ее матери, бледный и заметно похудевший с их последней встречи. Ее настроение все время опасно колебалось. Только что она была спокойна и язвительна, и вот уже на грани истерики и слез. Ей никак не удавалось взять себя в руки.

— На самом деле я так не думал. — Уилл повернулся к ней, держа пакет шоколадных яиц.

— Но ты же так сказал! В понедельник ты именно так и сказал.

— Это была глупость. Я сожалею об этом. Все, что я могу сделать, — это еще раз попросить прощения.

— Ты изъясняешься, как робот. Не вкладываешь в слова никакого смысла, а просто твердишь одно и то же, чтобы я наконец-то заткнулась. Я сожалею. Я сожалею. Я сожалею, — принялась монотонно повторять она.

— Но я действительно это имею в виду, — устало возразил Уилл.

— Тсс, — одернула его Тесс, хотя он не так уж громко и говорил. — Ты их разбудишь.

Лиам и ее мать уже легли. Их комнаты располагались в передней части дома, и они всегда спали крепко. Тесс с Уиллом, вероятно, не удалось бы их разбудить, даже начни они орать друг на друга.

Криков не было. Пока нет. Только эти короткие, бессмысленные разговоры, мучительно заходящие в тупик.

Их воссоединение накануне было одновременно сюрреалистичным и обыденным, невыносимое столкновение личностей и чувств. Для начала там присутствовал Лиам, едва не рехнувшийся от возбуждения. Как будто он почуял, что ему грозит потерять отца и безопасный уютный уклад жизни, и теперь его облегчение при виде вернувшегося Уилла выражалось в ребяческом безумии. Он болтал раздражающе дурацкими голосами, маниакально хихикал, постоянно желал бороться с отцом. Уилл, с другой стороны, был совершенно потрясен несчастным случаем с Полли Фицпатрик.

— Видела бы ты выражение на лице родителей, — то и дело тихонько повторял он Тесс. — Только представь, что это случилось бы с Лиамом. Случилось бы с нами.

Ужасная новость о происшествии с Полли должна была показать Тесс всю ситуацию под новым углом — и, в каком-то смысле, так и вышло. Если бы нечто подобное произошло с Лиамом, ничто уже не имело бы значения. Но в то же время это низводило ее собственные чувства до незначащего пустяка, что побуждало ее защищаться и нападать.

Ей не удавалось подобрать достаточно сильные слова, чтобы описать чудовищную широту и глубину своих чувств. «Ты причинил мне боль. Заставил меня так сильно страдать. Как ты мог?» В голове все выглядело просто, но оказывалось удивительно сложным, стоило лишь открыть рот.

— Ты хотел бы оказаться сейчас в самолете вместе с Фелисити, — заявила Тесс. Он точно хотел. Она знала об этом, поскольку сама хотела бы оказаться сейчас в квартире Коннора. — Лететь в Париж.

— Ты все время говоришь о Париже, — заметил Уилл. — Почему именно Париж? — В его голосе было что-то от обычного Уилла, того Уилла, которого она любила и который умел находить забавное в повседневной рутине. — Может, ты сама хочешь в Париж?

— Нет, — отрезала Тесс.

— Лиаму нравятся круассаны.

— Нет.

— Правда, нам придется захватить с собой «Веджимайт».

— Я не хочу в Париж.

Она прошла по газону к задней ограде и собралась было спрятать яйцо около столбика, но передумала: здесь наверняка есть пауки.

— Завтра мне надо будет подстричь этот газон, — заметил Уилл из внутреннего двора.

— Соседский мальчик делает это раз в две недели.

— Ладно.

— Я знаю, что ты здесь только из-за Лиама.

— Что?

— Что слышал.

Тесс уже говорила это: прошлой ночью, в постели, и снова, когда они сегодня пошли прогуляться. Она повторялась. Вела себя словно неразумная чокнутая стерва, как будто хотела, чтобы он пожалел о принятом решении. Почему она все время поднимает эту тему? Она здесь тоже лишь из-за ребенка. Тесс знала, что, если бы не Лиам, она сейчас лежала бы в постели с Коннором, не утруждаясь попытками восстановить брак. Она позволила бы себе с головой окунуться в нечто свежее, новое и изумительное.

— Я здесь из-за Лиама, — подтвердил Уилл. — И из-за тебя. Вы с Лиамом моя семья. Важнее вас для меня ничего нет.

— Если бы важнее нас для тебя ничего не было, ты бы не влюбился в Фелисити.

Так просто оказалось быть жертвой. Обвиняющие слова с восхитительной, неудержимой легкостью срывались с языка.

Все было бы иначе, если бы она рассказала Уиллу, чем занималась с Коннором, пока они с Фелисити героически противостояли искушению. Она предполагала, что это причинит ему боль, и как раз этого ей и хотелось. Информация была будто камень за пазухой. Тесс придерживала его ладонью, поглаживая контуры и оценивая мощь.

— Не говори ему о Конноре, — точь-в-точь как Фелисити, настоятельно шепнула мать, отведя Тесс в сторону, когда такси остановилось у дома и Лиам побежал здороваться с отцом. — Это только его расстроит. Это бессмысленно. Ценность честности преувеличивают, можешь мне поверить.

Поверить ей. Опиралась ли мать на личный опыт? Когда-нибудь Тесс ее спросит. Сейчас ей не особенно хотелось это знать, да и было все равно.

— На самом деле я не влюбился в Фелисити, — уточнил Уилл.

— Нет, влюбился.

Правда, слово «влюбился» внезапно показалось ей ребяческим и нелепым, словно они с Уиллом уже выросли из подобных выражений. В юности ты говоришь о влюбленности с презабавнейшей серьезностью, как будто это настоящее событие, регистрируемое приборами, хотя ведь что она такое на самом деле? Химия. Гормоны. Игра ума. Она могла бы влюбиться в Коннора. Легко. Влюбляться вообще несложно. С каждым может случиться. Вот сохранить чувство уже труднее.

При желании Тесс могла бы сейчас же сломать собственный брак, обрушить жизнь Лиама парой нехитрых слов. «Знаешь что, Уилл? Я тоже влюбилась в другого. Так что все просто отлично, лучше не придумаешь. Убирайся». Всего лишь несколько слов — и они оба смогут пойти каждый своей дорогой.

Она никак не могла простить отвратительной чистоты того, что происходило между Уиллом и Фелисити. Не нашедшая плотского воплощения любовь так могущественна. Тесс уехала из Мельбурна, чтобы они довели до конца свою проклятую интрижку, а они так этого и не сделали. И теперь именно она волочит за собой грязный секрет.

— Вряд ли я смогу это сделать, — тихонько пробормотала она.

— Что? — Уилл поднял взгляд.

Он сидел на корточках, аккуратно заталкивая яйца в сетку на спинке одного из стульев Люси.

— Ничего, — отмахнулась Тесс и мысленно добавила: «Вряд ли я смогу тебя простить».

Она подошла к боковой ограде и с равными промежутками выложила рядок яиц вдоль всего среднего бруса, укрытого за плющом.

— Фелисити говорит, ты хотел второго ребенка, — вспомнила она.

— Ну да, ты же знаешь, — измученным голосом подтвердил Уилл.

— Все потому, что она стала такой хорошенькой? Фелисити? Дело в этом?

— А? Что?

Тесс едва не расхохоталась над испуганным выражением его лица. Даже в обычные дни он предпочитал упорядоченные, линейные разговоры, а сейчас еще и не мог пожаловаться, как привык, и потребовать, чтобы она выражалась яснее.

— Наш брак ведь был довольно счастливым, разве нет? — спросила она. — Мы не ссорились. Мы досмотрели «Декстера» до середины пятого сезона! Как ты мог со мной расстаться на середине пятого сезона?

Уилл опасливо улыбнулся и покрепче сжал пакет с яйцами.

Тесс никак не могла умолкнуть, будто пьяная.

— И с сексом у нас ведь тоже все было хорошо? Мне казалось, что хорошо, просто замечательно.

Она вспомнила пальцы Коннора, медленно и нежно скользящие вдоль ее спины, и резко вздрогнула. Уилл хмурил лоб, как будто кто-то взял его за яйца, поначалу мягко, но теперь медленно, постепенно сжимал все сильнее. Вскоре по ее вине он рухнет наземь.

— Мы не ссорились. Или ссорились, но ведь это были обычные, повседневные ссоры. Из-за чего, например? Из-за посудомоечной машины? Я как-то так клала сковороду, что она билась о какую-то штуковину. По-твоему, мы слишком часто бывали в Сиднее. Но это же всего лишь повседневные мелочи, разве нет? Или мы не были счастливы? Я была счастлива. И думала, мы оба счастливы. Должно быть, я казалась тебе страшной дурой. — Она, словно марионетка, подвигала вверх-вниз руками и ногами. — Вот идет глупышка Тесс, проводящая дни в глупости. О-о, тра-ля-ля, я так счастлива в браке, о да!

— Тесс, прекрати. — Глаза Уилла блестели.

Тесс остановилась, обратив внимание на то, что вкус шоколада во рту разбавлен чем-то соленым. Она с раздражением вытерла мокрое лицо ладонями. А ведь даже не заметила, что плачет. Уилл шагнул к ней, как будто хотел утешить, и она выставила перед собой руки, не подпуская его ближе.

— А теперь Фелисити уехала. Я не расставалась с ней дольше чем на пару недель, с тех пор... Боже мой, да с самого рождения. Странно, правда? Неудивительно, что ты решил, будто сможешь получить нас обеих. Мы были как сиамские близнецы.

Вот почему ее так разозлило предложение им всем троим жить вместе — потому что для них оно не было таким уж нелепым. Тесс понимала, почему они сочли это возможным, и это еще больше ее злило. А как же?

— Давай уже закончим с этими дурацкими яйцами, — заявила она.

— Погоди. Присядем на минутку.

Он жестом пригласил ее за стол, за которым она ела на солнышке горячие крестовые булочки и переписывалась с Коннором еще вчера, миллион лет назад. Тесс села, бросила пакет с яйцами на стол и сложила на груди руки, спрятав кисти под мышками.

— Ты замерзла? — встревожился Уилл.

— Тут не слишком-то тепло, — огрызнулась Тесс, которой теперь овладела бесслезная отчужденность. — Но ничего. Давай. Говори, что хотел.

— Ты права, — начал Уилл. — С нашим браком все было хорошо. Я был счастлив в том, что касалось нас. Просто я вроде как был несчастлив в том, что касалось меня.

— Как? Почему?

Тесс вздернула подбородок. Ее уже тянуло обороняться. Если он не был счастлив, значит виновата должна быть она. Ее готовка, ее беседы, ее тело. Что-то недотягивало до совершенства.

— Это прозвучит так бестолково, — признался Уилл, глянул на небо и набрал в грудь побольше воздуха. — Это ни в коей мере не оправдание. Даже и не думай. Но около полугода назад, когда мне стукнуло сорок, я сам себе начал казаться таким... Единственное слово, которое приходит мне в голову, — это «пресным». Или, может, лучше будет сказать «плоским».

— Плоским, — повторила Тесс.

— Помнишь, как я намучился с коленом? А потом еще спина заболела? И я подумал: «Боже, неужели вся жизнь теперь будет такой? Врачи, и таблетки, и боль, и чертовы грелки? Уже все кончено?» И вот так оно и вышло, а потом однажды... Ладно, это довольно глупо звучит. — Уилл пожевал губу. — Я пошел подстричься. И моего обычного парикмахера не оказалось на месте, и эта девица зачем-то поднесла зеркало, чтобы показать мне мой затылок. Уж не знаю, зачем ей это понадобилось. Клянусь тебе, я едва не рухнул со стула, когда увидел у себя плешь. Я подумал, это чья-то чужая голова. Я выглядел словно чертов монах Тук. А сам даже не догадывался.

Тесс фыркнула, и Уилл печально улыбнулся.

— Знаю, — кивнул он. — Знаю. Я просто почувствовал себя таким... немолодым.

— Ты и не молод.

— Спасибо, — поморщился он. — Я в курсе. В общем, насчет этого плоского ощущения. Такое бывает. Ничего страшного. Я ждал, когда оно пройдет. Надеялся, что оно пройдет. А потом... — Он умолк.

— А потом Фелисити, — подсказала Тесс.

— Фелисити, — повторил Уилл. — Я всегда хорошо к ней относился. Ты знаешь, как мы общались. Все эти перебранки. На грани флирта. Это никогда не было всерьез. Но потом, когда она похудела, я начал чувствовать исходящие от нее... флюиды. И наверное, мне это польстило, и казалось, что это все не в счет, поскольку это же Фелисити, а не какая-нибудь случайная женщина. Все было безопасно. У меня не было ощущения, что я тебе изменяю. Почти как если бы она была тобой. Но потом каким-то образом все вышло из-под контроля, и я обнаружил, что... — Он снова оборвал себя.

— Влюбляешься в нее, — закончила за него Тесс.

— Нет, на самом деле нет. Не думаю, что это была настоящая любовь. Ничего особенного. Как только вы с Лиамом вышли за дверь, я понял, что это неважно. Просто дурацкое увлечение...

— Хватит. — Тесс подняла ладонь, как будто намеревалась прикрыть ему рот.

Ей не хотелось вранья, даже с благими намерениями, даже если он сам не знал, что это вранье. А еще ее заставляла возражать странноватая преданность сестре. Как он может заявлять, что в этом не было ничего особенного, когда Фелисити испытывала такие искренние и сильные чувства, а он сам готов был пожертвовать ради нее всем? Уилл прав. Это же не какая-нибудь случайная женщина. Это Фелисити.

— Почему ты никогда не рассказывал мне об этом плоском ощущении?

— Не знаю. Потому что это глупо. Расстраиваться из-за плеши. Господи! — Он пожал плечами. Возможно, дело было в освещении, но казалось, будто он покраснел. — Потому что не хотел потерять твое уважение.

Тесс положила ладони на стол и уставилась на них. Она думала о том, что одна из задач рекламы — дать потребителю разумные обоснования их неразумных приобретений. Может, Уилл оглянулся на свой роман с Фелисити и задался вопросом: «Почему же я так поступил?» А потом сам для себя выдумал эту историю, основанную на вольной интерпретации правды?

— Что ж, а я вот страдаю социофобией, — непринужденно сообщила она.

— Что ты сказала? — Уилл нахмурился, как будто ему подсунули заковыристую загадку.

— Я испытываю тревогу, чрезмерную тревогу в связи с определенной социальной деятельностью. Не всякой. Только в некоторых вопросах. Это не слишком важно. Но порой бывает.

Ее муж прижал пальцы ко лбу. Он выглядел озадаченным и почти испуганным.

— В смысле, я в курсе, что ты не слишком-то любишь вечеринки, но ты же знаешь, меня и самого не особо тянет болтаться в толпе и вести светские беседы.

— У меня учащается сердцебиение при мысли о школьных викторинах, — пояснила Тесс.

Она смотрела прямо ему в глаза. И чувствовала себя голой. Более голой, чем когда-либо.

— Но мы же не ходим на школьные викторины.

— Поэтому и не ходим.

— Мы и не обязаны ходить! — Уилл вскинул руки. — Мне неважно, ходим мы или нет.

— Но мне вроде как важно. — Тесс улыбнулась. — Кто знает? Может, это было бы забавно. Или скучно. Я не знаю. Вот почему я тебе это говорю. Мне хочется стать чуть более... открытой для собственной жизни.

— Я не понимаю, — вздохнул Уилл. — Я знаю, что ты не экстраверт, но ты же находишь для нас новые заказы! Не знаю, как я сам бы с этим справлялся!

— Да, я это делаю, — подтвердила Тесс. — Мне бывает страшно до полусмерти, но я одолеваю страх. Я это дело ненавижу, но и люблю. Жаль только, что так много времени уходит на борьбу с тошнотой.

— Но...

— Недавно я прочла одну статью. Нас таких тысячи бродит вокруг с этим невротическим секретиком. Люди, которых ни за что не заподозришь: исполнительные директора, способные провести большую презентацию для акционеров, но не справляющиеся с беседами на рождественской вечеринке, актеры, изнемогающие от робости, врачи, опасающиеся встречаться с людьми взглядом. Мне казалось, что я должна от всех скрывать этот страх, но чем усердней я его прятала, тем сильнее он становился. Я вчера рассказала Фелисити, а она попросту отмахнулась. Она сказала: «Хорош себе потакать». Честно говоря, эти ее слова даже принесли мне какое-то непонятное облегчение. Как будто я наконец-то вытащила из коробки огромного волосатого паука, а кто-то взглянул на него и заявил: «Да это не паук вовсе».

— Я не хочу от этого отмахиваться, — заявил Уилл. — Я хочу раздавить твоего паука. Убить мерзкую тварь.

К глазам Тесс снова подступили слезы.

— А я не хочу отмахиваться от твоего плоского ощущения.

Уилл протянул ей через стол руку ладонью вверх. Тесс еще мгновение ее разглядывала, а затем вложила в нее свою. Внезапное тепло его руки, ее одновременные привычность и чуждость, то, как она охватывала ее пальцы, — все это напомнило Тесс их первую встречу. Их представили друг другу в приемной компании, где она работала, и ее обычную тревогу из-за знакомства с новым человеком заглушило мощное влечение к этому невысокому улыбчивому мужчине со смеющимися золотистыми глазами, удерживающими ее взгляд.

Они сидели молча, держась за руки, не глядя друг на друга. Тесс вспомнила, как блеснули глаза Фелисити, когда она спросила, держались ли они с Уиллом за руки в самолете из Мельбурна, и едва не отдернула свою. Но потом подумала о том, как стояла у выхода из бара с Коннором и его палец ласкал ее ладонь, и почему-то о Сесилии Фицпатрик, которая сейчас сидит в больничной палате с несчастной прелестной малышкой Полли, и о Лиаме, благополучно спящем наверху в синей фланелевой пижаме и видящем во сне шоколадные яйца. Она подняла взгляд на ясное звездное небо и вообразила Фелисити в самолете, где-то высоко над ними, улетающую в другой день, другое время года, другую жизнь и гадающую, как же все-таки так вышло.

Нужно было принять множество решений. Как им распорядиться своими жизнями дальше? Остаться в Сиднее? Оставить Лиама в школе Святой Анджелы? Невозможно. Ей придется каждый день видеться с Коннором. А как насчет их фирмы? Найти замену Фелисити? Это тоже казалось невозможным. Собственно, все это казалось невозможным. Непреодолимым.

Что, если Уиллу и Фелисити и впрямь суждено быть вместе? А ей самой — с Коннором? Возможно, подобные вопросы не имеют ответов. Да и существует ли эта самая «судьба»? Это просто жизнь, она происходит прямо сейчас, и надо стараться изо всех сил. Быть чуточку гибче.

Огонек светочувствительного датчика на мамином заднем крыльце замерцал, и внезапно они погрузились во мрак. Никто не шевелился.

— Подождем до Рождества, — предложила Тесс мгновение спустя. — Если к Рождеству ты по-прежнему будешь по ней тосковать, если все еще будешь ее хотеть, тебе стоит уйти к ней.

— Не говори так. Я ведь уже сказал. Я не...

— Тсс. — Она крепче сжала его руку, так они и сидели под луной, цепляясь за обломки своего брака.

Глава 52

Свершилось.

Джон Пол с Сесилией сидели бок о бок и смотрели, как опущенные веки Полли трепещут и замирают, трепещут и замирают, словно отслеживали ее сны.

Сесилия держала дочь за левую руку; по ее лицу катились слезы и капали с подбородка, но она не обращала на них внимания. Она вспомнила, как сидела с Джоном Полом в другой больнице, на заре другого осеннего дня, после двух часов изнурительных схваток (роды у Сесилии проходили быстро, а на третий раз — даже скоротечно). Они с Джоном Полом пересчитывали пальчики на руках и ногах Полли, как было и с Изабелью, и с Эстер. Этот ритуал напоминал то, как разворачивают и разглядывают чудесный, волшебный подарок.

Теперь их взгляды то и дело возвращались туда, где должна была лежать правая рука Полли. Это была аномалия, странность, оптическое отклонение. Отныне вовсе не ее красота станет притягивать взгляды в торговых центрах.

Сесилия даже не пыталась сдерживать слезы. Ей нужно было выплакаться до конца, поскольку она решила, что не позволит ни слезинке пролиться на виду у Полли.

Она готовилась вступить в новую жизнь — как мать ребенка с ампутированной конечностью. Еще даже не покончив с рыданиями, она ощущала, как ее мышцы напрягаются в готовности, словно у спортсмена, собирающегося бежать марафон. Вскоре она бегло заговорит на новом языке культей, протезов и бог знает чего еще. Она перевернет небо и землю, будет печь кексы и расточать лживые похвалы, только бы добиться для дочери всего самого-самого. Никто не подходил на эту роль лучше Сесилии.

Но подходит ли Полли? Вот в чем вопрос. Подходит ли любой шестилетний ребенок? Достанет ли ей силы духа жить с подобной травмой в мире, где для женщины так важна внешность?

«Она по-прежнему красива», — гневно подумала Сесилия, как будто кто-то это отрицал.

— Она сильная, — произнесла она вслух, обращаясь к Джону Полу. — Помнишь, как тогда, в бассейне, она захотела доказать, что может заплыть так же далеко, как Эстер?

Перед ее мысленным взором встали руки Полли, рассекающие просвеченную солнцем хлорированную голубую воду.

— Боже. Плавание.

Джон Пол вздрогнул всем телом и прижал ладонь к середине груди, как будто его поразил сердечный приступ.

— Не вздумай мне тут рухнуть замертво, — резко потребовала Сесилия.

Она надавила основаниями ладоней себе на прикрытые глаза и потерла их круговыми движениями. От всех этих слез у нее во рту было так солоно, будто она наглоталась морской воды.

— Почему ты рассказала Рейчел? — спросил Джон Пол. — Почему теперь?

Сесилия отняла руки от лица и посмотрела на него.

— Она считала, что это Коннор Уитби убил Джейни, — пояснила она, понизив голос до шепота. — И пыталась задавить Коннора.

Она наблюдала за лицом Джона Пола, пока его мысль переходила от «А» к «Б», а затем и к пункту «В», где ждало чудовищное осознание своей ответственности.

Он прижал ко рту кулак.

— Черт, — тихонько выдохнул он в костяшки пальцев и принялся раскачиваться взад и вперед, словно аутичный ребенок. — Это я виноват, — пробормотал он туда же. — Все произошло из-за меня. О боже, Сесилия. Я должен был сознаться. Должен был рассказать Рейчел Кроули.

— Прекрати, — прошипела Сесилия. — Полли может услышать.

Джон Пол встал и отошел к двери палаты. Обернулся, с искаженным отчаянием лицом глянул на Полли. Отвел глаза, беспомощно потеребил ткань рубашки. А затем внезапно опустился на корточки, склонив голову и сцепив руки на затылке.

Сесилия бесстрастно наблюдала за ним. Ей вспомнилось, как он плакал утром в Страстную пятницу. Боль и сожаление, терзавшие его из-за того, как он обошелся с дочерью другого человека, не шли ни в какое сравнение с его горем из-за собственного ребенка.

Она вновь перевела взгляд с него на Полли. Можно сколько угодно воображать себе чужие несчастья: как кто-то тонет в ледяной воде или живет в городе, рассеченном стеной, — но ничто не причиняет настоящей боли, пока не случится с тобой. Или, в большей степени, с твоим ребенком.

— Джон Пол, вставай, — велела она, не глядя на него.

Ее взгляд был прикован к Полли.

Сесилия подумала об Изабели и Эстер, которые сейчас сидели дома с ее родителями и матерью Джона Пола, а также прочей разнообразной родней. Джон Пол с Сесилией ясно дали понять, что не хотят никого видеть в больнице, так что все собрались в доме. Это пока что успешно отвлекало Изабель и Эстер, но другим детям всегда начинает недоставать внимания, когда в семье случается подобное несчастье. Ей придется постараться, чтобы даже теперь остаться матерью всем трем дочерям. Родительский комитет обойдется без нее. И «Таппервер» тоже.

Она снова бросила взгляд на Джона Пола: тот по-прежнему сидел на полу, пригнувшись, как будто укрывался от взрыва бомбы.

— Вставай, — повторила она. — Ты не можешь сейчас терять голову. Ты нужен Полли. Ты нужен нам всем.

Джон Пол убрал руки с затылка и посмотрел на нее налитыми кровью глазами.

— Но меня же с вами не будет, — напомнил он. — Рейчел сообщит в полицию.

— Возможно, — признала Сесилия. — Возможно, и сообщит. Но мне так не кажется. Не думаю, что Рейчел отнимет тебя у семьи.

Никаких свидетельств этому не было, но почему-то она даже не сомневалась.

— По крайней мере не прямо сейчас.

— Но...

— Думаю, мы расплатились, — заключила Сесилия тихо и зло и кивнула на Полли. — Сам посмотри, во что нам это обошлось.

Глава 53

Рейчел сидела перед телевизором, наблюдая за пестрым, гипнотическим мерцанием картинок и лиц. Если бы кто-нибудь выключил телевизор и спросил, что она сейчас смотрела, она бы не сумела ответить.

Она могла прямо сейчас взять телефон и добиться того, чтобы Джона Пола Фицпатрика арестовали за убийство. Немедленно, или через час, или с утра. Она могла подождать, пока Полли не выпишут из больницы домой. Она могла подождать пару месяцев. Полгода. Год. Подарить ей год с отцом, а затем отнять его. Она могла подождать, пока происшествие не отойдет достаточно далеко в прошлое, чтобы превратиться в воспоминание. Она могла подождать, пока девочки Фицпатриков не подрастут, не получат водительские права, не перестанут нуждаться в папе.

Как будто ей вручили заряженный пистолет вместе с разрешением выстрелить в убийцу Джейни когда угодно. Если бы Эд еще был жив, он бы уже спустил курок. Вызвал бы полицию еще несколько часов назад.

Рейчел представила руки Джона Пола на горле Джейни, и знакомая ярость расцвела в ее груди. Девочка моя.

Она подумала о его девочке. Искристый розовый шлем. Тормоз. Тормоз. Тормоз.

Если она сообщит полиции о признании Джона Пола, расскажут ли им Фицпатрики о ее собственном признании? Арестуют ли ее за покушение на убийство? Чистая случайность помешала ей убить Коннора. Равны ли прегрешения ее ноги, надавившей на газ, и его рук на горле Джейни? Но с Полли-то произошел несчастный случай. Это все знают. Она выехала на велосипеде прямо под колеса Рейчел. На ее месте должен был оказаться Коннор. Что, если бы погиб Коннор? И его семья получила бы тот звонок, после которого вы до конца своих дней не сможете без содрогания слышать, как звонит телефон или стучат в дверь.

Коннор остался жив. Полли осталась жива. Только Джейни погибла.

А что, если он причинит вред кому-то еще? Она вспомнила, как он выглядел в больнице, сокрушенный тревогой из-за искалеченного тела дочери.

«Она посмеялась надо мной, миссис Кроули».

Посмеялась над тобой? Тупой, самовлюбленный ублюдок. И этого оказалось достаточно, чтобы ты ее убил? Отнял у нее жизнь. Отнял все те дни, которые она могла бы прожить, образование, которое она могла бы получить, страны, которые она могла бы посетить, мужа, за которого она могла бы выйти, детей, которых она могла бы родить. Рейчел так яростно затрясла головой, что зубы застучали друг о друга.

Она встала. Подошла к телефону и подняла трубку. Ее палец завис над кнопками. Вспомнилось, как она учила Джейни при необходимости вызывать полицию. У них тогда еще был старый зеленый аппарат с дисковым набором номера. Она позволила Джейни потренироваться в наборе цифр, а затем дала отбой, прежде чем они успели дозвониться по-настоящему. Джейни захотела разыграть целое представление. Она заставила Роба лечь на пол в кухне, а сама кричала в трубку: «Мне нужна „скорая"! Мой брат не дышит!» «Прекрати дышать, — велела она Робу. — Роб. Я вижу, как ты дышишь». Роб едва не потерял сознание, пытаясь ей угодить.

У маленькой Полли Фицпатрик больше не будет правой руки. Она правша? Вероятно. Большинство людей правши. Джейни была левшой. Одна из монашек пыталась заставить ее писать правой, и Эд пошел в школу и сказал: «При всем моем к вам уважении, сестра, кто, по-вашему, сделал ее левшой? Бог! Так что оставьте ее в покое».

Рейчел нажала кнопку.

— Алло? — К телефону подошли куда быстрее, чем она того ожидала.

— Лорен! — приветствовала невестку Рейчел.

— Рейчел. Роб как раз уже выходит из душа, — сообщила Лорен. — Все в порядке?

— Я понимаю, что уже поздно, — начала Рейчел, хотя даже не посмотрела на часы. — Вы и так вчера были со мной весь день, и мне не следовало бы так навязываться, но я тут подумала: нельзя ли мне переночевать у вас? Только сегодня. Почему то, сама не знаю почему, я никак не могу...

— Конечно можно, — отозвалась Лорен и вдруг закричала: — Роб!

До Рейчел донесся рокот его низкого голоса на заднем плане.

— Съезди за своей матерью, — велела ему Лорен.

Бедняга Роб. Подкаблучник, как сказал бы Эд.

— Нет-нет, — возразила Рейчел. — Он только что из душа. Я сама приеду.

— Ни в коем случае, — отрезала Лорен. — Он уже едет. Он был ничем не занят! Я постелю вам на диване. Он удивительно удобный! Джейкоб так обрадуется, когда увидит вас завтра утром. Жду не дождусь, когда увижу его лицо.

— Спасибо, — отозвалась Рейчел.

Внезапно ей сделалось тепло и сонно, как будто ее накрыли одеялом.

— Лорен? — окликнула она невестку, прежде чем повесить трубку. — А у вас не осталось еще этих макарони? Вроде тех, которыми ты угостила меня вечером в понедельник? Они были божественны. Просто божественны.

Промелькнула кратчайшая пауза.

— Вообще-то, остались, — ответила Лорен, и голос ее дрогнул. — Мы можем выпить с ними чая.

Пасхальное воскресенье

Глава 54

Тесс разбудил шум ливня. Было еще темно — около пяти утра, как она предположила. Уилл лежал на боку рядом с ней, повернувшись лицом к стене и тихо похрапывая. Его вид, запах, все ее ощущения рядом с ним были так знакомы и привычны. События прошедшей недели казались совершенно недостоверными.

Она могла бы прогнать Уилла на диван, но тогда ей пришлось бы отвечать на вопросы Лиама. Он и так уже слишком хорошо понимал, что все не вполне в порядке. Вчера за ужином она заметила, что взгляд сына постоянно мечется от нее к Уиллу и обратно, отслеживая их разговор. Вид его настороженного личика разбивал ей сердце и переполнял таким гневом на Уилла, что она с трудом могла смотреть на мужа.

Тесс чуть отодвинулась, чтобы не касаться Уилла. Как удобно, что она обзавелась собственной постыдной тайной. Это помогало ей совладать с дыханием во время внезапных приступов ярости. Он подвел ее. Она в ответ подвела его.

Может, их обоих охватило какое-то временное помрачение ума? В конце концов, это подходящее оправдание для убийц, так почему бы и не для ссорящихся супругов? Брак как форма безумия, любовь, постоянно колеблющаяся на грани раздражения.

Коннор сейчас, скорее всего, спит в уютной квартире, пахнущей чесноком и стиральным порошком, уже начиная жить дальше и забывая о ней во второй раз. Ругал ли он себя за то, что снова повелся на эту никудышную, бессердечную женщину? И зачем она изображает героя песни в стиле кантри? Должно быть, чтобы смягчить впечатление, чтобы ее образ казался нежным и печальным, а не распутным. Она подозревала, что Коннору нравится музыка кантри, но, возможно, сама это придумала, перепутав его с другим бывшим. Она толком его и не знала.

Уилл терпеть не мог кантри.

Вот почему им с Коннором так хорошо было вместе, потому что, по сути, они были чужими друг другу. Из-за этого все — их тела, их личности, их чувства — как будто делалось четче. Логики в этом нет, но чем лучше ты кого-то знаешь, тем больше смазывается его образ. Факты накапливаются, а человек исчезает. Куда интереснее гадать, нравится ли кому-то музыка кантри, чем знать это наверняка.

Сколько раз они с Уиллом занимались любовью — тысячу, должно быть? По меньшей мере. Она начала было подсчитывать, но от усталости бросила. Дождь усилился, как будто кто-то прибавил звук. Лиаму придется охотиться на пасхальные яйца под зонтом и в резиновых сапогах. Наверняка на ее памяти на Пасху и прежде случался дождь, но все ее воспоминания заполняли солнечные блики и голубое небо, как будто сейчас было первое дождливое пасхальное воскресенье в ее жизни.

Лиама дождь не расстроит. Вероятно, даже подогреет восторг. Она и Уилл переглянутся и засмеются, а потом поспешно отведут глаза и оба задумаются о Фелисити и о том, как им непривычно без нее. Справятся ли они? Сумеют ли все наладить ради одного чудесного шестилетнего мальчика?

Тесс закрыла глаза и перекатилась на бок, спиной к Уиллу.

«Возможно, мама была права, — подумала она смутно. — Все дело в нашем самолюбии».

Ей казалось, она вот-вот поймет нечто важное. Можно влюбляться в новых людей, а можно набраться мужества и скромности, чтобы содрать с себя какой-то жизненно важный слой, открыв друг другу совершенно иной уровень «самости», куда более глубокий, чем любимая музыка. Похоже, все на свете слишком много внимания уделяют гордости из самозащиты, чтобы по-настоящему обнажить душу перед близкими. Проще притвориться, будто больше узнавать и нечего, остановиться на беззаботном товариществе. Подлинная близость с супругом почти смущает: разве можно сначала наблюдать, как кто-то ковыряется в зубах, а потом делиться с ним глубочайшими переживаниями или зауряднейшими страхами? Такого рода вещи проще обсуждать до того, как вы начали пользоваться одной ванной и банковским счетом и спорить, куда класть сковороду в посудомоечной машине. Но теперь, когда это все же произошло, им с Уиллом не остается иного выбора — иначе они возненавидят друг друга за то, чем пожертвовали ради Лиама.

И возможно, они уже приступили к делу, когда вчера вечером обменялись рассказами о плеши и школьных викторинах. Ее в равной мере одолевали веселье и нежность при попытке вообразить, как изменился в лице Уилл, когда парикмахер показала ему в зеркале его затылок.

Компас, присланный отцом, лежал на тумбочке у кровати. Тесс задумалась, что сталось бы с браком ее родителей, если бы они решили остаться вместе ради нее. Если бы они действительно попытались из любви к ней, могло бы у них что-то получиться? Вероятно, нет. Но она была убеждена, что счастье Лиама — самая веская причина на свете для того, чтобы они с Уиллом сейчас были здесь.

Она вспомнила слова Уилла о том, что он хотел бы раздавить ее паука. Убить его.

Возможно, он здесь не только ради Лиама.

Возможно, она тоже.

Ветер выл, и стекла в окне спальни дребезжали. В комнате как будто резко похолодало, и Тесс внезапно страшно замерзла. Слава богу, Лиам лег спать в теплой пижаме, и она накрыла его вторым одеялом, иначе пришлось бы вставать и по холоду идти его проведывать. Она подкатилась к Уиллу и всем телом прижалась к его спине. Тепло принесло блаженное облегчение, и она начала соскальзывать обратно в сон, но вместе с тем случайно, машинально, прижалась губами к его загривку. Уилл заворочался и протянул назад руку, чтобы погладить ее по бедру, и вот, не принимая никаких решений, не задавая вопросов, они уже занимались любовью — тихой, сонной, семейной любовью, и каждое движение было приятным, простым и знакомым, хотя обычно они при этом не плакали.

Глава 55

—Бабуля! Бабуля!

Рейчел медленно вынырнула из глубокого сна без сновидений. Впервые за долгие годы она спала при выключенном свете. В комнате Джейкоба окна закрывали тяжелые темные шторы, как в гостинице, и Рейчел почти сразу же заснула на диване, разложенном рядом с его кроваткой. Лорен была права: диван оказался удивительно удобным. Она и не помнила, когда в последний раз спала так крепко, — ей казалось, это умение из прошлого она утратила навсегда, так же, как разучилась делать колесо.

— Привет, — поздоровалась она.

Она едва различала очертания фигурки Джейкоба, стоящего около ее постели. Их лица оказались почти вровень, его глаза поблескивали в темноте.

— Ты здесь! — Он явно был изумлен.

— Это точно, — подтвердила она.

Рейчел тоже сама себе удивлялась. Лорен с Робом частенько предлагали ей остаться на ночь, но она всякий раз отказывалась сразу же и наотрез, как будто ей воспрещала это религия.

— Дождик, — торжественно объявил Джейкоб.

Она расслышала стук тяжелого затяжного дождя.

В комнате не было часов, но по ее ощущениям было около шести утра — вставать еще рано. С легким испугом Рейчел вспомнила, что пообещала на Пасху пообедать с родителями Лорен. Возможно, она притворится, что ей нездоровится. В конце концов, она осталась у них ночевать, и к обеду все окажутся взаимно сыты обществом друг друга по горло.

— Хочешь забраться ко мне? — спросила она у Джейкоба.

Тот хихикнул, как будто считал, что бабушка не в себе, и вскарабкался на диван. Он заполз на нее и уткнулся лицом ей в шею, теплый и тяжелый. Она прижалась губами к шелковистой коже его щеки.

— Я вот думаю, не...

Рейчел едва успела остановиться, не договорив: «...не побывал ли тут пасхальный кролик». Джейкоб обязательно спрыгнул бы с дивана и побежал по дому в поисках яиц, разбудив Роба и Лорен, и Рейчел оказалась бы в роли надоедливой гостьи и свекрови, не вовремя напомнившей ребенку про Пасху.

— Я вот думаю, не поспать ли нам еще, — закончила она вместо этого, подозревая, впрочем, что им это вряд ли удастся.

— Не-а, — отказался он.

Его дрогнувшие ресницы мягко пощекотали ей шею.

— Знаешь, как сильно я стану по тебе скучать, пока ты будешь в Нью-Йорке? — шепнула она ему на ушко.

Для Джейкоба это, конечно, не имело никакого смысла. Он не обратил внимания на вопрос и, покрутившись, устроился на ней поудобнее.

— Бабуля, — довольно объявил он.

— Уф, — охнула она, когда он ткнул ее коленом в живот.

Дождь пошел сильнее, и в комнате внезапно похолодало. Рейчел поплотнее закутала их обоих в одеяла и крепче обняла Джейкоба.

— Вот дождик идет, все льет он и льет, и тихо храпит старичок, — запела она ему на ушко. — Он шишку набил, остался без сил, а утром подняться не смог.

— Еще, — потребовал Джейкоб.

Рейчел запела песенку сначала.

Маленькая Полли Фицпатрик проснется сегодня с телом, которое никогда уже не станет прежним. И это вина Рейчел. Джону Полу и Сесилии трудно будет с этим смириться. Потрясение останется с ними на месяцы, прежде чем они наконец, как сама Рейчел, поймут, что немыслимое произошло, а мир не остановился, и люди по-прежнему обстоятельно беседуют о погоде, и по-прежнему бывают уличные пробки и счета за электричество, скандалы со знаменитостями и политические перевороты.

Однажды, когда Полли уже вернется домой из больницы, Рейчел пригласит Джона Пола к себе и попросит описать ей последние мгновения жизни Джейни. Она уже представляла, как именно все пройдет. Его напряженное, испуганное лицо, когда она откроет дверь. Она приготовит для убийцы своей дочери чашку чая, а он сядет за ее кухонный стол и заговорит. Она не отпустит ему грехов, но заварит чай. Она никогда не простит его, но, возможно, и не сдаст полиции, и не потребует от него сознаться. После его ухода она сядет на диван и будет раскачиваться, причитать и выть. В последний раз. Она никогда не перестанет оплакивать Джейни, но это будет в последний раз, когда она станет плакать по ней так.

Затем она заварит в чайнике свежий чай и решит. Примет окончательное решение, что еще нужно сделать,

ЛИАНА МОРИАРТИ

какую цену заплатить — или же на самом деле все уже оплачено.

— Шишку набил, остался без сил, а утром подняться не смог...

Джейкоб заснул. Рейчел бережно сдвинула его с себя и переложила головку на подушку. Во вторник она сообщит Труди, что увольняется из школы. Она не вернется на работу, где может встретиться с малышкой Полли или ее отцом. Это невозможно. Пришло время продать дом, вместе с памятью и болью.

Ее мысли вернулись к Коннору Уитби. Не встретились ли они взглядами на какой-то миг, пока он бежал через дорогу? На миг, когда он угадал ее убийственные намерения и побежал, спасая свою жизнь? Или она это придумала? Этого мальчика Джейни предпочла Джону Полу Фицпатрику.

«Ты выбрала не того мальчика, милая».

Выбери она Джона Пола — и осталась бы жива.

Рейчел задумалась, любила ли Джейни Коннора на самом деле. Предназначался ли Коннор ей в зятья в той выдуманной параллельной жизни, которую ей не довелось прожить? И не обязана ли в связи с этим Рейчел сделать для Коннора что-нибудь приятное в память о Джейни? Например, пригласить на ужин? Она содрогнулась от одной мысли. Нет, только не это. Она не может выключить чувства так же просто и быстро, как закрутить кран. Рейчел по-прежнему видела ярость на лице Коннора на той записи и то, как Джейни отшатнулась от него. Она сознавала — по крайней мере разумом, что в этой сцене не было ничего особенного: просто обычный мальчик-подросток, жаждущий добиться от девочки прямого ответа. Но это не означало, что она его простила.

Она подумала о том, как Коннор улыбался Джейни в той записи, прежде чем вышел из себя, — искренней улыбкой влюбленного. И вспомнила фотографию из альбома Джейни, ту, где Коннор так тепло смеялся над какой-то ее шуткой.

Возможно, однажды она пришлет Коннору копию этой фотокарточки с запиской. «Я подумала, что вам, возможно, будет приятно иметь этот снимок». Это станет неявным извинением за то, как она обращалась с ним все эти годы. И еще за попытку его убить. Давайте не забывать и об этом. Рейчел поморщилась в темноте, повернула голову и утешения ради прижалась губами к волосам Джейкоба.

«Завтра я зайду на почту и возьму бланк заявления на паспорт. Я навещу их в Нью-Йорке. Возможно, даже отправлюсь в этот чертов круиз на Аляску. Марла с Маком могут поехать со мной. Они не боятся холода».

«Мам, иди-ка ты дальше спать», — посоветовала Джейни.

На миг Рейчел увидела ее потрясающе отчетливо: женщиной средних лет, какой она могла бы стать, уверенной в себе и в собственном месте в мире, властной и любящей, снисходительной и нетерпеливой со своей старушкой-матерью, помогающей ей получить первый в жизни паспорт.

«Не могу заснуть», — отозвалась Рейчел.

«Еще как можешь», — возразила Джейни.

И Рейчел заснула.

Глава 56

Официальная церемония сноса Берлинской стены прошла так же эффектно, как и возведение. 22 июня 1990 года контрольно-пропускной пункт «Чарли», знаменитый символ холодной войны, был демонтирован в ходе удивительно будничной операции. На глазах у иностранных министров и прочих высокопоставленных лиц, рассаженных по рядам пластиковых стульев, огромный кран целиком поднял прославленную бежевую металлическую кабинку.

В тот же день, в другом полушарии, Сесилия Белл, недавно вернувшаяся из поездки в Европу с подружкой Сарой Сакс, а ныне вполне созревшая для того, чтобы найти себе жениха и начать надлежащим образом упорядоченную жизнь, заглянула на новоселье в полный гостей домик с двумя спальнями на Лейн-Ков.

— Сесилия, ты, наверное, знакома с Джоном Полом Фицпатриком? — спросила ее хозяйка дома, перекрикивая грохот музыки.

— Привет, — поздоровался Джон Пол.

Сесилия пожала ему руку, встретила взгляд его серьезных глаз и улыбнулась так, будто ей только что подарили свободу.

* * *

— Мамочка.

Сесилия проснулась, задохнувшись, будто она тонула. Во рту было сухо, как в пустыне. Должно быть, она задремала, запрокинув голову, на стуле рядом с кроватью Полли, и во сне ее рот открылся. Джон Пол уехал домой, чтобы побыть с девочками и привезти им сюда чистую смену одежды. Попозже утром, если Сесилия даст добро, он привезет Изабель и Эстер навестить сестру.

— Полли, — заполошно отозвалась она.

Ей снился маленький Человек-паук. Только в этом сне им была Полли.

— Постарайтесь следить за языком тела, — советовала ей вчера вечером дама-консультант. — Дети распознают его куда лучше, чем вам кажется. Тон голоса. Выражение лица. Жесты.

«Да, спасибо, я знаю, что такое язык тела», — подумала тогда Сесилия.

Волосы консультанта были убраны назад и прижаты огромными солнцезащитными очками, как будто она веселилась на пляжной вечеринке, а не беседовала в шесть вечера в больнице с родителями, переживающими свой худший кошмар. Сесилия не могла простить ей легкомыслия этих проклятых очков.

Конечно, кто бы мог подумать иначе. Если ваш ребенок получает травму в Страстную пятницу, это куда хуже, чем в любой другой день. Большая часть работников больницы уехали на пасхальные выходные, так что пройдет еще несколько дней, прежде чем Сесилия встретится со всей реабилитационной командой Полли, куда входят физиотерапевт, эрготерапевт, психолог и протезист. Ее одновременно успокаивало и ужасало, что для всего этого установлены свои процедуры, с информационными буклетами и полезными советами, и что они сейчас вступают на путь, уже пройденный множеством других родителей. Всякий раз, когда кто-нибудь с прозаичной уверенностью заговаривал с Сесилией о том, что ей предстоит, она на мгновение переставала следить за его словами, ошеломленная до беспамятства. Никто в больнице не был в достаточной мере потрясен несчастьем Полли. Никто из медсестер или врачей не стиснул руку Сесилии, причитая: «Боже мой, поверить не могу. Просто не могу поверить». Ее бы смутило, поступи они так, но не меньше смущало ее и то, что они так не делали.

Вот почему ее успокаивало множество сообщений, пришедших на мобильный от родственников и друзей: она слушала, как Бриджет от потрясения не может говорить связно, как срывается обычно невозмутимый голос Махалии, как директор школы, милая Труди Эппл-би, заливается слезами, извиняется, а затем перезванивает — и все повторяется сначала. Ее мама сообщила, что матери других школьников принесли ей уже целых четырнадцать судков. Вся та еда, которую она разносила многие годы, наконец-то возвращается к ней сторицей.

— Мамочка, — снова пробормотала Полли, но глаз так и не открыла.

Похоже, она говорила во сне. Девочка вздрогнула и беспокойно завертела головой из стороны в сторону, как будто от боли или страха. Рука Сесилии зависла над кнопкой вызова медсестры, но лицо Полли уже разгладилось.

Сесилия выдохнула. Она даже не заметила, как затаила дыхание. Это с ней тоже происходило постоянно. Ей приходилось напоминать себе, что нужно дышать.

Она выпрямилась на стуле и задумалась, как дела у Джона Пола и девочек. Без предупреждения ее сотряс жестокий приступ ненависти, какого она не испытывала еще ни разу в жизни. Она ненавидела мужа за то, как он обошелся с Джейни Кроули столько лет назад. Он был виноват в том, что Рейчел Кроули нажала на педаль газа. Ненависть растеклась по телу Сесилии, словно быстродействующий яд. Ей хотелось пинать его, лупить, забить до смерти. Боже правый. Она бы не смогла находиться с ним в одной комнате. Сесилия часто, неглубоко задышала и отчаянно огляделась по сторонам в поисках чего-нибудь, что можно было бы разбить или ударить.

«Сейчас не время, — сказала она себе. — Полли это не поможет».

Он сам себя винит, вспомнила она, и мысль о его страданиях принесла ей некоторое облегчение. Ненависть постепенно ослабла до терпимого уровня. Сесилия знала, что гнев еще вернется, что с каждым новым испытанием для Полли она будет искать, кого еще обвинить в этом, кроме себя. В этом и коренилась ненависть — в сознании собственной ответственности. Ее решение пожертвовать чувствами Рейчел Кроули ради благополучия своей семьи и привело ее в эту больничную палату.

Сесилия знала, что ее брак надколот в самой сердцевине, но понимала также, что они с Джоном Полом так и продолжат ковылять вместе, словно раненые солдаты. Ради Полли. Она научится жить с волнами ненависти. Они станут ее тайной. Ее отвратительной тайной.

Но эти волны когда-нибудь схлынут, а любовь останется. Это чувство уже ничем не походило на незамысловатое, безграничное обожание, с которым юная невеста подошла в церкви к серьезному привлекательному мужчине. И все же Сесилия знала: как бы страстно она ни ненавидела Джона Пола за то, что он совершил, она всегда будет его любить. Эта любовь и сейчас жила, словно золотая прожилка в глубине ее сердца. И она останется там навсегда.

«Думай о чем-нибудь другом», — велела она себе, потом достала айфон и принялась составлять список. Сегодняшний пасхальный обед уже отменен, но день рождения Полли нужно будет отпраздновать. Можно ли провести в больнице пиратскую вечеринку? Наверняка можно. Это будет самая чудесная, самая волшебная вечеринка на свете. Она выдаст медсестрам повязки на глаз.

— Мама? — Полли открыла глаза.

— Привет, принцесса Полли, — отозвалась Сесилия.

На этот раз она оказалась готова, как актриса, чей черед идти на сцену.

— Угадай, кто оставил для тебя подарок прошлой ночью?

Она извлекла из-под подушки Полли пасхальное яйцо. Оно было завернуто в блестящую золотую фольгу и перевязано посередине красной бархатной ленточкой.

— Пасхальный кролик? — Полли заулыбалась.

— Даже лучше. Мистер Уитби.

Полли собралась было протянуть руку за яйцом, и на ее красивом личике отразилось легкое удивление. Она нахмурилась, глядя на мать, в ожидании, что та все исправит.

Сесилия прочистила горло, улыбнулась и твердо сжала в руке левую ладошку Полли.

— Милая, — заговорила она.

Вот так это началось.

Эпилог

В наших судьбах есть множество тайн, о которых мы никогда не узнаем.

Рейчел Кроули никогда не узнает, что ее муж, вопреки собственным словам, вовсе не ездил к клиентам в Аделаиду в тот день, когда погибла Джейни. Он упражнялся на теннисном корте, проходя интенсивный тренировочный курс, с помощью которого надеялся одолеть проклятую подачу Тоби Мерфи. Он не предупредил об этом Рейчел заранее, поскольку стеснялся: он же видел, как Тоби смотрит на его жену и как та смотрит в ответ. И никогда не упоминал об этом потом, ибо крайне стыдился и винил себя, хоть и совершенно безосновательно, в том, что его не оказалось рядом, когда он был нужен Джейни. Он больше никогда не брался за ракетку и унес свой глупый секрет с собой в могилу.

Раз уж речь зашла о теннисе... Полли Фицпатрик никогда не узнает, что если бы не выехала на велосипеде под машину Рейчел Кроули, то на седьмой день рождения получила бы от тети Бриджет в подарок теннисную ракетку. Две недели спустя она пришла бы на первое занятие по теннису. И, спустя двадцать минут после начала урока, ее тренер подошел бы к своему начальнику на соседнем корте и тихонько сказал: «Взгляни-ка на удар справа у этой девочки». И взмах ракетки изменил бы ее судьбу столь же быстро, как и поворот велосипедного руля в сторону мистера Уитби.

Еще Полли никогда не узнает, что мистер Уитби все же слышал, как она окликала его в ту страшную пятницу, но не подал вида. Он отчаянно спешил вернуться домой и спрятать обратно в шкаф нелепого воздушного змея в виде рыбы вместе со столь же смехотворными надеждами на новые отношения со своей чертовой бывшей подружкой Тесс О'Лири. Благодаря мучительному чувству вины Коннора дочь его психотерапевта отучится в девятом классе частной школы, но ослабевать оно начнет лишь тогда, когда он наконец-то поднимет глаза и встретится взглядом с красивой женщиной, хозяйкой индийского ресторанчика, где обычно ел карри после сеансов.

Тесс О'Лири так никогда и не узнает наверняка, приходится ли ее муж Уилл биологическим отцом их второму ребенку, плоду случайной беременности, зачатому на странной апрельской неделе в Сиднее. Таблетка помогает, только если ее принимать, а она забыла упаковку в Мельбурне, когда вылетала в Сидней. Другая возможность не будет упомянута ни словом, хотя, когда в подростковом возрасте любимая дочка Тесс заявит за рождественским ужином, что решила стать учительницей физкультуры в школе, ее бабушка подавится индейкой, а кузина матери обольет шампанским все брюки своему красивому мужу-французу.

Джон Пол Фицпатрик никогда не узнает, что, если бы Джейни вспомнила о визите к врачу, назначенном на тот день в 1984 году, доктор выслушала бы ее жалобы и, присмотревшись к ее необычно высокому, длинному и худому телу, предположила бы синдром Марфана. Это неизлечимое генетическое заболевание, которое приписывают Аврааму Линкольну, характеризуется удлиненными конечностями, длинными тонкими пальцами и патологиями сердечно-сосудистой системы. Симптомы включают утомляемость, поверхностное дыхание, учащенное сердцебиение и холодные кисти рук и стопы из-за плохого кровообращения — все это Джейни испытала в день своей смерти. Это наследственное заболевание, которым, вероятно, страдала также и Петра, тетя Рейчел, умершая в возрасте двадцати лет. Женщина-терапевт, благодаря чрезмерно властной матери выросшая перфекционисткой и превосходным специалистом, схватилась бы за телефон и договорилась бы о срочном осмотре Джейни в больнице, где ультразвуковое исследование подтвердило бы ее опасения и спасло девушке жизнь.

Джон Пол никогда не узнает, что Джейни убила аневризма аорты, а не травматическое удушье. И если бы судебно-медицинский эксперт, проводивший вскрытие тела Джейни, не страдал бы в тот день от изнурительного гриппа, он не уступил бы столь охотно просьбе семьи Кроули по возможности ограничить процедуру. Другой эксперт в этом случае провел бы полную аутопсию и обнаружил бы ясные как день свидетельства расслоения аорты — неоспоримой причины смерти Джейни.

Если бы на месте Джейни в тот день в парке оказалась любая другая девушка, она бы еще только пошатнулась, ловя ртом воздух, когда Джон Пол осознал бы, что́ именно делает, еще до того как прошло бы от семи до четырнадцати секунд, которые требуются среднему мужчине, чтобы задушить среднюю женщину. Он уронил бы руки, а она бросилась бы бежать, заливаясь слезами и не слушая его извинений. Другая девушка сообщила бы о происшествии в полицию, и Джона Пола обвинили бы в нападении, что развернуло бы его жизнь в совершенно ином направлении.

Джон Пол никогда не узнает, что, если бы Джейни явилась на назначенный прием к врачу, она бы в тот же вечер перенесла срочную операцию по жизненным показаниям. Пока ее собственное сердце еще излечивалось бы, она позвонила бы Джону Полу и разбила бы ему сердце. Она бы слишком рано вышла за Коннора Уитби и развелась с ним через десять дней после второй годовщины свадьбы.

И не прошло бы и полгода, как Джейни столкнулась бы с Джоном Полом Фицпатриком на вечеринке в честь новоселья на Лейн-Ков, всего лишь за несколько мгновений до того, как в дверь вошла Сесилия Белл.

Никто из нас никогда не узнает всех путей, по которым могли бы — и, вероятно, должны были — двинуться наши судьбы. И это, надо думать, к лучшему. Некоторым тайнам следует навеки оставаться взаперти. Спросите Пандору.

Благодарности

Спасибо огромное всем удивительно талантливым людям из «Pan Macmillan», оказывавшим мне поддержку, с отдельной благодарностью Кейт Патерсон, Саманте Сейнсбери, Александре Налус, Джулии Стайлс и Шарлотте Ри.

Также спасибо и моим международным редакторам (я пытаюсь как можно чаще втягивать вас в разговоры): Эми Эйнхорн и Элизабет Стейн из «Amy Einhorn Books» в США, Саманте Хамфрис и Селине Келли из издательства «Penguin» в Великобритании, а также Даниэле Яржинке из «Bastei Luebbe» в Германии.

Я крайне признательна моей подруге Лене Спарк, консультировавшей меня по части медицины и отвечавшей на мои в меру отвратительные вопросы, пока мы качали на качелях в парке наших дочерей. Все ошибки определенно исходят от меня.

Спасибо моим друзьям Петронелле Макговерн и Маргарет Палиси за предоставленные ими ценные сведения о жизни начальных школ. Спасибо моим милым сестрам за то, что они мои милые сестры: Жаклин Мориарти, Катрине Харрингтон, Фионе Острик и Николе Мориарти. Спасибо Адаму за чай и Джорджу с Анной за то, что позволяли мне «поработать за компьютером». Спасибо Анне Купер за то, что она мягко уговаривала Джорджа с Анной, чтобы те позволяли мне поработать за компьютером.

Спасибо моему агенту Фионе Инглис и всем в «Curtis Brown». Также спасибо моим товарищам-писателям и друзьям Диане Блэклок и Бер Кэрролл. Совместные с вами поездки всегда оказываются намного веселее.

Но, что важнее всего, спасибо всем моим читателям, особенно тем, кто находит время мне написать. Я приобрела нездоровое пристрастие к вашим электронным письмам, комментариям в «Фейсбуке» и моем блоге.

Книга «Берлин. Биография города» Энтони Рида и Дэвида Фишера оказала мне бесценную помощь в написании этого романа.

СОДЕРЖАНИЕ

Мориарти Л.

М79 Тайна моего мужа : роман / Лиана Мориарти ; пер. с англ. И. Смирновой. — М. : Иностранка, Азбука-Аттикус, 2014. — 480 с.

ISBN 978–5–389–07271–8

Некоторым тайнам лучше оставаться взаперти навсегда.

Представьте себе, что ваш муж написал письмо, которое вы должны вскрыть после его смерти. Вообразите, что письмо раскрывает мрачную тайну, которая способна разрушить не только ваш устоявшийся быт, но и искалечить судьбы многих окружающих вас людей.

Сесилия Фицпатрик — прекрасная жена и мать трех подрастающих дочерей — случайно находит письмо, написанное ее супругом много лет назад с просьбой вскрыть после его смерти. Но ее муж еще жив и здоров. Он просит ни в коем случае не вскрывать это послание. Однако Сесилия все же вскрывает письмо, и страшная тайна, которую она узнает из него, кардинально изменяет жизнь не только ее семьи, но и людей, которых она едва знает...

Впервые на русском языке!

УДК 821(94)
ББК 84(8Авс)-44

Литературно-художественное издание

ЛИАНА МОРИАРТИ
ТАЙНА МОЕГО МУЖА

Ответственный редактор Ольга Рейнгеверц
Редактор Елизавета Дворецкая
Художественный редактор Виктория Манацкова
Технический редактор Татьяна Раткевич
Компьютерная верстка Елены Долгиной
Корректоры Лариса Ершова, Валентина Гончар

Подписано в печать 04.08.2014. Формат 84×100 1/32. Печать офсетная.
Тираж 7000 экз. Усл. печ. л. 23,4. Заказ № 2350/14.

Знак информационной продукции
(Федеральный закон № 436-ФЗ от 29.12.2010 г.): **16+**

ООО «Издательская Группа „Азбука-Аттикус“» —
обладатель товарного знака «Издательство Иностранка»
119334, г. Москва, 5-й Донской проезд, д. 15, стр. 4
Филиал ООО «Издательская Группа „Азбука-Аттикус“»
в Санкт-Петербурге
191123, г. Санкт-Петербург, наб. Робеспьера, д. 12, лит. А
ЧП «Издательство „Махаон-Украина“»
04073, г. Киев, Московский пр., д. 6 (2-й этаж)
Отпечатано в соответствии с предоставленными материалами
в ООО «ИПК Парето-Принт».
170546, Тверская область, Промышленная зона Боровлево-1, комплекс № 3А.
www.pareto-print.ru

ПО ВОПРОСАМ РАСПРОСТРАНЕНИЯ ОБРАЩАЙТЕСЬ:
В Москве:
ООО «Издательская Группа „Азбука-Аттикус“»
Тел.: (495) 933-76-00, факс: (495) 933-76-19
E-mail: sales@atticus-group.ru; info@azbooka-m.ru
В Санкт-Петербурге:
Филиал ООО «Издательская Группа „Азбука-Аттикус“»
Тел.: (812) 327-04-55, факс: (812) 327-01-60
E-mail: trade@azbooka.spb.ru; atticus@azbooka.spb.ru
В Киеве:
ЧП «Издательство „Махаон-Украина“»
Тел./факс: (044) 490-99-01. E-mail: sale@machaon.kiev.ua
Информация о новинках и планах, а также условия сотрудничества
на сайтах: www.azbooka.ru, www.atticus-group.ru

HJJM1527502R